STO MILIONÓW
DOLARÓW

LEE CHILD

STO MILIONÓW DOLARÓW

Z angielskiego przełożył

JAN KRAŚKO

Tytuł oryginału:
NIGHT SCHOOL

Redakcja: Grażyna Dziedzic

Projekt graficzny okładki i serii: Mariusz Banachowicz

Skład: Laguna

ISBN 978-83-7985-931-3

Książka dostępna także jako e-book

Dystrybutor
Firma Księgarska Olesiejuk sp. z o.o. sp. j.
Poznańska 91, 05-850 Ożarów Mazowiecki
tel. (22) 721 30 00, faks (22) 721 30 01
www.olesiejuk.pl

Wydawca
WYDAWNICTWO ALBATROS SP. Z O.O.
(dawniej Wydawnictwo Albatros Andrzej Kuryłowicz s.c.)
Hlonda 2A/25, 02-972 Warszawa
www.wydawnictwoalbatros.com
Facebook.com/WydawnictwoAlbatros | Instagram.com/wydawnictwoalbatros

2017. Wydanie III
Druk: Abedik S.A., Poznań

Książkę wydrukowano na papierze Ecco Book Cream 2.0 70 g/m²
z oferty Antalis Poland

*Z wyrazami wielkiego szacunku dla mężczyzn
i kobiet na całym świecie,
którzy robią to wszystko naprawdę.*

1

Rano dali mu medal, a po południu odesłali go z powrotem do szkółki. Dostał Legię Zasługi. Już drugą. Elegancki drobiazg w białej emalii, z purpurowoczerwoną tasiemką. Według Rozporządzenia Armii Stanów Zjednoczonych numer 600-8-22, medal ten jest przyznawany za wyjątkowe zasługi tym, którzy pełnią odpowiedzialne funkcje podczas wojny i pokoju. Cóż, formalnie rzecz biorąc, on tę poprzeczkę przeskoczył. Ale doszedł do wniosku, że odznaczono go z tego samego powodu co przedtem. Był to symbol swojego rodzaju transakcji. Umowy z cyklu: weź tę błyskotkę i ani słowa o tym, o co cię prosiliśmy. Tyle że on zrobiłby to i bez proszenia. Zresztą nie było się czym chwalić. Ot, Bałkany, trochę policyjnej roboty, poszukiwanie dwóch miejscowych kolesi, którzy mieli co ukrywać. Zidentyfikował ich, znalazł, odwiedził i wpakował im po dwie kule w głowę. Wszystko w ramach utrwalania procesu pokojowego. Zabieg okazał się skuteczny, bo w regionie trochę się uspokoiło. Koszt? Dwa tygodnie życia. I cztery naboje. Nic wielkiego.

Rozporządzenie numer 600-8-22 było zaskakująco niejasne co do sposobu wręczania medali. Mówiło jedynie, że ma się to odbywać ze stosowną ceremonią i w stosownie oficjalnej atmosferze. Co zwykle znaczyło, że uroczystość organizowano w dużej sali ze złoconymi meblami i pękiem flag. I że medal wręczał oficer starszy stopniem od nagradzanego. Reacher był majorem z dwunastoletnim stażem, ale ponieważ tego samego ranka medale dostali także inni, w tym trzech pułkowników i dwóch jednogwiazdkowych generałów, na pokład zawitała gruba ryba z Pentagonu, trzygwiazdkowy generał. Reacher poznał go przed wielu laty w Fort Myer, gdzie facet dowodził batalionem CID, oddziałem dochodzeniówki kryminalnej Sił Lądowych USA. Łebski gość, w każdym razie na tyle, żeby wykoncypować, dlaczego major żandarmerii wojskowej dostaje Legię Zasługi. Miał to coś w oczach, to spojrzenie. Na wpół drwiące, na wpół poważne. Bierz błyskotkę i morda w kubeł. Może kiedyś robił to samo. Pewnie tak, bo na kurtce galowego munduru miał całą tęczę baretek. W tym dwie Legie.

Stosowną ceremonię w stosownie oficjalnej atmosferze zorganizowano w Fort Belvoir w Wirginii. Blisko Pentagonu, a więc wygodnie dla trzygwiazdkowej szychy. Dla Reachera też, bo miał stamtąd blisko do Rock Creek, gdzie zabijał czas od powrotu z misji. Mniej wygodnie dla oficerów, którzy przylecieli z Niemiec.

Najpierw było trochę kręcenia się po sali, trochę gadania o niczym i ściskania rąk, a potem wszyscy ucichli, stanęli na baczność w rzędzie i zaczęło się: wymieniano honory, generał przypinał lub zawieszał medale, potem znowu pokręcili się trochę po sali, pogadali o niczym i pościskali sobie ręce. Reacher przesuwał się powoli w stronę drzwi, chcąc jak najszybciej wyjść, ale nie zdążył, bo dopadł go ten trzygwiazdkowy. Uścisnął mu rękę, chwycił za łokieć i powiedział:

– Podobno ma pan nowe rozkazy, majorze.

– Nic o tym nie wiem – odparł Reacher. – Przynajmniej na razie. Gdzie pan to słyszał?

– Od mojego sierżanta. Oni tam wszyscy plotkują. Podoficerowie naszej armii to najskuteczniejsza poczta pantoflowa na świecie. Zawsze mnie to zdumiewa.

– I niby gdzie mnie wysyłają?

– Dokładnie nie wiadomo. Ale gdzieś niedaleko. W każdym razie da się spokojnie dojechać. Ci z parku maszynowego musieli dostać zapotrzebowanie.

– Kiedy mnie powiadomią?

– Dzisiaj.

– Dziękuję. Dobrze wiedzieć.

Generał puścił jego łokieć i Reacher ruszył dalej, do drzwi, a potem wyszedł na korytarz, gdzie gwałtownie wyhamował przed nim sierżant sztabowy. Wyhamował i zasalutował zdyszany jak po długim biegu. Pewnie wysłano go z tej części fortu, gdzie nic nikomu nie wręczano, tylko uczciwie pracowano.

– Panie majorze – wysapał – generał Garber gratuluje medalu i prosi, żeby wpadł pan do niego, kiedy tylko będzie pan mógł.

– Dokąd mnie wysyłają, sierżancie? – spytał Reacher.

– Gdzieś niedaleko – odparł sztabowiec. – Ale „niedaleko" daje sporo możliwości.

● ● ●

Garber stacjonował w Pentagonie, więc Reacher zabrał się z dwoma kapitanami, którzy mieszkali w Belvoir, ale jechali na popołudniową służbę w kręgu B. Generał miał własny pokój – dwa kręgi w głąb, dwa piętra w górę – strzeżony przez sierżanta przy biurku pod drzwiami. Który wstał, wprowadził Reachera do gabinetu i zaanonsował jak staroświecki kamerdyner ze staroświeckiego filmu. Potem zrobił mu przejście i chciał wrócić na posterunek, ale Garber go zatrzymał.

– Niech pan zostanie, sierżancie.

I sierżant został. Zrobił „spocznij", rozstawił nogi na błyszczącym linoleum i znieruchomiał.

Świadek.

– Nie pan usiądzie, majorze.

Reacher usiadł na krześle dla gości, takim z nogami z rurek, które ugięło się pod nim i odchyliło do tyłu, jakby powiał silny wiatr.

– Ma pan nowe rozkazy – oznajmił generał.

– Co i gdzie?

– Wraca pan do szkoły.

Reacher milczał.

– Rozczarowany?

Aha, stąd świadek. To nie była prywatna rozmowa. Sytuacja wymagała wzorowego zachowania.

– Panie generale, chętnie pojadę wszędzie tam, dokąd wyśle mnie armia.

– Widzę, że nie jest pan zadowolony. A powinien pan się cieszyć. Trzeba stale się dokształcać, to wspaniała rzecz.

– Wracam do... jakiej szkoły?

– Szczegółowe rozkazy otrzyma pan u siebie. Powinny już czekać.

– Długo mnie nie będzie?

– To zależy od tego, jak bardzo będzie się pan starał. Przypuszczam, że tyle, ile będzie trzeba.

• • •

Wsiadł do autobusu na parkingu przed Pentagonem i wysiadł dwa przystanki dalej, w kwaterze głównej w Rock Creek. Wdrapał się na wzgórze i poszedł prosto do biura. Na środku biurka leżała cienka teczka, na której widniało jego nazwisko, jakieś cyfry i nazwa kursu: *Wpływ najnowszych innowacji kryminalistycznych na współpracę międzyagencyjną*. W środku było kilka kartek – prosto z kserokopiarki, bo jeszcze

ciepłych – w tym oficjalny rozkaz tymczasowego oddelego-
wania do czegoś, co wyglądało na ośrodek szkoleniowy
wydzierżawiony w kompleksie biur w McLean w Wirginii.
Miał się tam stawić przed siedemnastą. Ubranie? Cywilne.
Kwatery? Na miejscu. Przydzielono mu również samochód.
Bez szofera.

Włożył teczkę pod pachę i wyszedł. Nikt nie zwrócił na
niego uwagi. Nikt się nim nie interesował. Już nie. Zawiódł.
Wszystkich rozczarował. Poczta pantoflowa wstrzymała oddech, a on dostał skierowanie na jakiś bzdurny kurs o bzdurnej
nazwie. Przestał istnieć. Stał się nikim. Wypadł z obiegu. Co
z oczu, to z serca. Jak futbolista przeniesiony na listę kon-
tuzjowanych. Za miesiąc ktoś może sobie o nim przypomni,
nagle i tylko na sekundę, i będzie się zastanawiał, kiedy –
jeśli w ogóle – ten Reacher wróci. A potem równie szybko
o nim zapomni.

Siedzący przy biurku sierżant zerknął na niego i znudzony
odwrócił wzrok.

• • •

Reacher miał niewiele cywilnych ubrań, a niektóre nie
były tak naprawdę cywilne. Na przykład spodnie miały około
trzydziestu lat i stanowiły część munduru polowego Korpusu
Piechoty Morskiej Stanów Zjednoczonych. Po prostu znał
gościa, a ten kolejnego gościa pracującego w magazynie
wojskowym, gdzie leżała podobno wielka bela starych ubrań,
które trafiły tam przez pomyłkę za prezydentury Lyndona B.
Johnsona i z których nigdy się nie rozliczono. Pointa tej
opowieści miała być chyba taka, że stare wojskowe portki
wyglądają jak nowiutkie spodnie od Ralpha Laurena. Nie,
żeby Reacherowi zależało na jakości spodni. Ale pięć dolców za parę robiło wrażenie. Poza tym świetnie leżały. Nie-
noszone, sztywno złożone, może trochę zalatujące pleśnią,

mogły spokojnie wytrzymać kolejne trzydzieści lat. Co najmniej.

Cywilne podkoszulki też były wojskowe, stare, wyblakłe i sprane. Tylko jasnobrązowa kurtka była stuprocentowo cywilna. Stara kurtka Levi'sa, pod każdym względem autentyczna, łącznie z czerwoną chorągiewką, tyle że uszyta w seulskiej piwnicy przez matkę jego dawnej dziewczyny.

Przebrał się, spakował resztę rzeczy do worka, wziął mundur w pokrowcu i wyniósł to wszystko przed dom, gdzie czekał czarny chevrolet caprice. Podejrzewał, że jest to stary wóz patrolowy żandarmerii wojskowej, teraz już na emeryturze, z odklejonymi napisami i gumowymi korkami w dziurach po antenach i dyskotece na dachu. Kluczyk tkwił w stacyjce. Siedzenie kierowcy było wytarte. Ale silnik odpalił za pierwszym razem, biegi wchodziły bez zarzutu, a hamulce hamowały. Reacher zawrócił, powoli, jak potężnym pancernikiem, opuścił szyby, włączył radio i pojechał do McLean.

• • •

Kompleks biur wyglądał jak kompleks biur, bo wszystkie wyglądają tak samo: wszędzie brąz i beż, dyskretne tabliczki z dyskretnymi napisami, ładnie utrzymane trawniki, tu kilka świerczków, tam kilka tuj czy sosenek i rozrzucone po pustym terenie grupki dwóch, trzech niskich budynków służące tym, którzy ukrywają się za przyciemnionymi oknami gabinetów i pod skromnymi, nierzucającymi się w oczy nazwami. Reacher znalazł właściwy numer ulicy i skręcił tuż za wysoką do kolan tabliczką z napisem ROZWIĄZANIA EDUKACYJNE INC., wykonanym czcionką tak prostą, że aż dziecinną.

Przed drzwiami parkowały dwa inne chevrolety caprice. Jeden czarny, drugi granatowy, obydwa nowsze niż jego. I bardziej cywilne, bo bez gumowych korków i pomalowanych pędzlem drzwi. Nie ulegało wątpliwości, że są to samochody rządowe, błyszczące i czyste, oba miały o dwie anteny więcej, niż potrzeba by było do słuchania transmisji z meczu baseballowego. Z tym że anteny się różniły. Ten czarny miał krótkie i ostre jak igły, a granatowy – długie i wiotkie jak witki. Inne konfiguracje. Inne fale radiowe. Dwie różne instytucje. „Współpraca międzyagencyjna".

Reacher zaparkował obok nich i zostawił bagaż w samochodzie. Drzwi, pusty korytarz z wytrzymałą szarą wykładziną i zielonymi iglakami w donicach pod ścianą. Drzwi z napisem BIURO. A nieco dalej kolejne, z napisem KLASA. I te otworzył. W środku zobaczył zieloną tablicę i dwadzieścia ławek w rzędach po pięć, każda z półeczką z prawej strony na papier i ołówek.

W dwóch z nich siedziało dwóch mężczyzn w garniturach, mniej więcej w jego wieku. Jeden w czarnym, drugi w granatowym. Tak jak samochody. Obaj patrzyli prosto przed siebie, jakby rozmawiali i nagle zabrakło im tematów. Ten w czarnym był blady i miał ciemne włosy, niebezpiecznie długie jak na kogoś, kto jeździ rządowym samochodem. Włosy tego w granatowym, też bladego, były krótko przycięte. Jak u astronauty. Zresztą wyglądał na astronautę albo gimnastyka, który niedawno zakończył karierę.

Kiedy Reacher wszedł do klasy, spojrzeli na niego i ten ciemnowłosy spytał:

– Kim pan jest?

– Zależy od tego, kim jest pan – odparł Reacher.

– Pańska tożsamość zależy od mojej?

– Tak, bo albo się wam przedstawię, albo nie. To wasze samochody?

– To ważne?

– Dają do myślenia.

– W jakim sensie?

– W takim, że się różnią.

– Tak, nasze. I tak, jest pan w klasie z dwoma przedstawicielami dwóch różnych agencji rządowych. Mają nas uczyć współpracy. Dogadywania się z innymi organizacjami. Niech pan tylko nie mówi, że reprezentuje pan trzecią.

– Owszem, żandarmerię wojskową – potwierdził Reacher. – Ale spokojnie. Jestem przekonany, że o piątej zaroi się tu od bardzo kulturalnych ludzi. Będziecie mogli mnie olać i zadawać się z nimi.

Ten krótko obcięty podniósł wzrok.

– Nie, myślę, że to już wszyscy. Cała ekipa. Przygotowali tylko trzy pokoje. Rozejrzałem się.

– Rządowa szkółka z trzema uczniami? – zdziwił się Reacher. – Nigdy o czymś takim nie słyszałem.

– Może to my mamy kogoś uczyć. Może uczniowie mieszkają gdzie indziej.

– Tak – mruknął ten ciemnowłosy. – To miałoby więcej sensu.

Reacherowi przypomniała się rozmowa z Garberem.

– Powiedziano mi, że trzeba się stale dokształcać. Odniosłem silne wrażenie, że to mnie będą uczyć. Potem zasugerowano mi, że im ciężej będę pracował, tym szybciej skończę. Dlatego nie sądzę, żebyśmy mieli kogoś szkolić. Dostaliście podobne rozkazy?

– Mniej więcej – mruknął krótko obcięty.

Ten drugi nie odpowiedział, nie licząc enigmatycznego wzruszenia ramionami, które mogło sugerować, że nawet komuś obdarzonemu bujną wyobraźnią trudno by było zinterpretować jego rozkazy jako zapierające dech w piersi.

– Casey Waterman, FBI – przedstawił się ten z krótkimi włosami.

– Jack Reacher, Armia Stanów Zjednoczonych.

– John White, CIA – poszedł w ich ślady długowłosy.

Uścisnęli sobie ręce i zapadła cisza taka jak wtedy, kiedy Reacher otworzył drzwi. Ze wszystkiego się wystrzelali i zabrakło im tematów. Reacher usiadł w ławce na końcu klasy. Waterman siedział na lewo od niego, White na prawo, obaj przed nim. Waterman nieruchomo jak kamień. Lecz ani na chwilę nie tracił czujności. Zabijał czas i oszczędzał energię. Widać było, że robi to nie pierwszy raz. Doświadczony agent, nie jakiś tam świeżak. Tak jak White, z tym że White był zupełnie inny. Ani przez chwilę nie potrafił usiedzieć na miejscu. Ciągle wiercił się i wił, wykręcał sobie ręce, mrużył oczy, gapiąc się to w dal, to tuż przed siebie, robiąc dziwne miny, zerkając raz w lewo, raz w prawo, jakby dręczyły go myśli, których za nic nie mógł odpędzić. Analityk, domyślił się Reacher. Facet po latach pracy w świecie niewiarygodnych danych i podwójnych, potrójnych, a nawet poczwórnych mistyfikacji. Miał prawo robić wrażenie zdenerwowanego.

Nikt nic nie mówił.

Po pięciu minutach Reacher przerwał ciszę.

– Czy my się kiedykolwiek nie dogadywaliśmy? To znaczy FBI, CIA i wojsko. Nic mi o tym nie wiadomo. A wam?

– Myślę, że wyciąga pan niewłaściwe wnioski – odparł Waterman. – Tu nie chodzi o przeszłość. Tu chodzi o przyszłość. Oni wiedzą, że już współpracujemy. Dzięki czemu mogą nas wykorzystywać. Spójrzmy na pierwszą część nazwy tego kursu. Innowacje i współpraca. A skoro innowacje, to znaczy, że chcą oszczędzać. Że będziemy współpracowali jeszcze ściślej. Na przykład dzieląc się laboratoriami. Albo zbudują dla nas nowy ośrodek. Tak myślę. Pokażą nam, jak wprowadzić to w czyn.

– Pogięło ich czy co? – mruknął Reacher. – Laboratoria, harmonogramy... Ja się na tym nie znam. Jestem ostatnią osobą, która się do tego nadaje.

– Tak jak ja – powiedział Waterman. – Szczerze mówiąc, nie jest to mój najsilniejszy atut.

– Gorzej niż pogięło. To kolosalna strata czasu. Dzieje się dużo ważniejszych rzeczy – dodał White. Wiercąc się i wijąc, wykręcając ręce.

– Oderwali pana od pracy? – spytał Reacher. – Siedział pan nad czymś?

– Właściwie to nie. Miałem przejść na inne stanowisko. Akurat zamknąłem pewną sprawę. Myślałem, że z powodzeniem, ale w nagrodę trafiłem tutaj.

– Trochę optymizmu, kolego. Tu może się pan odprężyć. Wyluzować. Pograć w golfa. Nie musi się pan niczego uczyć. Laboratoria? CIA ma je gdzieś. Rzadko kiedy z nich korzysta.

– Właśnie powinienem coś zaczynać, będę miał trzy miesiące do tyłu.

– Ale co zaczynać?

– Nie mogę powiedzieć – odparł White.

– Komu to przydzielili?

– Tego też nie mogę powiedzieć.

– Przynajmniej dobry jest? – drążył dalej Reacher.

– Nie za bardzo. Może coś przegapić. Tam wszystko się liczy. Niczego nie da się przewidzieć.

– Przewidzieć w czym?

– To tajne.

– Ale to coś ważnego, tak?

– Dużo ważniejszego niż to.

– Jaką sprawę pan zamknął?

– To też tajne.

– Podpada pod kategorię wyjątkowych zasług dla Stanów Zjednoczonych na odpowiedzialnym stanowisku podczas wojny i pokoju...?

– Że co? – nie zrozumiał White.

– ...albo coś w tym rodzaju?

– Tak, powiedzmy.

– I w nagrodę wysłali pana tutaj.

– Mnie też – wtrącił Waterman. – Jedziemy na tym samym wózku. Mógłbym powtórzyć to samo, słowo w słowo. Spodziewałem się awansu. Ale na pewno nie takiego.

– Awansu za co? – spytał Reacher. – Po czym?

– Zamknęliśmy dużą sprawę.

– Jaką?

– Bardzo starą. Polowaliśmy na kogoś. I udało się, po tylu latach.

– Czyli przysłużyliście się krajowi, tak?

– Co pan z tymi zasługami?! – zniecierpliwił się Waterman.

– Próbuję was porównać. I stwierdzam, że prawie niczym się nie różnicie. Jesteście bardzo dobrymi agentami, już starszymi, lojalnymi i godnymi zaufania, dlatego powierzają wam odpowiedzialne zadania. Powierzają i nagradzają zsyłką do durnej szkółki. Pytanie: dlaczego? Nasuwają się dwie odpowiedzi.

– Jakie?

– Może to, co robiliście, było kłopotliwe dla pewnych kręgów. Może będą się tego wypierać. Skoro tak, trzeba was ukryć. Co z oczu, to z serca.

White pokręcił głową.

– Nie, oddźwięk był jak najbardziej pozytywny. I będzie taki przez wiele lat. Dostałem medal, w tajemnicy. I osobisty list pochwalny od sekretarza stanu. Zresztą nie muszą niczemu zaprzeczać, bo sprawa była ściśle tajna. Nikt nic nie wiedział.

Reacher spojrzał na Watermana.

– A pańskie polowanie? Nie narobiło nikomu kłopotów?

Waterman pokręcił głową.

– Mówił pan coś o dwóch odpowiedziach. Jaka jest druga? – spytał.

– Taka, że to nie jest szkółka.

– Tylko co?

– Miejsce, gdzie wysyłają dobrych agentów po dopięciu dużej sprawy – odparł Reacher.

Waterman zmarszczył brwi. Jakby go nagle olśniło.

– Z panem jest tak samo? Na pewno. Czemu miałoby być inaczej? Dlaczego mieliby tu ściągać dwóch zasłużonych, a trzeciego bez zasług?

Reacher kiwnął głową.

– Dokładnie tak samo. Niedawno wróciłem z misji. Udanej jak cholera, to na pewno. Dziś rano dali mi medal. Na tasiemce, taki na szyję. Za dobrą robotę. Czystą i schludną. Nie mieli się czego wstydzić.

– Co to była za robota? – spytał Waterman.

– Ściśle tajna. Ale według dość wiarygodnych źródeł, mogło chodzić o wtargnięcie do pewnego domu i wpakowanie dwóch kul w głowę jego właścicielowi.

– Gdzie?

– Jedna w czoło, druga za ucho. Tak jest najskuteczniej.

– Nie. Pytałem, gdzie jest ten dom?

– To też jest ściśle tajne. Ale podejrzewam, że gdzieś za granicą. Wiarygodne źródła twierdzą, że w nazwie tego miasta jest od groma spółgłosek. I prawie nie ma samogłosek. A potem ktoś powtórzył to w innym domu. Następnej nocy. Z równie słusznych powodów. Dlatego można by się spodziewać, że w nagrodę facet dostanie coś więcej niż to. Choćby nowy przydział. Może nawet prawo wyboru kolejnej misji.

– Właśnie – zgodził się z nim White. – A ja na pewno nie wybrałbym tego, tylko coś związanego z tym, czym powinienem się teraz zajmować.

– Coś ambitniejszego.

– Otóż to.

– Typowe. W nagrodę chcemy dostać coś ambitnego, nowe wyzwanie. A nie bzdurną łatwiznę. Chcemy awansować.

– Oczywiście.

– Może jednak awansowaliśmy – myślał na głos Reacher. – O coś was zapytam. Przypomnijcie sobie chwilę, kiedy dostaliście rozkaz wyjazdu. Czy przekazano wam go ustnie, twarzą w twarz, czy na piśmie?

– Twarzą w twarz – odparł White. – Takich rzeczy nie robi się inaczej.

– Czy w pokoju był ktoś trzeci?

– Tak. To było poniżające. Sekretarka z administracji z plikiem dokumentów. Kazał jej zostać. Stała tam i czekała.

Reacher spojrzał na Watermana.

– U mnie tak samo – powiedział agent. – Kazał zostać sekretarce. Normalnie by tego nie zrobił. Skąd pan wiedział?

– Bo u mnie było identycznie. Kazał zostać w pokoju sierżantowi. Jakby chciał mieć świadka. Świadek... o to właśnie chodziło. O pocztę pantoflową. Podoficerowie gadają, plotkują. W ciągu kilku sekund wszyscy dowiedzieli się, że nigdzie mnie nie wysyłają. Że jadę na jakiś głupi kurs o głupiej nazwie. Natychmiast przestałem ich interesować. Zniknąłem z radaru. Jestem przekonany, że wiadomość się już rozeszła. Jestem nikim. Zniknąłem w biurokratycznej mgle. Wy pewnie też. Może wasze sekretarki też mają pocztę pantoflową. Jeśli tak, staliśmy się najbardziej niewidzialnymi ludźmi na ziemi. Nikt o nas nie pyta. Nikogo nie interesujemy. Nikt nas już nawet nie pamięta. Szkółka? Nie można trafić do nudniejszego miejsca.

– Dobrze – rzucił White. – Twierdzi pan, że usunęli z radarów trzech niezwiązanych ze sobą, lecz w pełni aktywnych agentów. Po co?

– Z radarów to mało – odparł Reacher. – Siedzimy w klasie. Jesteśmy kompletnie niewidzialni.

– Ale dlaczego? Dlaczego akurat nas trzech? Co nas łączy?

– Nie wiem. Ale jestem pewien, że chodzi o coś ambitnego.

19

Może o coś, co trzech dobrych agentów może uznać za zadowalającą nagrodę za dotychczasową służbę.

– Gdzie my właściwie trafiliśmy?

– Nie mam pojęcia – powiedział Reacher. – Ale to nie jest szkoła. Tego jestem pewny.

• • •

Punktualnie o piątej z głównej drogi zjechały dwa czarne vany. Skręciły za sięgającą kolan tabliczką i zaparkowały za chevroletami, prostopadle do trawnika, jak dwie ciężkie barykady. Wysiadło z nich czterech mężczyzn w garniturach. Agenci Secret Service albo U.S. Marshals, szeryfowie policji federalnej. Rozejrzeli się szybko, skinęli głowami na znak, że teren jest czysty, i otworzyli drzwi vanów.

Z drugiego wysiadła kobieta. W jednej ręce miała dyplomatkę, w drugiej plik dokumentów. Była w eleganckiej czarnej sukience. Do kolan. Takiej, co to może mieć podwójne zastosowanie: za dnia noszona z perłami w zacisznym gabinecie na ostatnim piętrze luksusowego wieżowca, a wieczorem, już z brylantami, na koktajlu czy przyjęciu. Kobieta była starsza od Reachera, dziesięć lat, może nawet więcej. Na pewno przekroczyła czterdziestkę, ale świetnie się trzymała. Miała jasne włosy średniej długości, bezpretensjonalnie ułożone i na pewno przeczesane ręką. Była wyższa od przeciętnej kobiety, lecz nie szersza. Robiła wrażenie bystrej i rozgarniętej.

Z drugiego vana wysiadł mężczyzna, którego Reacher natychmiast rozpoznał. Jego twarz ukazywała się w gazetach co najmniej raz w tygodniu, dużo częściej w telewizji, gdzie – ze względu na zajmowane stanowisko – królował nie tylko w głównym materiale filmowym, ale i w licznych przebitkach z obrad gabinetowych oraz gorących narad roboczych w Gabinecie Owalnym. Był to Alfred Ratcliffe, doradca do spraw bezpieczeństwa narodowego. Specjalista od rzeczy, które mogą się źle skończyć. Prawa ręka prezydenta. Jego zausznik. Krążyły plotki, że zbliża się do siedemdziesiątki, ale wyglądał dużo młodziej. Jako niedobitek ze starego Departamentu Stanu, ocalał mimo zmieniających się wiatrów, to wpadając w łaski nowych szefów, to z nich wypadając, ale ponieważ miał twardy kręgosłup, wytrwał w walce na tyle długo, by załatwić sobie najlepszą pracę ze wszystkich możliwych.

Kobieta dołączyła do niego i otoczeni przez czterech agentów w garniturach ruszyli do wejścia. Reacher słyszał, jak otwierają się drzwi, potem dobiegły kroki z korytarza, w końcu cała czwórka weszła do klasy, przodem dwóch agentów, którzy od razu stanęli pod tablicą, a za nimi Ratcliffe i kobieta w sukience. Ci dotarli do tablicy i nie mając już dokąd iść, zatrzymali się i odwrócili przodem do klasy, dokładnie jak nauczyciel przed rozpoczęciem lekcji.

Ratcliffe spojrzał na White'a, potem na Watermana, jeszcze potem na siedzącego na końcu Reachera. W końcu powiedział:

– Panowie, to nie jest szkoła.

2

Kobieta z godnością przykucnęła i położyła na podłodze dyplomatkę i plik papierów. Ratcliffe zrobił krok do przodu.

– Ściągnięto was tu pod fałszywym pretekstem. Nie chcieliśmy rozgłosu. Celowo wprowadziliśmy was w błąd, bo uznaliśmy, że lepsza będzie mała zmyłka. Dyskrecja przede wszystkim, przynajmniej na początku.

Zrobił dramatyczną pauzę, jakby czekał na pytania, ale żadne nie padło. Nikt nie spytał nawet: na początku czego? Lepiej wysłuchać wszystkiego do końca. Tak zawsze bezpieczniej, zwłaszcza jeśli rozkazy przychodzą z samej góry.

– Czy któryś z panów – ciągnął Ratcliffe – może opisać prostą angielszczyzną politykę bezpieczeństwa narodowego obecnej administracji?

Nikt nie odpowiedział.

– Dlaczego panowie milczą?

Waterman ukrył się za długim na sto kilometrów spojrzeniem, a White wzruszył ramionami, jakby chciał powiedzieć, że ogrom i złożoność problemu wyklucza użycie zwyczajnego języka, zresztą czy pojęcia prostoty i zwyczajności nie są przypadkiem subiektywne i jako takie nie wymagają wstępnej dyskusji celem ustalenia właściwej definicji wyjściowej?

– Podstępne pytanie – rzucił Reacher.

– Twierdzi pan, że naszej polityki nie da się opisać prostymi słowami?

– Twierdzę, że ta polityka w ogóle nie istnieje.

– Uważa pan, że jesteśmy niekompetentni?

– Nie, ale uważam, że świat się zmienia. Lepiej zachować elastyczność.

– To pan jest z żandarmerii?

– Tak jest.

Ratcliffe zrobił kolejną pauzę i powiedział.

– Niewiele ponad trzy lata temu w garażu nowojorskiego drapacza chmur wybuchła bomba. Wielka tragedia osobista rannych i rodzin zabitych, to oczywiste, ale z globalnego punktu widzenia sprawa stosunkowo małej wagi. Tylko że zaraz po wybuchu świat oszalał. Im uważniej się temu przyglądaliśmy, tym mniej z tego rozumieliśmy. Najwyraźniej wszędzie mieliśmy wrogów, ale nie byliśmy pewni, kim ci ludzie są, gdzie są, dlaczego w ogóle są, co ich łączy, czego chcą, no i oczywiście, co jeszcze szykują. Byliśmy w szczerym polu. Ale przynajmniej otwarcie to sobie powiedzieliśmy. Dlatego nie traciliśmy czasu na opracowywanie strategii działania wymierzonej w coś, o czym nawet nie słyszeliśmy. Uznaliśmy, że stworzyłoby to fałszywe poczucie bezpieczeństwa. Tak więc w chwili obecnej naszą standardową procedurą jest bieganie w kółko, jakby się paliło i waliło, i załatwianie dziesięciu problemów naraz, w miarę jak powstają. Uganiamy się za wszystkim, ponieważ musimy. Za trzy lata z małym kawałkiem rozpocznie się nowe milenium. Stolice wszystkich krajów świata będą świętowały dwadzieścia cztery godziny na dobę, co znaczy, że dzień ten będzie największym propagandowym celem w historii naszej planety. Musimy wiedzieć, co ci ludzie knują, żeby ich wyprzedzić. Ich wszystkich. Dlatego niczego nie lekceważymy.

Nikt się nie odezwał.

– Nie chodzi o to, że chcę się przed wami usprawiedliwiać – kontynuował Ratcliffe. – Musicie jednak zrozumieć teorię. Niczego nie zakładamy, ale poruszymy niebo i ziemię, zajrzymy pod każdy kamień.

Nikt o nic nie spytał. Nawet o to, czy każą im zajrzeć pod jakiś konkretny głaz. Lepiej jest nie odzywać się niepytanym. I po prostu zaczekać.

Ratcliffe spojrzał na towarzyszącą mu kobietę.

– To jest doktor Marian Sinclair, moja zastępczyni. Dokończy odprawę. Popieram każde jej słowo, a tym samym popiera je prezydent. Powtarzam: każde słowo. Może to kompletna strata czasu i do niczego nie dojdziemy, ale dopóki nie wyłowimy czegoś konkretnego, każdy pomysł ma jednakowy priorytet. Nie będziemy szczędzić sił ani środków. Dostaniecie wszystko, czego zażądacie.

Odwrócił się i między dwoma ochroniarzami ruszył do drzwi. Słuchać było, jak idą korytarzem, potem zawarczał silnik vana i odjechali. Doktor Sinclair – silne ręce, ciemne nylony i eleganckie szpilki – obróciła pierwszą ławkę przodem do nich, usiadła, założyła nogę na nogę i rzuciła:

– Proszę bliżej.

Reacher przesiadł się do trzeciego rzędu i wcisnął do ławki. Siedzieli we trzech, patrząc wyczekująco na Sinclair. Miała szczerą, otwartą twarz ściągniętą przez stres i niepokój. Działo się coś poważnego. To było jasne. Może Garber coś mu jednak podpowiedział? *Widzę, że nie jest pan zadowolony. A powinien pan się cieszyć.* Może nie wszystko stracone. White doszedł chyba do tego samego wniosku, bo pochylił się do przodu i przestał strzelać oczami. Waterman zastygł bez ruchu. Znowu oszczędzał energię.

– W Hamburgu – zaczęła Sinclair – jest pewne mieszkanie. W eleganckiej dzielnicy, w miarę centralnie położonej i bardzo drogiej, choć trochę korporacyjnej i z dużą fluktuacją mieszkańców. Od roku wspomniane mieszkanie wynajmuje czterech mężczyzn w wieku dwudziestu kilku lat. Nie są Niemcami. Trzech to Saudyjczycy, czwarty jest Irańczykiem. Wszyscy czterej robią wrażenie bardzo zlaicyzowanych. Są ogoleni, dobrze ubrani, mają krótkie włosy. Bardzo lubią koszulki polo w pastelowych kolorach, z krokodylkiem na piersi. Noszą złote rolexy i włoskie buty. Jeżdżą bmw i bywają w nocnych klubach. Ale nigdzie nie pracują.

White lekko kiwnął głową, jakby dobrze takie sytuacje znał. Waterman nie zareagował.

– Wśród miejscowych uchodzą za podrzędnych playboyów. Niewykluczone, że są dalekimi krewnymi bogatych i wpływowych rodzin i przyjechali do Hamburga, żeby się wyszumieć przed powrotem do kraju i podjęciem pracy w ministerstwie petrochemii. Innymi słowy, typowe eurośmieci. Rzecz w tym, że tak nie jest. Odkryliśmy, że zostali zwerbowani przez nowo powstałą organizację, o której niewiele jeszcze wiemy. Jest bogata, mocno dżihadystyczna, paramilitarna w metodach szkolenia i obojętna na pochodzenie narodowe swoich członków. Saudyjczycy współpracujący z Irańczykami? To niezwykłe, a jednak tak jest. Tych czterech wyrobiło sobie dobrą opinię w obozach szkoleniowych i rok temu przysłano ich do Hamburga. Mieli zakorzenić się na Zachodzie, spokojnie żyć i czekać na dalsze rozkazy, których jak dotąd nie otrzymali. Innymi słowy, są klasycznymi „śpiochami".

Waterman poruszył się w ławce.

– Skąd o tym wiemy?

– Irańczyk jest naszym człowiekiem – odparła Sinclair. – Podwójnym agentem. CIA prowadzi go z hamburskiego konsulatu.

– Odważny chłopak.

Kiwnęła głową.

– A dzisiaj o takich trudno. Świat się zmienił. Kiedyś nasze ambasady nie mogły opędzić się od chętnych. Przychodzili, pisali błagalne listy. Niektórych odsyłaliśmy z kwitkiem. To były jednak stare komunistyczne czasy i starzy komuniści. Teraz potrzebujemy młodych Arabów, a tacy do nas nie przychodzą.

– Ale po co my? – spytał Waterman. – Sytuacja jest stabilna. Oni nigdzie nie ucieką. Jeśli dostaną rozkaz uaktywnienia się, wy dostaniecie go chwilę później. Zakładając, że centrala w konsulacie pełni całodobowy dyżur.

Lepiej wysłuchać wszystkiego do końca.

– Tak, sytuacja jest stabilna – potwierdziła Sinclair. – Nic się tam dotąd nie działo. Lecz nagle coś się wydarzyło. Kilka dni temu. Doszło do malutkiego zgrzytu. Ktoś ich odwiedził.

• • •

Za jej sugestią przenieśli się do biura. Uznała, że w klasie jest niewygodnie ze względu na ławki, i rzeczywiście było, zwłaszcza dla Reachera. Miał metr dziewięćdziesiąt pięć wzrostu, ważył sto trzynaście kilo i bardziej trzymał ławkę na sobie, niż w niej siedział. W przeciwieństwie do klasy, w biurze był stół konferencyjny i cztery skórzane fotele z rozkładanymi podnóżkami. Znacznie większy poziom komfortu, o czym Sinclair najwyraźniej wiedziała. Nic dziwnego. Pewnie sama ten obiekt wynajęła, prawdopodobnie poprzedniego dnia, a jeśli nie ona, to jej zastępca. Trzy pokoje i cztery fotele na odprawy.

Mężczyźni w garniturach zostali na korytarzu, a ona kontynuowała:

– Przesłuchaliśmy Irańczyka. Wypytaliśmy go o najdrobniejsze szczegóły i uważamy, że wyciągnął dobre wnioski. Ich gościem był kolejny Saudyjczyk. Mężczyzna w ich wieku.

Podobnie ubrany. Modowa sztampa: krótkie włosy, złoty łańcuch na szyi, krokodylek na koszulce. Nie spodziewali się go. Byli bardzo zaskoczeni. Ale oni są pod pewnym względem jak mafia: w razie potrzeby wtajemniczeni mogą zwrócić się do nich z prośbą o przysługę. Saudyjczyk się na to powołał. Okazało się, że jest kurierem, posłańcem. Nie miał z nimi nic wspólnego. Zajmował się zupełnie czym innym. Po prostu przyjechał do Niemiec i potrzebował bezpiecznej kryjówki. Kurierzy tak wolą. W hotelu zostawiliby ślady. Są na tym punkcie przewrażliwieni, ponieważ nowe siatki mają bardzo duże oczka. Duże oczka to duże utrudnienia w łączności, przynajmniej teoretycznie. Myślą, że podsłuchujemy ich komórki, i pewnie podsłuchujemy, myślą, że czytamy ich e-maile, i pewnie wkrótce będziemy to robić, wiedzą, że otwieramy nad parą ich listy. Dlatego wykorzystują kurierów. Ale ci kurierzy nie noszą walizeczek przykutych łańcuchem do ręki. Przenoszą w głowie pytania i odpowiedzi. Pytanie, odpowiedź, pytanie, odpowiedź: jeżdżą tam i z powrotem, z kontynentu na kontynent. To sposób bardzo powolny, lecz całkowicie bezpieczny. Żadnych śladów elektronicznych, żadnych notatek czy listów, nic, tylko mężczyzna ze złotym łańcuchem na szyi, który skacze z lotniska na lotnisko wraz z milionem takich samych jak on.

– Czy Hamburg był jego punktem docelowym? – spytał White. – Czy tylko się tam przesiadał i jechał gdzieś dalej, w głąb Niemiec?

– Miał coś do załatwienia w Hamburgu – odparła Sinclair.

– Ale nie z chłopakami w łańcuchach.

– Nie, z kimś innym.

– Wiadomo, kto go przysłał? Zakładamy, że ci z Afganistanu i Jemenu?

– Jesteśmy przekonani, że tak. Ze względu na kolejny zbieg okoliczności.

– Jaki? – spytał Waterman.

– Posłaniec znał jednego z Saudyjczyków. Statystycznie rzecz biorąc, nie jest to przypadek zbyt niezwykły, ponieważ spędzili trzy miesiące w Jemenie, wspinając się po linach i strzelając z kałasznikowów. Świat jest mały. Dlatego odbyli krótką rozmowę, a nasz Irańczyk próbował ich podsłuchać.

– Dużo usłyszał?

– Posłaniec czekał na spotkanie, do którego miało dojść dwa dni później. Nie powiedział gdzie, a przynajmniej Irańczyk tego nie słyszał, jednak z kontekstu wynikało, że w miarę blisko. Nie przywoził żadnej wiadomości. Miał wiadomość odebrać. Według Irańczyka, coś w rodzaju oświadczenia. Wstępnej deklaracji. Twierdzi, że tak wynikało z rozmowy. Posłaniec miał jej wysłuchać i zapamiętać.

– Początek negocjacji. Licytacja. Pierwsza odzywka.

Sinclair kiwnęła głową.

– Dlatego spodziewamy się, że Saudyjczyk wróci. Przyjedzie co najmniej raz z odpowiedzią. Tak lub nie.

– Domyślamy się, o co chodzi? – spytał White.

– Nie. Ale to coś ważnego. Irańczyk jest tego pewny, ponieważ posłaniec należał do elity bojowników, tak jak on. Musiał zdobyć uznanie przełożonych, bo skąd miałby koszulki polo, włoskie buty i cztery paszporty? Nie należał do tych, których wykorzystują małe rybki na obu końcach łańcucha pokarmowego. Był posłańcem kogoś z góry, najważniejszych szefów.

– Doszło do spotkania? – drążył Waterman.

– Tak, wczesnym wieczorem drugiego dnia. Saudyjczyk wyszedł na pięćdziesiąt minut.

– A potem?

– Wyjechał. Nazajutrz rano.

– Nie było już żadnych rozmów?

– Tylko jedna. Za to bardzo ciekawa. Saudyjczyk się wygadał. Nie wytrzymał. Powiedział przyjacielowi, co mu przekazano. Ot tak, po prostu. Nie mógł się powstrzymać. Pewnie dlatego, że zrobiło to na nim wrażenie. Sama skala, ogrom kontraktu. Irańczyk mówi, że był bardzo podekscytowany. Pamiętajcie, ci mężczyźni mają po dwadzieścia kilka lat.

– Co takiego powiedział?

– To było otwarcie negocjacji. Propozycja wstępna. Tak jak zakładał Irańczyk. Krótko i na temat.

– To znaczy?

– Amerykanin chce sto milionów dolarów.

3

Sinclair wyprostowała się i przysunęła bliżej stołu, jakby chciała podkreślić znaczenie swoich słów.

– Według wszelkich relacji, Irańczyk jest człowiekiem bardzo inteligentnym, elokwentnym i wyczulonym na niuanse językowe, dlatego uważamy, że tak, to był konkretny dezyderat. Podczas tych pięćdziesięciu minut posłaniec spotkał się z jakimś Amerykaninem. Z mężczyzną, ponieważ Irańczyk twierdzi, że gdyby spotkał się z kobietą, na pewno by o tym wspomniał. Jest tego całkowicie pewny. Na spotkaniu Amerykanin zażądał stu milionów dolarów. Wyznaczył cenę. Za coś. Tak wynikało z kontekstu. Ale na tym przekaz się skończył. Nie wiemy, co to za Amerykanin. Nie wiemy, za co chce sto milionów. Nie wiemy nawet od kogo.

– Sto milionów dolarów zawęża krąg potencjalnych kupców – zauważył White. – Nawet jeśli jest to tylko pierwsza propozycja i ostatecznie stanie na pięćdziesięciu, to wciąż kupa kasy. Kto ma takie pieniądze? Sporo ludzi, ale nie na tyle dużo, żeby ich wizytówki nie zmieściły się w jednym rolodexie.

– Podchodzimy do tego ze złej strony – powiedział Reacher. – Lepiej znaleźć sprzedającego niż kupującego. Ci ludzie łażą po linach w Jemenie. Na co wyłożyliby sto milionów dolarów? I który z przebywających w Hamburgu Amerykanów miałby coś takiego na zbyciu?

– Sto milionów to bardzo dużo pieniędzy – odezwał się Waterman. – Ta cena trochę by mnie niepokoiła.

Sinclair kiwnęła głową.

– Nas też bardzo niepokoi. Brzmi śmiertelnie poważnie. Jak dotąd nigdy o takiej nie słyszeliśmy. Dlatego uruchomiliśmy wszystkie możliwe kanały. Zaalarmowaliśmy wszystkich agentów. Pracują nad tym setki ludzi na całym świecie. Ale to za mało. Znaleźć tego Amerykanina: to wasze zadanie. Jeśli wciąż przebywa za granicą, sprawę przejmie CIA i akcją pokieruje pan White. Jeśli zdążył wrócić do Stanów, zajmie się nim FBI i miejsce pana White'a zajmie agent specjalny Waterman. A ponieważ według statystyk zdecydowaną większość Amerykanów przebywających w Niemczech stanowią wojskowi, major Reacher będzie współpracował z panem White'em, agentem Watermanem albo z jednym i drugim.

Reacher spojrzał na White'a, potem na Watermana i zobaczył wątpliwości w ich oczach takie same, jak oni bez wątpienia zobaczyli w jego oczach.

– Personel zjawi się jutro rano wraz zaopatrzeniem – oznajmiła Sinclair. – Możecie panowie zażądać, czego tylko chcecie i kiedy zechcecie. Ale rozmawiać będziecie tylko ze mną, panem Ratcliffe'em lub prezydentem, z nikim innym. To jest kwarantanna. Jeśli będzie wam potrzebne pudełko ołówków, przyjdziecie z tym do mnie, pana Ratcliffe'a albo do prezydenta. Co w praktyce oznacza, że do mnie. Wszystkie stosowne dokumenty zostaną wystawione w Zachodnim Skrzydle Białego Domu. Nie wolno wam się zdekonspirować. Sto milionów dolarów to dużo pieniędzy, dlatego nie wykluczamy, że macza w tym palce ktoś z rządu. Ten Amerykanin może pracować w Departamencie Stanu, Departamencie

Sprawiedliwości albo w Pentagonie. Moglibyście rozmawiać nie z tą osobą co trzeba, dlatego nie rozmawiajcie z nikim. To zasada numer dwa.

– A zasada numer jeden? – spytał Waterman.

– Zasada numer jeden jest taka, że nie wolno nam spalić Irańczyka. Nie wolno zrobić nic, co mogłoby naprowadzić na jego ślad. Dużo w niego zainwestowaliśmy i będzie nam bardzo potrzebny, bo naprawdę nie wiemy, co się jeszcze wydarzy.

Sinclair wstała i ruszyła do drzwi. Wychodząc, dodała:

– Pamiętajcie: jakby się paliło i waliło...

• • •

Reacher wyciągnął się w skórzanym fotelu. White spojrzał na niego i powiedział:

– To muszą być czołgi albo samoloty.

– Nasze najbliższe czołgi stacjonują tysiące kilometrów od Jemenu czy Afganistanu – odparł Reacher. – Trzeba by wielu, bardzo wielu tygodni i tysięcy ludzi, żeby je tam przerzucić. Łatwiej już przetransportować Jemen czy Afganistan do nich. Tak byłoby szybciej i dyskretniej.

– No to samoloty.

– Za sto milionów dolarów na ciemną stronę mocy przeszłoby kilku pilotów. Dwóch, trzech, najwyżej czterech. Chociaż wątpię, żeby Afgańczycy mieli wystarczająco długie pasy startowe. Ale może Jemen ma. Więc teoretycznie to możliwe. Z tym że samoloty na nic by się im nie przydały. Potrzebowaliby setek ton części zamiennych, setek inżynierów i techników. I tysięcy godzin szkolenia. Zresztą i tak namierzylibyśmy ich w pięć minut i zniszczyli rakietami; nie zdążyliby nawet wystartować. Nie wiem, ale można to chyba zrobić nawet zdalnie, bez rakiet.

– No to inny sprzęt wojskowy – nie ustępował White.

– Tylko jaki? Milion karabinów po stówie za sztukę? Nawet tyle nie mamy.

– Tajemnica wojskowa – spekulował Waterman. – Tajne hasło, kod, wzór, mapa, plan czy diagram, jakaś lista, plany systemów zabezpieczających komputery obsługujące największe centra finansowe świata, komercyjny program użytkowy albo łapówka wystarczająca na przepchnięcie jakiejś ustawy we wszystkich pięćdziesięciu stanach.

– Myślisz, że chodzi o dane? – spytał White.

– Co innego da się dyskretnie za tyle sprzedać? Brylanty, ale brylanty to Antwerpia, a nie Hamburg. Narkotyki? Może, ale żaden Amerykanin nie ma zapasu wartego sto milionów. Kupiec pojechałby raczej do Ameryki Środkowej albo Południowej. A Afgańczycy mają własny mak.

– Najgorszy scenariusz? – spytał White.

– To wykracza poza moje kompetencje. Spytaj Ratcliffe'a. Albo prezydenta.

– A pana zdaniem?

– A pana?

– Jestem specjalistą od Bliskiego Wschodu, dla mnie wszystkie są najgorsze.

– Zarazki ospy – odparł Waterman. – Albo coś w tym rodzaju. Dżuma. Broń biologiczna. Ebola. Jakieś antidotum czy szczepionka. Co by znaczyło, że mają już zarazki.

Reacher patrzył w sufit.

Rzeczy, które mogą się źle skończyć.

Widzę, że nie jest pan zadowolony. A powinien pan się cieszyć.

Tyle, ile będzie trzeba.

Garber był jak krzyżówka.

– O czym pan myśli? – spytał White.

– O sprzeczności między zasadą numer jeden i resztą – odparł Reacher. – Nie wolno nam spalić Irańczyka. Co znaczy, że nie wolno nam zbliżyć się do posłańca. Ani nawet obstawić miejsca, do którego by nas doprowadził. Bo nie wiemy, że facet w ogóle istnieje. Chyba że Irańczyk da nam cynk.

– To nie jest sprzeczność – powiedział Waterman. – To tylko przeszkoda. Znajdziemy sposób, żeby ją obejść. Irańczyk jest im potrzebny.

– Chodzi o skuteczność działania. Muszą rozpracować tych ludzi z odpowiednim wyprzedzeniem. Rozrysować siatkę, stworzyć bazę danych. Dlatego owszem, powinni skupić się na posłańcach, to oczywiste. Ustne pytania, ustne odpowiedzi. Tam i z powrotem, z kontynentu na kontynent, pytanie, odpowiedź, pytanie, odpowiedź. Oni wiedzą wszystko. Są jak kaseta magnetofonowa warta więcej niż stu zakamuflowanych informatorów. Bo znają sytuację ogólną. A Irańczyk? Irańczyk nie ma nic do roboty i zna tylko cztery ściany mieszkania w Hamburgu.

– Nie można go tak po prostu poświęcić.

– Mogą go ewakuować, kiedy zwiną posłańca. I dać mu dom na Florydzie.

– Posłaniec nic nie powie – rzucił White. – Tysiącletni plemienny zakaz. Nikt na nikogo nie donosi. Można by go przycisnąć, ale po ostatnich obostrzeniach facet tylko się roześmieje. Dlatego mądrzej jest zatrzymać Irańczyka tam, gdzie jest. Oni naprawdę nie wiedzą, co się kroi. Cynk byłby mile widziany. Nawet pół cynku.

– A pan wie, co się kroi? – spytał Reacher.

– Coś kompletnie porąbanego. To nie to samo co kiedyś.

– Pracował pan już z Ratcliffe'em? Albo z Sinclair?

– Nie, nigdy. A pan?

– Nie wybrali nas dlatego, że nas znają – sprowadził ich

na ziemię Waterman. – Wybrali nas, bo w krytycznej chwili nie było nas w Hamburgu. Przebywaliśmy gdzie indziej. Jesteśmy czyści i mogli do nas zagadać.

Sinclair powiedziała, że to kwarantanna. I rzeczywiście, tak się tam czuli. Trzech facetów odciętych od świata tylko dlatego, że mieli alibi i nie byli zainfekowani.

• • •

O siódmej wyjął bagaże z samochodu i zaniósł je do swojego pokoju, ostatniego z trzech po tej samej stronie korytarza. Pokój wyglądał jak biurowy i prawdopodobnie jeszcze poprzedniego dnia pełnił taką funkcję. Był przestronny, z łazienką. Dyrektorski gabinet. Całkiem, całkiem, choć zaprojektowany pod biurko, nie pod łóżko.

Żeby zdobyć coś do jedzenia, Reacher musiał odpalić silnik starego chevroleta i pokrążyć po mieście, instynktownie skręcając w uliczki, gdzie mogły kryć się charakterystyczne dla przedmieść restauracje, jakich szukał. Takie, co to nie każdemu się podobają. Jemu zawsze pomagał metabolizm. W pewnej chwili dostrzegł neon i błyszczące aluminium, hen w oddali, obok stacji benzynowej i zjazdu z autostrady. Jadłodajnia, na tyle stara, że prawie autentyczna. Z poobijanymi i powgniatanymi ścianami. Z porządnym przebiegiem.

Skręcił, zaparkował i otworzył ciężkie chromowane drzwi. W środku było chłodno i jasno od świetlówek. Pierwszą osobą, którą zobaczył, była kobieta. Samotna kobieta w boksie. Jego dawna podwładna ze specjalnej grupy śledczej. Najlepszy żołnierz, z jakim kiedykolwiek służył. I chyba najlepsza, choć zawsze ostrożna przyjaciółka, jeśli przyjaźń dopuszcza przemilczenia.

W pierwszej chwili pomyślał, że to kolejny niezbyt zdumiewający przypadek. Świat jest ostatecznie mały, a w pobliżu

Pentagonu kurczył się jeszcze bardziej. Ale potem się zastanowił. W latach sławy i chwały, gdy służyli razem w 110. Specjalnej Jednostce Dochodzeniowej, była jego sierżantem sztabowym. Dorównywała im pod każdym względem, a pod niektórymi ich przewyższała. Ich wszystkich. Jego chyba też.

Biła go na łeb inteligencją.

Nie, to nie mógł być przypadek, nie z nią.

Podszedł do stolika. Ani drgnęła. Obserwowała jego odbicie w odwróconej łyżeczce. Usiadł i powiedział:

– Jak się masz, Neagley.

4

Sierżant Frances Neagley odłożyła łyżeczkę i podniosła wzrok.

– Jest tyle miast i tyle knajp. Jakie było prawdopodobieństwo, że się tu spotkamy?

– Na pewno dokładnie to przeanalizowałaś – odparł Reacher.

– Założyłam, że pojedziesz na zachód. Podświadomie, byle dalej od Waszyngtonu. Sprawdziłam, gdzie możesz skręcić, i wyszło mi, że to jedyne oczywiste miejsce. I oczywista pora. Dwie godziny na odprawę i przerwa na kolację.

– Jak w szkółce.

– To nie jest szkoła. Nazwa kursu nie ma sensu.

– Znasz jakąś, która ma?

– Ta jest jeszcze bardziej pokręcona – powiedziała.

– To szkoła.

– Nie zrobiliby ci tego. Przynajmniej dopóki Garber żyje.

– Nie mogę o tym rozmawiać. Umarłabyś z nudów.

– Niech zgadnę. To przykrywka. Biorąc pod uwagę twoje ostatnie osiągnięcia, przykrywka czegoś na wysokim szczeblu. Co znaczy, że dadzą ci wszystko, czego zażądasz. Zwłaszcza jeśli chodzi o personel. Więc i tak zadzwoniłbyś do mnie jutro rano. Po co czekać dwanaście godzin? Przekręć już teraz.

Była w zielonej panterce, letnim mundurze kamuflażowym ze starannie podwiniętymi rękawami. Ręce trzymała na stole. Miała ciemne, krótkie włosy, ciemne oczy i była opalona. Jej skóra robiła wrażenie miękkiej, ale dawał głowę, że taka nie jest. Widział Neagley w akcji. Była szybka i wyjątkowo silna. Nie, ciało miała twarde i jędrne. Ale tylko zgadywał. Bo nigdy jej nie dotknął. Nie uścisnął jej nawet ręki.

– Nie wiem, czego będziemy potrzebowali – powiedział. – Jeśli ufać statystyce, zaczniemy chyba od zrobienia list. Bazując na rozkazach wyjazdu dla amerykańskiego personelu wojskowego w Niemczech. I na ruchu cywilnym, na podstawie paszportów.

– Po co?

– Szukamy pewnego Amerykanina, który będąc w Hamburgu, pewnego dnia załapał się na pięćdziesięciominutowe okienko czasowe.

– Szukacie go, bo?

– Facet sprzedaje coś wartego sto milionów dolarów grupie bandziorów w nowym stylu, koleżkom z Jemenu i Afganistanu.

– Wiadomo, co sprzedaje?

– Nie.

– Problemem będą granice, a właściwie ich brak. Można je przekraczać jak u nas stanowe. To Unia Europejska. A rejestry paszportowe mogą być niekompletne.

– Właśnie. To błądzenie w ciemności. Ale można sobie trochę pomóc. Na przykład sprawdzić, kto przyjechał i wyjechał ze Szwajcarii tydzień wcześniej, kiedy ten gość podejmował ostateczną decyzję. Miał coś do opchnięcia. Chciał otworzyć licytację. Wiedział, że nie może targować się w nieskończoność. Więc się przygotował. Otworzył tajne konto w Szwajcarii. Prawdopodobnie w Zurychu. Przez jakiś czas rozglądał się i czekał. Potem wrócił do Hamburga i podał cenę.

– To znowu błądzenie w ciemności. Nie można niczego wykluczyć. Konto mogło być stare, sprzed lat, bo kto powiedział, że facet robi to pierwszy raz? Zresztą mógł je otworzyć gdzie indziej, choćby w Luksemburgu.

– Dlatego mówię, że nie wiem, czego będziemy potrzebowali.

– Myślisz, że to wojskowy?

– Możliwe. To wynika z rachunku prawdopodobieństwa. Jak ci Amerykanie w Korei czy na Okinawie. Musimy zrobić kolejną listę, na wszelki wypadek. Co może sprzedawać wojskowy? Informacje wywiadowcze? Sprzęt? Jeśli sprzęt, załóż, że ma kontener albo dużą ciężarówkę, coś nierzucającego się w oczy, i zrób listę rzeczy wartych sto milionów dolarów, które by się tam zmieściły.

– To musi być coś niezawodnego i prostego w obsłudze. Facet nie będzie miał wsparcia.

– Tak, weź to pod uwagę. Zrób listę list. Na razie możemy tylko tyle. I bądź gotowa do wymarszu o dziewiątej rano. Wcześniej nie dadzą rady. Potem wszystko ma przechodzić przez kogoś z Rady Bezpieczeństwa Narodowego, niejaką Marian Sinclair.

– Coś o niej słyszałam – powiedziała Neagley. – To zastępczyni Ratcliffe'a.

– Przygotuj spis rzeczy, których będziemy od niej potrzebowali. Szkoda czasu.

– To duża sprawa?

– Chyba tak. Tak uważamy. Ale możemy się mylić. Chodzi o jedno zdanie wzięte z sufitu. A jeśli to żart? Albo sarkazm dla wtajemniczonych? „Pięć dolarów" w slangu łażących po linach Jemeńczyków? Ale jeżeli to nie zabawa, wtedy tak, cena niepokoi.

Nadeszła kelnerka i złożyli zamówienie.

– Gratuluję medalu – rzuciła Neagley.

– Dziękuję.

– Wszystko w porządku?

– W najlepszym.

– Na pewno?

– A ty kto, moja mama?

– Co sądzisz o tej Sinclair?

– Podobała mi się – odparł Reacher.

– Kogo tam jeszcze macie?

– Niejakiego Watermana z FBI. Wygląda na myśliwego ze starej szkoły. I White'a z CIA. Ten jest bardzo zestresowany, pewnie nie bez powodu. Na razie robią wrażenie kompetentnych, przynajmniej w kilku kwestiach. Mówili rozsądne rzeczy. Pewnie też ściągną pomagierów. A nad nami wszystkimi czuwać będzie ktoś w rodzaju inspektora z Rady Bezpieczeństwa Narodowego, tak podejrzewam. Będzie nas pilnował i przekazywał wiadomości szefowej, czyli Sinclair.

– Dlaczego ci się podobała?

– Bo jest uczciwa. Ratcliffe też. Biegają w kółko, jakby się paliło i waliło.

– Może zadzwonisz do brata? Pracuje w Ministerstwie Skarbu. Mógłby monitorować przelewy. Z tego poziomu sto milionów dolarów dałoby się namierzyć.

– Musiałbym pogadać z Sinclair.

– Będziesz taki posłuszny?

– Ona uważa, że to może być każdy – powiedział. – Nie chce, żebyśmy chlapnęli coś nie temu co trzeba. Ale nie rozumie istoty rzeczy. Nie chodzi o „każdego". Chodzi o wszystkich. Mniej więcej. To polowanie z nagonką na dużą skalę. Nasz człowiek okaże się jednym z wielu. Namierzymy mnóstwo różnych typów, ludzi idących i wracających z tajnych spotkań, przyjeżdżających i wyjeżdżających ze Szwajcarii z walizkami pełnymi pieniędzy, knujących, robiących paskudne rzeczy, kupujących, sprzedających i handlujących wszystkimi możliwymi towarami. Narobimy sobie mnóstwo wrogów, wśród cywili i wojskowych. Ale nie możemy pozwolić sobie na zbyt dużo szumu. Przynajmniej na razie. Tajność to opóźni. Dlatego tymczasem powinniśmy trzymać z Sinclair. W razie czego zmienimy taktykę.

– Rozumiem.

Kelnerka przyniosła jedzenie. W McLean w Wirginii była ósma wieczorem.

• • •

O tej porze w Hamburgu była już druga nad ranem następnego dnia. Późno, lecz Amerykanin wciąż nie spał. Leżał na łóżku i gapił się w sufit, który widział pierwszy raz w życiu. Z nagą prostytutką w zgięciu łokcia. W jej mieszkaniu. Schludnym, czystym i pachnącym, z dyskretnymi oznakami tego, że właścicielka jest z niego dumna. Musiało sporo kosztować, ale ona też nie należała do tanich. I dobrze. Już niedługo miał się stać bardzo bogatym człowiekiem. Musiał to jakoś uczcić. Lubił kosztowne kobiety. Im droższa, tym silniejszy dreszczyk emocji. Nie miał wyrafinowanych gustów. Liczył się przede wszystkim poziom entuzjazmu. A jej był bardzo wysoki. A potem rozmawiali. Zwierzali się sobie jak prawdziwi kochankowie. Objęci i przytuleni. Była bardzo zainteresowana. Umiała słuchać.

I powiedział za dużo.

Prostytutki są lepszymi psychologami niż ci zawodowi, dlatego potrafią wychwycić subtelną różnicę między chwaleniem się i przechwalaniem, między kłamstwami i obłąkanymi marzeniami. Umieją dostrzec tę odrobinę najprawdziwszej prawdy. Nie takiej z konfesjonału. Prawdy radosnej. Tej, która aż cię rozsadza, której nie da się powstrzymać. I w podnieceniu po prostu chlapnął, wypaplał. Czuł się wspaniale. Dziewczyna była warta każdych pieniędzy. Nie posiadał się ze szczęścia. I wspomniał, że chce kupić ranczo w Argentynie. Większe niż Rhode Island, tak powiedział.

Drobiazg bez znaczenia, ale zdawał sobie sprawę, że ona to zapamięta. A niemieckie prostytutki nie boją się policji. Niemcy są państwem opiekuńczym. Wszystko jest tolerowane, pod warunkiem że również regulowane. Więc gdyby zaczęli go ścigać, chętnie wpadłaby na posterunek i opowiedziałaby im o Amerykaninie, który chciał kupić ranczo na pampasach, posiadłość większą niż Rhode Island. Chyba próbował coś sobie zrekompensować, tak by zeznała. Jakby chciał powiedzieć: „Bierz mnie na poważnie, kochanie". Bo nie do końca mu stanął. A Niemcy, jak to Niemcy, wszystko by spisali, zadzwoniliby do kogoś wprowadzonego i po nitce do kłębka odkryliby, że ranczo na pampasach, większe niż Rhode Island, kosztowało fortunę.

Rutynowy przegląd transakcji nieruchomościowych tylko w jednym kraju świata doprowadziłby ich prosto do jego nowiutkich drzwi.

Dureń.

Jego wina.

Chodził w myśli po pokoju, odtwarzając swoje kroki, sporządzając listę rzeczy, których dotykał. Nie było ich wiele, nie licząc dziewczyny. Zostawił odciski palców na jej skórze? Mało prawdopodobne. A nawet gdyby, byłyby zamazane. W żołądku miała jego DNA, lecz atakowały je silne kwasy i enzymy trawienne. Na tym polu nauka była jeszcze w powijakach, dopiero raczkowała. Ci z laboratoriów prędzej by sprawę odrzucili, niż zaryzykowaliby publiczny blamaż.

Czyli bezpiecznie.

Obłęd.

Ale obłęd logiczny. Jeśli powiedziało się A, należy powiedzieć B. Wszystko albo nic. Tkwił w tym po uszy. Zastanawiał się kiedyś, jakie to będzie uczucie. Przypominało spadanie. Skok ze spadochronem. Długie, bardzo długie swobodne opadanie. Ciągle w dół i w dół. Nie umiał tego powstrzymać. Mógł tylko wziąć oddech, odprężyć się i poddać.

Wyszedł z hotelu niezauważenie, przez parking. Zupełnie bez powodu, po prostu był tam skrót do znajomego baru. A ona właśnie przyjechała do pracy. Późny wieczór, goście z górnej półki, balangowicze i hazardziści. Inny świat. Poprawka: już nie. Teraz mógł mieć wszystko, czego tylko zapragnął. Postanowił do niej zagadać, już samo to sprawiło mu frajdę. Tam, na parkingu. A jeśli się pomylił? Ale nie. Widywał ją w hotelu. Uśmiechnęła się i podała bardzo wysoką cenę. Zapłaciłby dziesięć razy więcej tylko dlatego, że podobało mu się to, jak stała. I dlatego, że dopiero co brała prysznic. Uwzględniając jej dzienny przerób, w tym momencie była prawie dziewicą.

Zawiozła go do mieszkania, z którego niedawno wyszła.

Czy na parkingu były kamery?

Chyba nie. Należał do pedantów. Pedantów bardzo spostrzegawczych. Wszystko widział. Musiał. Na tym polegała jego praca. Sufit parkingu był pokryty ognioodporną pianką. Po warstwie pianki biegły przewody elektryczne, pięciocalowe rury odpływowe i rurki systemu spryskiwaczy.

Kamery? Brak.

Czyli bezpiecznie.

Obłęd.

Ale obłęd logiczny.

Przećwiczył wszystko w głowie i zrobił to szybko. Początkowo myślała, że to tylko zabawa. Że odgrywa coś, co widział na kasecie VHS. Rzucił ją twarzą do łóżka, przytrzymał, przygniótł kolanami łokcie i z brzuchem na jej tyłku, dosiadł jej jak dżokej kobyły. Zaczęła jęczeć, jak one wszystkie, a wtedy zacisnął ręce na jej szyi, szybko i mocno. Od razu ucichła. Wygięła grzbiet, chciała zrzucić go z siodła, ale prawie nie mogła się poruszyć. Próbowała go kopnąć, dosięgnąć jego pleców piętami, lecz nie dała rady i tylko rzucała się pod nim w górę i w dół, jakby pływała w basenie. Potem przestała, on jednak nie zwalniał uścisku, dopóki nie nabrał pewności. Na wszelki wypadek trzymał ją tak jeszcze przez chwilę, potem puścił i dał nogę.

Wszystko albo nic.

5

Reacher spał dobrze, lecz obudził się wcześnie i był już na chodzie, gdy o siódmej furgonetka z cateringu przywiozła kilka dużych baniaków kawy i tacę drożdżówek wielkości lądowiska dla helikopterów. Było tego więcej, niż ich trójka dałaby radę zjeść. Co znaczyło, że personel jest już w drodze.

Przyjechali o wpół do ósmej, dwóch urzędasów średniego szczebla z RBN, Rady Bezpieczeństwa Narodowego. Na wstępnej odprawie Sinclair powiedziała, że zna ich osobiście, więc pewnie im ufała. Ponurzy, jakby przytłoczeni ciężarem informacji, którymi obracali, mieli po trzydzieści kilka lat. O ósmej zaczęły działać bezpieczne telefony, więc wszyscy wzięli się do roboty. Reacher wystosował swoją prośbę jako pierwszy, uprzedzając Watermana i White'a, tak że o dziewiątej Neagley była już na miejscu i gdy dwadzieścia minut przed pomocnikiem White'a przyjechał pomagier Watermana, za pośrednictwem RBN-u zdążyła już ściągnąć masę informacji. Pomagierzy byli mężczyznami. I wyglądali jak młodsza wersja swoich szefów. Ten Watermana nazywał się Landry, ten White'a – Vanderbilt, choć nie miał nic wspólnego z rodziną bogatego Corneliusa.

Przytaszczyli meble i urządzili w klasie centrum operacyjne kierowane przez Neagley, Landry'ego i Vanderbilta. Niańki z RBN-u wypędzili do biura, a Reacher, Waterman i White konferowali przez telefon, siedząc wygodnie w skórzanych fotelach. O jedenastej praca szła pełną parą. O dwunastej mieli już pierwsze dane. Wtedy zadzwoniła Sinclair i przełączyli rozmowę na głośnik.

– Tego dnia – zaczął Reacher – w Niemczech przebywało prawie dwieście tysięcy amerykańskich obywateli. W tym około sześćdziesięciu tysięcy wojskowych w służbie czynnej, prawie dwa razy tyle członków ich rodzin i emerytowanych żołnierzy, którzy nie wrócili jeszcze do domu, około tysiąca cywili na urlopie oraz pięć tysięcy cywili na różnych konferencjach handlowych i spotkaniach służbowych.

– Sporo – rzuciła Sinclair.

– Powinniśmy pojechać do Hamburga.

– Kiedy?

– Teraz.

– Dlaczego akurat teraz?

– Kiedyś musimy. Nie rozwiążemy tego na papierze.

– Agencie Waterman, co pan o tym sądzi? – spytała Sinclair.

– Moje zdanie zależy od tego, jak szybko ci posłańcy się przemieszczają – odparł Waterman. – Wygląda na to, że niezbyt. Kiedy nasz człowiek spodziewa się odpowiedzi? Jak długo trwa typowa przerwa?

– Nie wiem, jak w Hamburgu, ale w innych miejscach około dwóch tygodni. Może parę dni krócej.

– Kiedy będą dobijali targu, dobrze by było być w pobliżu, to na pewno. Ale wydaje mi się, że mamy czas. Poleciałbym tam za tydzień. Najpierw wolałbym zebrać więcej danych do analizy. Na dłuższą metę zaoszczędzi nam to trochę czasu i wysiłku.

– Panie White?

– Ja w ogóle nie chcę tam lecieć. Żaden ze mnie myśliwy, na nic bym się nie przydał. Moja specjalność to papierowe łamigłówki. Działam w terenie tylko w razie najwyższej konieczności.

– Panie majorze, z jakiego powodu chciałby pan polecieć do Hamburga?

– Z takiego, że według pana Ratcliffe'a możemy dostać wszystko, czego zażądamy – odparł Reacher.

– Czy panowie Waterman i White mieliby coś przeciwko temu, żeby major Reacher poleciał do Niemiec sam?

– Nie – rzucił White.

– Po warunkiem że nikogo tam nie zabije – powiedział Waterman.

• • •

Jednym z plusów komunikowania się za pośrednictwem Zachodniego Skrzydła Białego Domu był natychmiastowy dostęp do biletów lotniczych i hoteli. W ciągu ledwie trzydziestu minut załatwiono im dwa miejsca na nocny lot Lufthansy i zarezerwowano pokoje w hotelu biznesowo-konferencyjnym niedaleko wiadomego mieszkania. W eleganckiej dzielnicy, jak powiedziała Sinclair, w miarę centralnie położonej i bardzo drogiej, choć trochę korporacyjnej.

Resztę dnia spędzili w McLean, zestawiając nazwiska wojskowych z informacjami o odbywających się w Niemczech ćwiczeniach i tym samym eliminując potencjalnych kandydatów. Nikt nie mógł siedzieć w czołgu na wschodnich równinach kraju, spacerując jednocześnie po Hamburgu. Liczba żołnierzy natychmiast spadła. Co było swego rodzaju sukcesem. Potem zaczęły przychodzić pierwsze meldunki z linii lotniczych, o lotach z Zurychu. Asystent White'a od razu załapał, w czym rzecz, i sam z siebie zaproponował, że podczas gdy oni będą lecieli do Niemiec, on posiedzi nad weryfikacją danych i jeśli znajdzie coś ważnego, zadzwoni do nich, kiedy wylądują.

Współpraca? – pomyślał Reacher. Kto wie?

• • •

Neagley usiadła za kierownicą chevroleta, zawiozła ich na lotnisko i zostawiła wóz na parkingu krótkoterminowym, oczywiście na koszt podatnika. Była po cywilnemu, czyli w ciemnych lustrzankach, ocieplanej skórzanej kurtce, podkoszulku i spodniach, które Reacher wziął za portki z demobilu, jak jego, ale okazało się, że są to autentyczne spodnie od Ralpha Laurena. Ona miała torbę podróżną, on nie. Lecieli klasą ekonomiczną, ale był to prawdziwy luksus w porównaniu z płóciennymi hamakami w transportowych maszynach wojskowych. Zjedli, odchylili fotele i poszli spać.

• • •

Dwadzieścia cztery godziny po wyjściu Amerykanina mieszkanie prostytutki było dużo mniej pachnące. A raczej wciąż pachnące, tylko nieodpowiednim zapachem. Odór zaczął być wyczuwalny, roznosił się po korytarzu i przez szyby wentylacyjne w kuchni. Sąsiedzi, już rozdrażnieni, zadzwonili w środku nocy na policję. Centrala przysłała policjantów w radiowozie, żeby się rozejrzeli. A raczej, jak się miało okazać, powąchali. Skutek wąchania był taki, że natychmiast obudzono dozorcę z kluczem uniwersalnym. Co z kolei zaowocowało czterema godzinami pracy policyjnych detektywów, rozpytywaniami i przesłuchiwaniami, taśmą ostrzegawczą, ściągnięciem techników kryminalistycznych i w końcu karetki pogotowia z gumowym workiem na zwłoki.

Z punktu widzenia policji była to wiadomość dobra i zła. Hamburg jest ruchliwym portowym miastem ze słynną na cały świat dzielnicą czerwonych latarni, z narkotykami i graffiti na dworcu głównym, mimo to do zabójstw dochodzi tu rzadko. Rzadziej niż raz w tygodniu. Trup jest tu wciąż wydarzeniem. Wielu robi na tym karierę. A policja może pochwalić się wykrywalnością sięgającą dziewięćdziesięciu procent. To dobra wiadomość. Zła jest taka, że pozostałe dziesięć procent, czyli sprawy nierozwiązane, obejmuje martwe prostytutki, albo zadźgane, albo uduszone. Ryzyko zawodowe. Tak więc było mało prawdopodobne, żeby sprawa tej znalezionej w mieszkaniu trafiła do podręczników dla policji. Sprawca pewnie już odpłynął. Był sto mil od Hamburga i leżąc na koi, spokojnie zmierzał na otwarte morze.

• • •

Ponieważ dostali gotówkę na doraźne cele operacyjne, wsiedli do taksówki – mercedesa, a jakże! – i w promieniach rozmytego słońca, w porannym ruchu pojechali do hotelu. Hotel mieścił się na cichej, zielonej ulicy pełnej domów ze szkła i dziwnie bladej cegły oraz małych, lecz kosztownych samochodów parkujących przy krawężniku. Dostali pokoje na trzecim piętrze, w miarę wysoko, bo z widokiem na dachy sąsiednich domów. Hamburg jest starym hanzeatyckim miastem o ponadtysiącletniej historii, ale żaden z dachów nie przekroczył pięćdziesiątki. Niemcy zbombardowali Anglików, Anglicy odpowiedzieli bombami i z czasem nabrali w tym wprawy. W czterdziestym trzecim wywołali burzę ogniową, która zmiotła miasto z powierzchni ziemi. Sięgające trzystu metrów płomienie, temperatura oscylująca w pobliżu tysiąca stopni Celsjusza, palące się powietrze, płonące ulice, gotujące się rzeki i kanały. Czterdzieści tysięcy zabitych podczas jednego nalotu. Wielka Brytania straciła sześćdziesiąt tysięcy – w ciągu całej wojny. „Kto sieje wiatr, ten zbiera burzę", jak powiadał Ozeasz. Nie należał do wielkich proroków, ale z Hamburgiem trafił w dziesiątkę.

Zadzwonił telefon. Neagley – chciała spotkać się na śniadaniu. Zaraz potem drugi telefon, od Vanderbilta – miał już nazwiska trzydziestu sześciu Amerykanów, którzy w wiadomy weekend podróżowali z Hamburga do Zurychu. Reacher westchnął. *Namierzymy mnóstwo różnych typów*. Jego własne słowa.

Zszedł na dół do bardzo europejskiego bufetu pełnego wędlin, wędzonych serów i egzotycznych ciast. Usiedli przy oknie. W Hamburgu dochodziła dziewiąta rano.

• • •

O tej porze w afgańskim Dżalalabadzie było wpół do pierwszej po południu. W kuchni białej lepianki przygotowywano lunch. Na zewnątrz było gorąco jak w pustynnych rejonach Arizony. Posłaniec już czekał. Dotarł tu nocą, po czterech przesiadkach z samolotu na samolot i prawie pięciusetkilometrowej wyboistej podróży japońskim pick-upem. Dano mu śniadanie i zaprowadzono do sieni. Czekał w niej wiele, wiele razy. Tam i z powrotem, tam i z powrotem. Tak wyglądało jego życie. Był jedynym w domu mężczyzną bez brody czy karabinu.

W końcu poproszono go do małej, gorącej izby. W powietrzu roiło się od fruwających leniwie much. Na poduszkach siedziało dwóch brodatych mężczyzn, jeden gruby i niski, drugi szczupły i wysoki. Obaj byli w prostych białych szatach i prostych białych turbanach.

– Amerykanin żąda stu milionów dolarów – powiedział posłaniec.

Mężczyźni skinęli głową.

– Omówimy to przy kolacji – rzekł ten wysoki. – Wróć rano, przekażemy ci odpowiedź.

• • •

Neagley dostała plan miasta w recepcji. Rozłożyła go i podniosła do światła.

– Pięćdziesięciominutowa nieobecność daje okrąg o promieniu mniej więcej dwóch kilometrów, tak? – powiedziała. – Dwadzieścia minut w jedną stronę, dziesięć minut na rozmowę, dwadzieścia minut z powrotem. Gdzie mogli się spotkać?

– W barze, kawiarni albo na ławce w parku – odparł Reacher.

Znaleźli na planie dom, w którym Saudyjczycy wynajmowali mieszkanie. Neagley przytknęła do planu kciuk i palcem wskazującym zatoczyła koło. Znalazła się w nim plątanina ulic, według Reachera głównie mieszkalnych, ale i również komercyjnych. Był w wielu takich miastach i wiedział, jak to wygląda. W tej części świata i tej części Hamburga wznosiły się najpewniej niskie, kilkupiętrowe apartamentowce z dyskretnymi sklepami i biurami na parterze. Oczywiście z barkami, choć tych będzie chyba niewiele, może ze sklepami jubilerskimi, pralniami chemicznymi czy biurami firm ubezpieczeniowych. Z piekarniami, ciastkarniami, kawiarenkami, restauracjami i barami. Ot, przytulna dzielnica. Poza tym były tam cztery skwery, pewnie z ośmioma ławkami i gołębiami do karmienia, co lubili robić szpiedzy na filmach, które widział.

– Ładny dzień – powiedziała Neagley. – W sam raz na spacer.

• • •

Dwukilometrowy promień dawał powierzchnię prawie ośmiu kilometrów kwadratowych, czyli mniej więcej ośmiuset hektarów. Znaleźli blok Saudyjczyków, minęli go, nie podnosząc wzroku, i przystanęli na pierwszym lepszym rogu, z planem miasta w ręku, jak turyści. A turystów było tam sporo, więc się nie wyróżniali.

Od razu zaczęli odrzucać jedną możliwość po drugiej – zaczynając od piekarni z dwoma złoconymi stolikami, trzech kawiarni i dwóch barów, które znaleźli na pierwszych pięciu ulicach.

– Spotkali się wczesnym wieczorem – myślał na głos Reacher. – Co znaczy, że piekarnie odpadają. Do piekarni chodzi się rano. Moim zdaniem poszli do baru.

– Albo do parku – powiedziała Neagley.

– Gdzie Amerykanin byłby górą nad swoim rozmówcą? Zakładamy, że chodziło o negocjacje. Chciałby mieć przewagę psychologiczną. Wolałby czuć się swobodnie i próbowałby postawić rozmówcę w niezręcznej sytuacji.

– Zakładamy, że to biały?

– Statystyka mówi, że tak.

– W takim razie wybrałby bar skinheadów.

– Jest tu gdzieś taki?

– Oni nie wywieszają szyldów. Skinhead to osobowość.

Reacher spojrzał na plan. Szukał odpowiednich kształtów, skrzyżowań szerokich arterii, gdzie ruch byłby większy, a czynsz niższy i gdzie były boczne uliczki do parkowania. Znalazł odpowiednie miejsce. Po drodze mogliby zaliczyć dwa skwery.

– Ładny dzień – powiedział. – W sam raz na spacer.

• • •

Skwery rozczarowały ich w sensie ogrodniczym. Prawie całe były zalane asfaltem, na którym ustawiono donice z jaskrawymi jak szminka kwiatami. Ale znaleźli na nich ławki, dwie na każdym, i trochę odosobnienia. Jeden mógł usiąść na jednej ławce, drugi na drugiej, ten pierwszy mógł coś powiedzieć, wstać i odejść. Nikt by się nie zorientował. Ot, zwykły spacerowicz. Potem drugie spotkanie. Jeden przychodzi, drugi odchodzi.

Tak, mogli spotkać się tutaj.

Na szerokich ulicach ruch nocny nie różnił się zbytnio od dziennego, choć za dnia było tam chyba więcej pośpiechu i hałasu. Ciągnące się rzędy sklepów i restauracji znikały w bocznych uliczkach parę przecznic dalej. To właśnie tam znaleźli bar, przed którym czterech mężczyzn piło piwo. O dziesiątej rano. Wszyscy mieli ogolone głowy, porośnięte nierównymi kępkami włosów i pokryte strupami, jakby poharatali się nożem i byli z tego dumni. Młodzi, osiemnaście, najwyżej dwadzieścia lat, wyglądali jak cztery półtusze wołowe. Raczej nie stąd, pomyślał Reacher. A więc kwestia terytorium. Rościli sobie jakieś pretensje?

– Wstąpmy na kawę – zaproponowała Neagley.

– Tutaj?

– Ci chłopcy chcą nam coś powiedzieć.

– Skąd wiesz?

– Przeczucie mi mówi. Patrzą na nas.

Reacher odwrócił się i rzeczywiście, patrzyli. Lojalni wobec własnej grupy, z cieniem wyzwania w oczach i odrobiną strachu. Jak zwierzęta drżące z podniecenia pod wpływem wydzielin nakazujących walkę lub ucieczkę. Jakby coś miało się zaraz stać.

– O co im chodzi? – spytał.

– Dowiedzmy się – odparła Neagley.

Więc ruszył w ich stronę, prosto do drzwi.

Mężczyźni zwarli szyki.

– Jesteście Amerykanami? – rzucił ten stojący z przodu.

– Skąd wiesz? – spytał Reacher.

– Amerykanie nie mają tu wstępu.

6

Potem przyznał, że gdyby powiedział to ktoś w jego wieku, uderzyłby go od razu, zanim zdążyłoby przebrzmieć ostatnie słowo – bo dlaczego ktoś, kto chce się bić, miałby dyktować mu zasady walki? Ale to był dzieciak i z litości Reacher postanowił dać mu co najmniej jedną szansę. Dlatego bardzo powoli spytał:

– Mówisz po angielsku?

– Przecież słyszysz – odparł chłopak.

– Pytam, bo źle dobrałeś słowa. Wszystko poplątałeś. Zabrzmiało to tak, jakbyś uważał, że są w Niemczech bary, do których Amerykanie nie mogą wejść, ot tak, prosto z ulicy, i poczuć się swobodnie. Niemożliwe, żebyś miał to na myśli. Jeśli chcesz, pomogę ci poszperać w słowniku.

– Nasz kraj jest tylko dla Niemców.

– Mnie to pasuje – odparł Reacher. – Ale cóż, już tu jesteśmy. Ot, idziemy sobie. I mamy ochotę na kawę. Nie chcemy spuszczać wam łomotu. Wolimy dać wam możliwość wycofania się i zachowania twarzy.

– Nas jest czterech – zauważył chłopak.

– Tak szybko policzyłeś do czterech? Niemożliwe. Jakim cudem? Pytam poważnie, bardzo mnie to ciekawi.

W oknie baru pojawiła się czyjaś twarz. Ktoś wyjrzał i szybko się schował.

– Chodź, idziemy – rzuciła Neagley. – To nie tu. Nie wpuściliby go.

– A nasza kawa?

– Pewnie lura.

– Jaka lura? – zaprotestował Niemiec. – Tu mają dobrą kawę.

– No to mnie przekonałeś – powiedział Reacher. – Przepuśćcie nas.

Chłopak ani drgnął.

– Tutaj to my o wszystkim decydujemy. Nie wy. Amerykańska okupacja już się skończyła. Niemcy są dla Niemców.

– Aha, czyli chcecie, żebym wszedł tam na siłę.

Dzieciak zrobił krok do przodu.

– My nie wiemy, co to strach.

Powiedział to jak czarny charakter ze starych filmów.

– Rozumiem. Jutro należy do nas, tak?

– Bo należy.

– A wiesz, że robienie w kółko tego samego z nadzieją na inny wynik jest symptomem obłędu? Słyszałeś o tym? Lekarze tak mówią. Ale to słowa Einsteina. Chyba. A Einstein był Niemcem, prawda? I bądź tu mądry.

– Idźcie stąd.

– A wy się odsuńcie. Liczę do trzech.

Milczenie.

– Raz...

Żadnej reakcji.

Uderzył na „dwa". Szczerze mówiąc, trochę go oszukał, ale chrzanić to. Skoro mógł, to czemu nie? Szansa przepadła. Witaj w prawdziwym świecie, ciołku. Prawym prostym w splot słoneczny. Humanitarny gest. Jak ogłuszenie krowy w rzeźni. Ten drugi nie miał tyle szczęścia. Przeszkodziła mu siła rozpędu. Po prostu nadział się na łokieć Reachera, oberwał między oczy i padając, przeszkodził trzeciemu, opóźniając go na tyle, że Reacher zdążył uderzyć czwartego, tym samym łokciem ostrym łukiem, jak ostrzem noża, co zapewniło mu szeroki wybór sposobów unieszkodliwienia tego ostatniego. Zdecydował się na kopniaka w krocze, bo kosztowało to minimum wysiłku i zapewniało maksimum skuteczności.

Przestąpił nad plątaniną nóg i zajrzał do baru. Pusto. Nie licząc jakiegoś staruszka za ladą, siwego, pomarszczonego i przygarbionego. Miał pewnie około siedemdziesiątki. Jak Ratcliffe, z tym że ten był w dużo gorszej formie.

– Mówi pan po angielsku? – spytał Reacher.

– Tak – odparł mężczyzna.

– Widziałem, jak wyglądał pan przez okno.

– Naprawdę?

– Zna pan tych chłopaków.

– I co z tego?

– Wpuszczają tu tylko Niemców. Nie ma pan nic przeciwko temu?

– Mam prawo decydować, kogo obsługuję.

– A mnie pan obsłuży?

– Nie, chyba że będę musiał.

– Ma pan dobrą kawę?

– Bardzo dobrą.

– Ale ja już nie chcę kawy. Chcę tylko o coś spytać. Zawsze mnie to ciekawiło.

– Co takiego?

– Przegrać wojnę: jakie to uczucie?

• • •

Poszli dalej i pięć ulic później zrezygnowali. Było za dużo możliwości. Odgadywanie preferencji i upodobań osobistych, owszem, zawęziło pole działania, ale tylko trochę. Nie wykluczyło wielu scenariuszy, które mogły wchodzić w grę. Krótko mówiąc, nie sposób było przewidzieć, gdzie Amerykanin mógłby spotkać się z posłańcem.

– Musimy spróbować odwrotnie – powiedział Reacher. – Trzeba przywarować, zaczekać na kuriera i go śledzić. Zobaczyć, z kim się spotka. Co, zważywszy na okoliczności, będzie bardzo trudne. To wymaga dużych umiejętności, zwłaszcza na ulicy. W tłumie ludzi. Przydałaby się ekipa obserwacyjna.

– Nic z tego – odrzekła Neagley. – Nie możemy spalić Irańczyka.

– Trzymalibyśmy się z daleka. Tylko byśmy czekali. Tyle, ile byłoby trzeba. Zobaczylibyśmy, jak wygląda jego kontakt, i podeszlibyśmy go z innej strony, trochę później. Moglibyśmy zamarkować śledztwo w jakiejś sprawie. Albo przeprowadzić prawdziwe bez mieszania w nie posłańca. Tak, żeby nie spalić Irańczyka.

– Czy w dzisiejszych czasach ktoś ma jeszcze grupy obserwacyjne?

– CIA na pewno – odparł Reacher.

– W każdym konsulacie? Wątpię. Lepiej licz tylko na siebie i na mnie. Co będzie bardzo trudne. Sam powiedziałeś. Zwłaszcza że dom, w którym mieszkają ci Arabowie, ma drugie wyjście. Musielibyśmy się rozdzielić, i to od razu.

– Może Waterman by nam kogoś podesłał.

Neagley pokręciła głową.

– Potrzebowalibyśmy dużo ludzi.

– Mają dać nam wszystko, czego zażądamy – przypomniał jej Reacher. – Szef tak mówił.

– Nie wiem, czy na poważnie. Uzna, że nawet obserwowanie mieszkania jest ryzykowne dla Irańczyka. I będzie miał rację. Obserwacja potrwałaby ze dwa tygodnie. Wystarczyłoby jedno potknięcie. Zobaczyliby kogoś dwa razy i dziupla byłaby spalona. A oni wiedzieliby już dlaczego. Mamy związane ręce.

Reacher nie odpowiedział.

● ● ●

Zawrócili i dwie ulice od hotelu zobaczyli kilka parkujących przy chodniku radiowozów i ośmiu mundurowych, którzy chodzili od domu do domu, naciskając guziki dzwonków i rozmawiając z lokatorami. Od drzwi do drzwi. Kiepsko. Stało się coś złego.

Poszliby dalej, ale zatrzymał ich jeden z tych ośmiu.

– *Wohnen Sie in dieser Strasse?*

– Mówi pan po angielsku? – spytał Reacher.

– Czy mieszkają państwo przy tej ulicy? – powtórzył po angielsku Niemiec.

Reacher wskazał ręką.

– W tamtym hotelu.

– Od dawna tu państwo jesteście?

– Przylecieliśmy dziś rano.

– Nocnym samolotem?

– Tak.

– Z Ameryki?

– Jak się pan domyślił?

– Po pańskim ubraniu i zachowaniu. Jaki jest cel waszej wizyty?

– Turystyka.

– Dokumenty poproszę – zażądał Niemiec.

– Pan poważnie? – zdziwił się Reacher.

– Niemieckie prawo nakłada na każdego obowiązek wylegitymowania się przed policjantem.

Reacher wzruszył ramionami i wyjął z kieszeni paszport. Łatwo go znalazł, nic innego w niej nie było. Podał go policjantowi. Neagley podała swój. Niemiec spisał ich i grzecznie zwrócił dokumenty.

– Dziękuję.

– Co się tu stało? – spytał Reacher.

– Uduszono prostytutkę. Przed państwa przyjazdem. Miłego dnia życzę.

I odszedł, zostawiając ich na chodniku.

* * *

W tym momencie Amerykanin był raptem pięćset metrów dalej: wynajmował samochód w małej, ciasnej wypożyczalni na parterze domu przy ulicy równoległej do tej z apartamentowcami. Chciał uciec z miasta. Na kilka dni. A nawet godzin. Niedojrzała reakcja, dobrze o tym wiedział. Zachowywał się jak dziecko. Ja cię nie widzę, więc i ty mnie nie widzisz. Nie, żeby się denerwował. Nie miał czym. Brak odcisków palców, brak DNA, brak kamer. Poza tym to tylko prostytutka. Szybko umorzą śledztwo. Na sto procent. Ale tymczasem nie miał powodu tu siedzieć. Pojedzie... może do Amsterdamu? A potem wróci. Swobodne opadanie, ciągle w dół i w dół. Teraz już nie do zatrzymania.

* * *

Kiedy Reacher i Neagley wrócili do hotelu, recepcjonista zawiadomił ich, że dzwonił ktoś z Ameryki, niejaki pan Waterman, aż dwa razy. Dwunasta w Hamburgu, szósta rano na Wschodnim Wybrzeżu Stanów. Pewnie coś pilnego. Poszli do pokoju Neagley, który był bliżej, i oddzwonili. Odebrał Landry, pomagier Watermana. Już pracowali. Po chwili do telefonu podszedł Waterman.

– Wracajcie – powiedział. – Przechwycili coś nowego. Mówią, że to wszystko zmienia.

7

Lecieli porannym samolotem Lufthansy, głównie z młodymi ludźmi, w większości podróżującymi samotnie. Część wyglądała na pospolitych niechlujów, część na dziwaków, a część na absolwentów ogólniaka wracających z pomaturalnego wypadu do Europy. Wylądowali w Stanach wieczorem, dwie godziny po starcie; osiem godzin w powietrzu minus sześć stref czasowych. Poszli na parking, wsiedli do chevroleta, pojechali do McLean i zaparkowali po ciemku obok dwóch nowszych chevroletów, którymi od ich wyjazdu nikt chyba nie jeździł. Nieco dalej stały dwa czarne vany. Weszli do biura i zobaczyli całą ekipę, łącznie z Ratcliffe'em i Sinclair. Czekali na nich. Ale niedługo. Ranga ma swoje przywileje.

– W samą porę – powitał ich Ratcliffe. – Federalna Agencja Nadzoru Transportu Lotniczego informowała nas na bieżąco o waszym locie, a policja o natężeniu ruchu.

– Co przegapiliśmy? – spytał Reacher.

– Kawałek układanki – odparł Ratcliffe. – Co pan wie o komputerach?

– Raz jeden widziałem.

– Mają w środku coś, co ustawia czas i datę. Taki mały

obwód. Bardzo podstawowy, bardzo tani i wymyślony bardzo dawno temu, w czasach, kiedy powszechnym standardem były karty perforowane i kiedy dane trzeba było wciskać maksymalnie w osiemdziesiąt kolumn. Żeby oszczędzić na bitach, programiści zapisali rok dwiema cyframi, zamiast czterema. Dlatego tysiąc dziewięćset sześćdziesiąty był sześćdziesiątym, tysiąc dziewięćset sześćdziesiąty pierwszy – sześćdziesiątym pierwszym, i tak dalej. Musieli oszczędzać miejsce. Proszę bardzo, czemu nie? Z tym że wtedy było wtedy, a teraz jest teraz, dlatego zanim się spostrzeżemy, rok tysiąc dziewięćset dziewięćdziesiąty dziewiąty zmieni się w dwutysięczny i nikt nie wie, jak ten dwucyfrowy system na to zareaguje. Może pomyśleć, że jest znowu tysiąc dziewięćsetny. Albo dziewiętnaście tysięcy setny. Albo zerowy. Albo po prostu zawiesi się i już się nie odwiesi. Na całym świecie może dojść do katastrofalnych awarii. Możemy stracić media, prąd, gaz i wodę, całą infrastrukturę. W miastach zgaśnie światło. Banki zbankrutują. Puf! I wszystkie oszczędności pójdą z dymem. A nawet bez dymu.

– Ja nie mam żadnych – powiedział Reacher.

– Ale rozumie pan, o co chodzi.

– Kto wymyślił ten obwód? Co on na to?

– Nie on, tylko oni. Już dawno są na emeryturze albo nie żyją. Poza tym myśleli, że ich dzieło przetrwa najwyżej kilka lat. Nie ma żadnej dokumentacji. To była garstka genialnych zapaleńców, którzy lubili rozwiązywać łamigłówki. Nikt nie pamięta szczegółów. Nikt nie jest bystry na tyle, żeby dojść do tego od końca do początku. Poza tym są podejrzenia, że ci pierwsi mogli nie do końca rozumieć zasady działania kalendarza gregoriańskiego. Rok dwutysięczny jest przestępny i całkiem możliwe, że o tym zapomnieli, bo lata podzielne przez sto zwykle nie są. Natomiast te podzielne przez czterysta są. Jak sam pan widzi, bałagan jest nie do opisania.

– Ale co to ma wspólnego z nami? – spytał Reacher.

– Świat jest w coraz większym stopniu zależny od komputerów. Do dwutysięcznego roku bardzo rozwinie się także internet. Co tylko pogłębi problem, ponieważ wszystko będzie połączone ze wszystkim innym. Dlatego stawka jest z dnia na dzień wyższa. Ludzie zaczynają się niepokoić. Dostrzegać niebezpieczeństwa. Co bardziej przedsiębiorczy programiści próbują odpowiedzieć na to łatkami.

– Łatkami?

– Czymś w rodzaju magicznej kuli. Instaluje się nowy kod i sprawa załatwiona, problem znika. Można na tym zarobić dużo pieniędzy. Rynek jest olbrzymi. Miliony ludzi na całym świecie muszą zdążyć przed nowym milenium. To pilne. Tak pilne, że wielu najpierw zainstaluje program, a dopiero potem pomyśli. I tym samym wystawi się na odstrzał.

– To znaczy?

– Kolejny fragment rozmowy. Przechwyciliśmy wiadomość, że ktoś sprzedaje gotową łatkę. Na pierwszy rzut oka wygląda dobrze, ale tak naprawdę nie jest łatką, tylko koniem trojańskim. Czymś w rodzaju wirusa czy robaka, chociaż nie do końca. Zawiera czterocyfrowy kalendarz, który można zdalnie zatrzymać. Wystarczy wysłać polecenie przez Internet, sieć, która rozrasta się dosłownie z dnia na dzień. Na całym świecie padną komputery. Upadną rządy, korporacje i przedsiębiorstwa użyteczności publicznej, ludzie zbankrutują. Rozpęta się chaos. Niech pan tylko pomyśli, jakie to stwarza pole do szantażu. Czy tak wielka władza nie jest warta stu milionów dolarów?

– Trochę to naciągane – rzucił Reacher. – Prawda? Ludzie zapłaciliby tyle za wiele innych rzeczy. Dlaczego zakładamy, że chodzi akurat o łatkę?

Lepiej wysłuchać wszystkiego do końca.

– Żeby napisać taki program, trzeba mieć talent – odparł

Ratcliffe. – Specyficzny umysł. Wrażliwość buntownika. Oczywiście oni tak tego nie widzą. To maniacy. Podobno pełno ich wśród programistów. Około czterystu takich miało właśnie zjazd w Europie. Czterystu najbardziej odjechanych maniaków komputerowych na świecie. W tym dwustu Amerykanów.

– Gdzie był ten zjazd?

– W Hamburgu. Był pan tam wtedy. Skończyli dziś rano. Już się rozjechali.

Reacher kiwnął głową.

– Chyba widziałem kilku w samolocie. Takich młodych oberwańców.

– Ale zjazd rozpoczął się dokładnie wtedy, kiedy posłaniec miał spotkanie, tego samego dnia. I uczestniczyło w nim dwustu Amerykanów. Któryś mógł się na chwilę wymknąć.

Reacher milczał.

– Moi ludzie twierdzą, że europejskie konwencje i zjazdy mają specyficzny smaczek, który przyciąga ekscentryków i radykałów – dodał Ratcliffe.

• • •

Zaraz potem Ratcliffe odjechał – on, czarny van i ochroniarze. Naradę kontynuowała Sinclair. Oznajmiła, że skupią się teraz na programistach. I że FBI powołała specjalny zespół do tego rodzaju spraw. Waterman został ich łącznikiem, ale kontaktować się miał tylko za pośrednictwem jej, Ratcliffe'a, prezydenta lub każdego, kto okazałby się przydatny, lecz znowu nie bezpośrednio. White miał zidentyfikować wszystkich dwustu Amerykanów i zacząć ich prześwietlać. Reacherowi nie powierzono żadnej konkretnej roli, kazano mu jedynie pozostać na terenie ośrodka. W odwodzie, na wszelki wypadek. W Departamencie Obrony mieli komputery i programistów, i to właśnie oni jako pierwsi wyrazili zaniepokojenie sprawą daty. Może ten typ podbijał zainteresowanie, żeby mieć jak najwięcej chętnych do kupna?

Waterman i White wyszli, ale Reacher został. On i Sinclair, tylko we dwoje. Sinclair podniosła wzrok i otaksowała go spojrzeniem.

– Chce pan o coś spytać?

Odparł w myśli: Tak. Czy jadła już pani kolację? Tego dnia też była w czarnej sukience do kolan, bardzo obcisłej, i też miała ciemne nylony i eleganckie szpilki. Ta jej twarz, te bezpretensjonalnie ułożone, przeczesane ręką włosy... I palec bez obrączki.

Ale spytał tylko:

– Naprawdę myśli pani, że chcieliby to kupić faceci, którzy łażą po linach w Jemenie?

– Dlaczego nie? Nie są zupełnymi prostakami. Sto milionów dolarów chyba to potwierdza. Popiera ich albo jakaś bandycka korporacja, albo rząd bandyckiego kraju, albo mają dostęp do kapitału bardzo bogatej rodziny. Każda ewentualność wskazuje na znajomość nowinek technicznych, w tym systemów komputerowych.

– To samospełniająca się przepowiednia. Wmawiacie to sobie.

– O co panu właściwie chodzi?

– Improwizacja to dobra rzecz. W przeciwieństwie do paniki. A wy chwytacie się brzytwy. Możecie się mylić. Gdzie się podziało zaglądanie pod każdy kamień?

– Ma pan do zaproponowania inny kierunek śledztwa?

– Jeszcze nie.

– Coś się działo w Hamburgu?

– Niewiele – odparł. – Widzieliśmy dom, w którym mieszkają. A co słychać u Irańczyka?

– Wszystko dobrze. Meldował się dziś rano. Nic się nie

dzieje. Cztery ulice dalej było małe zamieszanie. Zamordowano jakąś prostytutkę.

– Wiem, widzieliśmy. Widzieliśmy wiele rzeczy, w tym mnóstwo miejsc nadających się na spotkanie. Jest ich za dużo. Zaczynamy ze złej strony. Trzeba śledzić posłańca.

– To zbyt ryzykowne.

– Nie ma innego wyjścia – upierał się Reacher.

– Jest. Namierzcie Amerykanina, zanim dojdzie do spotkania. Tak byłoby lepiej dla wszystkich zainteresowanych.

– Góra na panią naciska.

– Tak, przyznaję, że nasza administracja byłaby bardzo zadowolona, gdyby sprawę szybko zamknięto.

– Dlatego chcecie to zawęzić, żeby lepiej się poczuć. Nie ma to jak postęp, nawet wyimaginowany. Dwustu podejrzanych brzmi lepiej niż dwieście tysięcy. Ja to rozumiem. Ale robić coś tylko dla lepszego samopoczucia? To niezbyt mądre.

Sinclair długo milczała. W końcu podjęła decyzję.

– Dobrze. Kiedy nie będzie pan potrzebny kolegom, może pan pracować na własną rękę.

• • •

Co było ograniczeniem innego rodzaju, bo swoboda działania wiązała się z ryzykiem. Jedno złe uderzenie i wypadasz z gry. Jedna fałszywa teoria i...

– Wszystko sprowadza się do jednego pytania: co ten facet sprzedaje? – podsumowała Neagley.

– Pełna zgoda – powiedział Reacher.

– Więc co?

– Zrobiłaś listę.

– Nie. Lista jest pusta. Jakich informacji wywiadowczych mogliby od nas chcieć? Co jest warte dla nich sto milionów dolarów? Przecież wszystko już wiedzą. Wystarczy wziąć gazetę. Nasza armia jest większa od ich armii. Koniec opowieści. Jeśli przyjdzie co do czego, skopiemy im tyłek. Mieliby wydawać sto milionów, żeby sprawdzić, w jaki sposób i jak mocno? Co by im to dało?

– W takim razie sprzęt.

– Ale jaki? Sprzęt jest albo tani i łatwo dostępny, albo wymaga pułku inżynierów do obsługi. Nie ma nic pośredniego. Sto milionów to dziwna cena, ni przypiął, ni wypiął.

Reacher kiwnął głową.

– To samo powiedziałem White'owi. Jego zdaniem chodzi o czołgi i samoloty.

– Czego mogliby od nas chcieć? – deliberowała Neagley. – Daj mi choć jeden dobry przykład. Oczywiście czegoś, czego przeciętny żołnierz piechoty mógłby użyć w terenie, na polu walki, podczas bitwy. Nic innego by ich nie interesowało. Polują na coś prostego, solidnego i niezawodnego. Coś z dużym czerwonym guzikiem. I wielką strzałką wskazującą do przodu. Bo nie mają ani specjalistycznego wyszkolenia, ani pułku inżynierów.

– Jest mnóstwo takich rzeczy – zauważył Reacher.

– Zgoda. Na pewno mieliby chrapkę na przenośne przeciwlotnicze zestawy rakietowe. Można zestrzeliwać nimi samoloty pasażerskie, najlepiej nad miastem. Z tym że oni już je mają. My podarowaliśmy tysiące takich zestawów mudżahedinom, kolejne tysiące zostawili wychodzący z Afganistanu Sowieci. I teraz nowa Rosja opycha im tysiące tych, które zdążyli stamtąd wywieźć. A gdyby im zabrakło, zawsze mogą kupić tanie podróbki w Chinach. Albo w Korei Północnej. Wydanie stu milionów dolarów na naramienne wyrzutnie przeciwlotnicze byłoby fizyczną niemożliwością. Są zbyt powszechne. Za tanie. Ekonomia się kłania, kurs podstawowy. To tak, jakby wydali tę kasę na hałdę ziemi.

– Więc co zostaje?

– Nic. Nie mamy żadnej teorii.

W McLean w Wirginii była dziesiąta wieczorem.

• • •

A w afgańskim Dżalalabadzie wpół do ósmej rano. Posłaniec znowu czekał w sieni. Przez wbudowane wysoko okno wpadały promienie słońca, budząc pyłki kurzu i nowo narodzone muchy. W kuchni parzyła się herbata.

W końcu zaprowadzono go do tej samej małej izby co zawsze. Tam też było wysoko wbudowane okno, promienie słońca, tańczące pyłki kurzu i budzące się do życia muchy. Na tych samych poduszkach siedzieli ci sami mężczyźni. Obydwaj brodaci, jeden gruby i niski, drugi szczupły i wysoki, obaj w prostych białych szatach i prostych białych turbanach.

– Wyjedziesz dziś z naszą odpowiedzią – zaczął ten wysoki.

Posłaniec z respektem pochylił głowę.

– Świat żyje handlem – ciągnął mężczyzna. – Ale my nie kupujemy wielbłądów. Dlatego odpowiedź jest prosta.

Posłaniec znowu pochylił głowę i lekko ją przekrzywił, jakby nadstawiał ucha.

– Powiedz Amerykaninowi, że zapłacimy, ile chce.

8

Cztery godziny później w Hamburgu dochodziła ósma rano i naczelny lekarz sądowy zaczynał właśnie pracę w głównej kostnicy miejskiej. Poprzedniego wieczoru przeprowadził sekcję zwłok. Po godzinach, nieodpłatnie, ale zabójstwa zdarzały się rzadko i można było zrobić na nich karierę. Teraz chciał przejrzeć notatki i spisać wnioski.

Ofiara była wysoką białą kobietą o bladej cerze. Według dokumentów, w chwili śmierci miała trzydzieści sześć lat i osiem miesięcy, co potwierdzał jej stan fizyczny. Była w dobrej formie. Sądząc po niewielkiej warstwie tłuszczu, stosowała dietę, a sądząc po umięśnieniu, regularnie ćwiczyła. Mniej więcej sześć godzin przed śmiercią zjadła sałatkę z kuskusu, a pięć godzin później połknęła spermę. Została uduszona od tyłu, gwałtownie, przez praworęcznego napastnika; uszkodzenia tkanek były marginalnie większe po prawej stronie ciała, co wskazywało, że miał silne palce.

Blada cera kobiety umożliwiła wykrycie pośmiertnych zasinień w innych miejscach. Nie rzucały się w oczy, lecz były dość wyraźne. Zwłaszcza lekkich obrażeń na zewnętrznej stronie łokci, od kolan napastnika, który przygniótł ofiarę, dosiadając jej jak kucyka. Kobieta miała także lekko zasinione pośladki od nacisku jego pośladków. Lekarz uznał, że miał kościstą budowę ciała. Był mężczyzną silnym, lecz żylastym. Musiał mieć kościste ręce i kolana. I chudy tyłek, jak powiedzieliby w telewizji. Mogła rozpierać go energia, mógł też być nerwowy i mieć skłonność do wybuchów gniewu.

Powoli wyłaniał się konkretny obraz.

A teraz najlepsze: ponieważ odległość między zasinieniami na pośladkach i łokciach była równa odległości między obręczą miedniczną napastnika i jego rzepkami kolanowymi, po wzięciu standardowej poprawki na stawy lekarz mógł dokładnie obliczyć długość jego kości udowej. A długość kości udowej jest uważana za niezawodny wskaźnik wzrostu człowieka.

Metr siedemdziesiąt trzy – tyle mierzył zabójca. Czyli pięć stóp i osiem cali w amerykańskim systemie metrycznym – to ważne, ponieważ ofiara była prostytutką, a amerykańscy żołnierze wciąż mieli pieniądze do wydania. W każdym razie metr siedemdziesiąt trzy. Ani karzeł, ani wielkolud.

Lekarz przypiął do teczki kartkę z uwagami. Nie była to standardowa praktyka, ale dał się ponieść emocjom. Napisał, że jego zdaniem zabójca jest praworęcznym mężczyzną średniego wzrostu i prawdopodobnie niższej niż średnia wagi, osobnikiem silnym, lecz raczej żylastym niż muskularnym, jak ktoś uprawiający biegi długodystansowe.

Potem włożył teczkę do koperty i poprosił, żeby kurier zawiózł ją rowerem do komendy i przekazał szefowi detektywów Kriminalpolizei. Natychmiast.

• • •

Szef detektywów miejskiej policji kryminalnej nie był zachwycony. Przynajmniej początkowo. Podekscytować miał się dopiero potem. Nazywał się Griezman. Uważano, że zrobił karierę. Dziewięćdziesięcioprocentowa wykrywalność przestępstw wzbudzała podziw. Ale w tym przypadku Griezman nie chciał nikomu imponować. Pragnął jak najszybciej zakończyć śledztwo i odłożyć akta na półkę – przerzucić je na drugą stronę granicy, gdzie pleśniałyby wraz z dziesięcioma procentami spraw nierozwiązanych i zapomnianych.

Przeczytał meldunki podwładnych. Jeden z detektywów napisał, że ofiara przyjeżdżała do hotelu późnym wieczorem, zostawiała samochód na parkingu i szła do baru w poszukiwaniu klientów. Ale tego wieczoru nikt jej tam nie widział. Klienci zapraszali ją zwykle do swojego pokoju. Wychodziła od nich w środku nocy albo wcześnie rano. Trzeba by sporządzić listę mężczyzn, z którymi ją widywano; pomogą w tym barmani i obsługa hotelowa.

Inny detektyw twierdził, że nie zabawiała nikogo u siebie w domu. Prostytutki rzadko to robią. Może zabójca był stałym klientem. Znanym i zaufanym. Jeśli tak, trzeba by ich prześwietlić. Tych z ostatnich paru lat. Założono, że znajomość zawarła w barze. Może ktoś z obsługi będzie to pamiętał. Większość pracowała tam od bardzo dawna.

Trzeci meldunek podkreślał, że była bardzo droga.

Griezman zamknął oczy.

Dobrze o tym wiedział. Wiedział również, że pracowała w barze. Ale w kilku punktach meldunki były błędne. To nieprawda, że nie zapraszała nikogo do domu. Przeciwnie. Czasem poznawała w barze kogoś, kto nie mieszkał w hotelu. Miejscowych mężczyzn, którzy wpadali tam, żeby odprężyć się po ciężkim dniu w biurze. Mężczyzn mających własny dom, z którego, co oczywiste, nie mogli skorzystać. Ze względu na żonę, rodzinę i tak dalej.

Hamburczyków takich jak on.

Był jej klientem. Prawie przed rokiem. Trzy razy. Dobrze, cztery. U niej. Ale rzeczywiście, poznali się w hotelu. „W którym pokoju pan mieszka?" „Nie mieszkam. Wpadłem tu na drinka". Pojechali dwoma samochodami. Właśnie skończyła mu się polisa ubezpieczeniowa i odebrał całą należność wraz z premią – pieniądze miał włożyć na konto oszczędnościowe, dla dzieci. A teraz dziewczyna nie żyła. Zamordowana. A on znajdzie się na liście tych, z którymi ją widziano. Wnikliwe śledztwo byłoby katastrofą. Ktoś go na pewno zapamiętał. Wyrzucą go z pracy, na sto procent. Żona zażąda rozwodu, też na sto procent. No i ten wstyd.

Otworzył kopertę ze spostrzeżeniami lekarza sądowego. Zimne, suche fakty. Znał tę szyję. Długą, szczupłą i rozkosznie białą. Wiedział, że lubiła kuskus. I że połykała.

Na ostatniej stronie były uwagi dotyczące zabójcy. Praworęczny, średniego wzrostu, z niedowagą, kościsty, raczej żylasty niż muskularny.

Jak ktoś uprawiający biegi długodystansowe.

Griezman uśmiechnął się.

Miał prawie dwa metry wzrostu i ważył sto trzydzieści sześć kilo. Po amerykańsku, sześć stóp i sześć cali plus trzysta funtów. Głównie tłuszczu. Jadł na śniadanie kiełbaski z tłuczonymi ziemniakami. Swoje kości widział ostatni raz na zdjęciu rentgenowskim.

Długodystansowiec? To nie on.

Kazał sekretarce zwołać ludzi na odprawę. Przyszli. Jego detektywi.

– Pora wytyczyć nowe parametry – powiedział. – Załóżmy, że ofiara przyjechała do hotelu, ale znalazła kogoś, zanim dotarła do baru. Przypadkowe spotkanie, choćby na parkingu. Klient? Możliwe, że stały. Dawno niewidziany. Co znaczy, że dość bogaty i nie zatrzymał się w hotelu, w przeciwnym razie nie zaprosiłaby go do siebie. Tak więc jest to albo ktoś miejscowy, albo mieszkający w innym hotelu. Pytanie: przyjechał samochodem? Prawdopodobnie tak, ponieważ był na parkingu. Ale możliwe również, że nie, ponieważ przez parking idzie się do baru. Jeśli nie, ofiara mogła zawieźć go do siebie swoim wozem. Dlatego trzeba dokładnie obejrzeć jego wnętrze, zwłaszcza klamki i klamry pasów bezpieczeństwa. Może zostawił odciski palców.

Detektywi robili notatki.

– A teraz najważniejsze – ciągnął. – Patolog przysłał nam solidny raport. Sprawcą jest bardzo szczupły mężczyzna średniego wzrostu. To informacja potwierdzona naukowo. I takiego mężczyzny szukamy. Żadnego innego. Zapomnijcie o jej dawnych klientach, chyba że są szczupli i mają metr siedemdziesiąt trzy wzrostu. Bo tylko tacy nas interesują. Tracimy pewnie czas, ponieważ zabójca może być marynarzem, który dostał zaległą wypłatę i już dawno wypłynął w morze, ale góra musi widzieć, że coś robimy. Dlatego skupcie się. Nie marnujcie czasu. Szczupły, średniego wzrostu, odciski palców w samochodzie. Odhaczcie te kwadraciki. Tylko te. Żadnych zgadywanek czy domysłów. Oszczędzajcie siły na następną sprawę.

Detektywi wyszli. Griezman wypuścił powietrze i odchylił się w fotelu.

• • •

W tym samym momencie Amerykanin brał prysznic w Amsterdamie. Wstał późno. Zatrzymał się w hotelu ulicę od rozrywkowego centrum miasta. Hotel był mały i czysty, jeden z tych, w których nocują piloci samolotów pasażerskich. A więc niezły. Zdążył już zejść na dół na kawę i widział niemieckie gazety w jadalni. Nie było niepokojących nagłówków. W żadnej. Nic mu nie groziło.

• • •

Dokładnie w tej samej chwili posłaniec był na ósmym kilometrze liczącej prawie pięćset kilometrów drogi. Potem czekały go cztery lotniska i trzy dziuple. Bardzo męcząca

72

podróż, lecz najbardziej nużył go zawsze początek. Droga była wyboista. Dawała się we znaki toyocie i pasażerom. Wyboista i najeżona przeszkodami. Miejscami w ogóle nie przypominała drogi albo wiodła korytami wyschniętych rzek. Ale taka była cena odosobnienia.

• • •

Słońce przesuwało się powoli na zachód, najpierw oświetlając wybrzeże Delaware, potem wschodnie wybrzeże Marylandu, a jeszcze potem Waszyngton, o brzasku tak wspaniały, jakby zbudowano go specjalnie na tę porę dnia. W końcu dotarło do McLean i na podjazd wjechała furgonetka cateringu z kawą i śniadaniem. Wszyscy już wstali i czekali. Landry, Vanderbilt i Neagley kwaterowali w drugim z trzech budynków kompleksu. Łóżka zamiast biurek, i tak dalej. Tak jak tam, gdzie zakwaterowano Reachera. W trzecim mieszkali ci z RBN-u. Jeden pełnił służbę, drugi spał i tak w kółko.

– Programiści albo wrócili już do Stanów, albo właśnie wracają – zameldował White. – Wszyscy oprócz dziesięciu ekspatriantów. Ci mieszkają w Europie i w Azji. Jeden tam, w Hamburgu.

– Winszuję – mruknął Reacher. – Rozgryzł pan sprawę.

– Teraz chodzi o kolejność. Czy istnieje większe prawdopodobieństwo, że poszukiwany jest ekspatriantem, czy nie? Mamy prześwietlić ich jako pierwszych czy jako drugich?

– Kim jest ten z Hamburga? – spytał Reacher.

– Mamy jego zdjęcie. Przedstawiciel kontrkultury. Wcześnie zainteresował się komputerami. Zapowiada, że prędzej czy później wprowadzą na świecie większą demokrację. Co znaczy, że jest złodziejem i wandalem, ale nie nazywa tego, co robi, przestępstwem, tylko polityką. Albo sztuką uliczną.

Vanderbilt wygrzebał zdjęcie wyrwane z lewego górnego rogu jakiegoś czasopisma, chyba undergroundowego. Fragment felietonu plus fotografia, sama głowa i ramiona. Przedstawiała białego mężczyznę, szczupłego i kudłatego. Wyglądał tak, jakby nigdy w życiu się nie czesał. Po trosze obłąkany profesor, po trosze błazen. Miał czterdzieści lat.

– Szef naszej komórki w Hamburgu poszedł się rozejrzeć – ciągnął White. – Faceta nie ma teraz w domu.

– Skoro tam mieszka, to dlaczego miałby się umawiać na spotkanie podczas zjazdu? Miał ciężki tydzień. Byli tam jego znajomi. Ktoś mógł coś zauważyć. Lepiej by było przed lub po.

– Więc pańskim zdaniem czas spotkania potwierdza, że poszukiwany przyjechał na zjazd. Tak?

– Moim zdaniem cała ta sprawa to Alicja w Krainie Czarów.

– Na razie nic więcej nie mamy.

– Gdzie ci posłańcy jeżdżą?

– Do nas nie przyjeżdżają – odparł White. – A przynajmniej nic o tym nie wiemy. Krążą po całej Europie Zachodniej, Skandynawii i Afryce Północnej. No i oczywiście po Bliskim Wschodzie.

– A więc możecie tylko śledzić programistów, którzy wrócili do Stanów, i czekać, aż któryś poleci na drugie spotkanie. Po odpowiedź. Tak lub nie. Ale nie musi lecieć do Hamburga. Według pana teorii, Hamburg był dogodny w związku ze zjazdem. Więc za drugim razem dogodniejsze może być inne miasto. Paryż albo Londyn. Albo Marrakesz. Pańska teoria nie stawia hipotezy co do miejsca.

– Wiedzielibyśmy, jaki kupił bilet. Dokąd leci.

– Kupiłby go w ostatniej chwili.

– Sprawdzilibyśmy, do jakiego wsiadł samolotu.

– Ale byłoby za późno. I co byście zrobili? Wsiedlibyście do następnego i dotarli na miejsce cztery godziny po spotkaniu?

White westchnął.

– Nie ma co, umie pan podnieść na duchu.

– Wasza teoria zakłada, że posłaniec też będzie dokądś jechał. W tym samym kierunku co po pierwszym spotkaniu z Amerykaninem.

– Tak, ale nie wiemy, pod jakim nazwiskiem i skąd przyleci czy przyjedzie. Ani z jakim paszportem. Z pakistańskim? Brytyjskim? Francuskim? Za dużo zmiennych. Przejrzeliśmy dane sprzed pierwszego spotkania, tylko z dwóch dni, i tylko na hamburskim lotnisku znaleźliśmy pięciuset potencjalnych kandydatów. Na papierze nie da się odróżnić jednego od drugiego. Nie wiedzieliśmy, kogo obserwować.

– Niech pan pije więcej kawy – poradził mu Reacher. – To zwykle pomaga.

• • •

W Hamburgu zbliżała się pora lunchu i naczelnik Griezman miał już przed oczami zastawiony stół w mieszczącej się w podziemiach restauracji niedaleko komendy. Ale najpierw obowiązki. Jako szef detektywów musiał przekazywać informacje wywiadowcze tym, którzy ich potrzebowali. Jak redaktor czy kurator sądowy. Ktoś musiał za wszystko odpowiadać. Czyjś tłusty tyłek wyleciałby z roboty, gdyby kreseczki i kropeczki nie połączyły się w całość. Dostawał za to grubą kasę, jak powiedzieliby w telewizji.

Zachowywał przy tym dużą ostrożność. To naturalne: lepiej dmuchać na zimne. Praktycznie rzecz biorąc, ciągle coś wysyłał. Asekuranckie meldunki, codziennie przed lunchem. Przeglądał kopie dokumentów, przebitki i materiały skserowane, i układał je na oznaczonych kupkach, te dla tej agencji, te dla tamtej. Potem szedł na lunch, a sekretarka wzywała kuriera.

Prawie na samym wierzchu jednej z kupek leżał raport sporządzony tuż po zabójstwie prostytutki. Wśród nazwisk zebranych podczas ulicznych rozmów z jej sąsiadami było nazwisko amerykańskiego majora oraz amerykańskiego podoficera, a raczej podoficerki, którzy przyjechali do Hamburga w celach turystycznych. Policjant zadzwonił na lotnisko i sprawdził ich personalia na kontroli granicznej. Amerykanie rzeczywiście przylecieli porannym samolotem, tak jak zeznali. Można by skreślić ich z listy podejrzanych, ale policjant twierdził, że nie wyglądali na turystów.

Lepiej dmuchać na zimne. Griezman wrzucił raport do przegródki z napisem „Dowództwo Europejskie Stanów Zjednoczonych, Stuttgart", gdzie był to na razie pierwszy dokument tego dnia.

Potem przeczytał rutynowy meldunek służb mundurowych, jeden akapit, klasyka z cyklu „chroń swój tyłek". Kilka dni temu zadzwonił do nich członek miejscowej społeczności, który doniósł, że był świadkiem rozmowy jakiegoś Amerykanina ze śniadym mężczyzną, prawdopodobnie mieszkańcem Bliskiego Wschodu. Świadek ten twierdził, że śniady mężczyzna wykazywał oznaki silnego wzburzenia, bez wątpienia dlatego, że znał ważące o życiu lub śmierci tajemnice związane z lokalnymi zamieszkami będącymi rezultatem historycznych nierówności społecznych. Jednak pracujący w tej dzielnicy policjanci szybko go prześwietlili i okazało się, że jest to paranoik i fanatyk znany z częstych telefonów o podobnej, wieszczącej koniec świata treści, poza tym śniady mieszkaniec Bliskiego Wschodu miał prawo być zdenerwowany, ponieważ rozmowa odbyła się w barze uczęszczanym przez miejscowych ekstremistów, gdzie nie mógł być mile widziany ani zbyt długo tolerowany. Tak czy inaczej, mundurowi uznali, że sprawa jest warta odnotowania.

I przekazania dalej, pomyślał Griezman. Nie ma to jak wzajemna ochrona: ty chronisz mój tyłek, ja chronię twój. Dobrze, ale warta przekazania dokąd? Do amerykańskiego konsulatu oczywiście. Częściowo jako przytyk, dowód na to, że ich obywatele znęcają się nad obcokrajowcami. Bo niby po co Amerykanin miałby zapraszać Araba do takiego baru? Przecież zaproszenie na pewno nie wyszło od tego śniadego. Mieszkaniec Bliskiego Wschodu nigdy by takiego nie wybrał. Więc dlaczego w ogóle tam poszedł?

Griezman przekazał meldunek dalej głównie dlatego, że chodziło o Amerykanina rozmawiającego z Arabem. Ni z tego, ni z owego jankesi zaczęli wykazywać duże zainteresowanie takimi sprawami. Mógł zarobić u nich kilka punktów. Wzmocnić plecy. Zrobić na tym karierę.

Wrzucił meldunek do przegródki z napisem „Amerykański konsulat, Hamburg", gdzie spoczął też jako pierwszy dokument tego dnia.

9

Reacher i Neagley urządzili centrum kontrolne w klasie. Ślęczeli nad rozkazami wyjazdu. Brali po sto, dwieście, pięćset nazwisk naraz. Wojsko umie pilnować żołnierzy. Z wyjątkiem tych na przepustce. Kilka wolnych dni z rodziną na niemieckich przedmieściach. Albo krótki wypad tanimi liniami do domu. Albo dłuższy urlop, przygoda. Ludzie rozrzuceni po całym świecie. Po tysiąc nazwisk naraz, co najmniej.

I nic, żadnych konkretów.

– Dochodzi do tego trzech na samowolnym oddaleniu się od jednostki – powiedziała Neagley. – I jeden podpułkownik, który nie chce powiedzieć, gdzie wtedy był.

Wyższy oficer.

– Ci na lewiźnie to kto? – spytał Reacher.

– Trepy. Piechociarz, pancerniak i sanitariusz.

Starsi szeregowi.

– To teraz nawet sanitariusze uciekają? Od kiedy? Długo ich nie ma?

– Sanitariusza od tygodnia, piechociarza też od tygodnia, pancerniaka od czterech miesięcy.

– Od czterech miesięcy? Długo.

– Nie mogą go znaleźć. Nie używa paszportu, więc pewnie wciąż jest w Niemczech. A Niemcy to teraz duży kraj.

– A ten podpułkownik? Gdzie służy?

– W piechocie.

– Popytałaś gdzie trzeba?

Podoficerskie pogaduszki, najwydajniejsza poczta pantoflowa w świecie.

– Jest czysty – odparła Neagley. – Zatoka przeszła mu koło nosa, więc teraz patrzy z utęsknieniem na okryty mgłą wschód, na Sowietów, z tym że Sowietów już tam nie ma. Jest sfrustrowany. I czasem głośno o tym mówi.

– Malkontent.

– Ale nie najgorszy.

– Dlaczego nie wiedzą, gdzie był?

– Napisał raport. Badania nad nowymi taktykami i rodzajami broni. Takie tam bzdety. Przyszłość jest mglista i niepewna, i tak dalej. Dużo podróżuje. Zazwyczaj nie musi mówić dokąd. Ale tym razem go spytano i nic nie powiedział.

– Gdzie teraz jest?

– Tutaj. Odesłali go do kraju, bo zapytanie przyszło z Białego Domu, od naczelnego dowódcy sił zbrojnych. Nikt nie wie, co dalej. Nikt nie wie, czy to coś, czy nic.

– Powinniśmy wyhaftować te słowa na godle naszej grupy. Nad dwoma skrzyżowanymi znakami zapytania, jako kredo.

– Jestem pewna, że kwateruje niedaleko Pentagonu – powiedziała Neagley. – Czeka go wiele rozmów na wysokim szczeblu. Chcesz z nim pogadać? Możemy go znaleźć...

Nagle znieruchomiała.

– Moment.

Pogrzebała w papierach.

– Cholera jasna, daj mi jeszcze chwilę, dobra? – Wreszcie znalazła jakąś listę. Coś sprawdziła, raz i drugi. – Wiem, gdzie był tydzień przed.

Reacher przeczytał listę do góry nogami. Nazwiska i numery lotów. Trzydziestu sześciu Amerykanów. Robota Vanderbilta.

– W Zurychu.

Neagley kiwnęła głową.

– Dokładnie siedem dni przed spotkaniem. Zdążył do Zurychu na popołudniową kawę, wrócił późnym wieczorem, po kolacji. Ale to nie może być on. Ten nasz wymyśliłby jakąś przykrywkę, nie? Skłamałby. Na pewno by nie milczał. Odwaliło mu czy co? Myśli, że da nam słowo dżentelmena, a my mu uwierzymy?

– Dowiedz się, gdzie teraz jest – polecił Reacher. – Przypomnij im, że to rozkaz naczelnego dowódcy sił zbrojnych. Powiedz, że po niego przyjedziemy. I zabierzemy go na przejażdżkę.

• • •

Mieszkał w hotelu oficerskim w Myer. Reacher założył, że nowe rozkazy dotarły do niego przed dwudziestoma minutami, prawdopodobnie za pośrednictwem Kolegium Połączonych Szefów Sztabów. Co jeszcze bardziej podkreśliłoby ich wagę. Facet miał teraz wybór: uciekać albo się przygotować. Wybrał to drugie. Stanął w drzwiach, kiedy tylko zaparkowali przed hotelem.

Neagley siedziała za kierownicą, a Reacher z tyłu, po prawej stronie. Pułkownik usiadł obok niego, wyprostował się i zesztywniał z rękami na kolanach, jak w kościelnej ławce na oczach zaintrygowanych ludzi. Nazywał się Bartley. Już po złej stronie czterdziestki, wciąż był szczupły i zahartowany. Wytrzymały. Nie silny, tylko twardy i hardy. Choć zaczynał już mięknąć. Dowódca, lecz nie taki, za którym żołnierze poszliby w ogień. Był w starannie wyprasowanym mundurze polowym. Pachniał mydłem.

– Proszę powtórzyć pańskie rozkazy, pułkowniku – poprosił Reacher.

– Tak jest – odparł Bartley. – Mam wsiąść do pojazdu z dwoma oficerami żandarmerii wojskowej i bez żadnych obiekcji oddać się do ich dyspozycji. Dla rozwiania wszelkich wątpliwości mam jak najszczerzej odpowiadać na wszystkie pytania, ponieważ rozkaz, który otrzymałem, jest rozkazem naczelnego dowódcy amerykańskich sił zbrojnych.

– Facet umie dobierać słowa, co?

– Był prawnikiem.

– Jak oni wszyscy.

– O co chcecie mnie spytać?

– Wybrał pan zły dzień na zniknięcie, pułkowniku – powiedział Reacher.

– Nie mam na ten temat nic do powiedzenia.

– Nawet jeśli pyta o to naczelny dowódca?

– To kwestia prywatności. Ten dzień nie ma nic wspólnego z moją pracą. Ani z moimi obowiązkami.

– Dobrze wiedzieć. Ale widzi pan, o to właśnie chodzi. Ciekawi ich, co pan robi w czasie wolnym. Jest pan starszym oficerem. Z wszelkimi tego konsekwencjami. A konsekwencje mogą być dobre lub złe. Dlatego proszę o szczerość. Inaczej poniesie nas wyobraźnia.

– Nie mam nic do powiedzenia.

– Popełnia pan błąd taktyczny – nie ustępował Reacher. – Zwraca pan na siebie uwagę. Nie ma dymu bez ognia. Dotarł pan do horyzontu zdarzeń. Miejsca, gdzie wszystko trafia szlag. Być może za nic. Być może za jakąś drobnostkę, która innym uszła na sucho. Ale panu nie ujdzie. Pan roztrzaska się i spłonie. W najlepszym wypadku będzie pan próbował przeciągnąć sprawę. Ale wtedy oznaczą pańskie nazwisko gwiazdką, odsyłaczem. Zastrzeżeniem, że nie jesteśmy go pewni.

Bartley potarł rękami kolana. Milczał.

– Nie obchodzi mnie, co pan zrobił – ciągnął Reacher. – Chyba że zrobił pan to, o czym wolę nie myśleć. Ale nie sądzę. Bo to raczej niemożliwe, prawda?

– Całkowicie – potwierdził pułkownik.

– No właśnie.

– Nie ma powodu, żebyście się mną interesowali.

– Jestem tego pewny. Ale muszę spojrzeć ludziom w oczy i przedstawić im uczciwą opinię. Więc jeśli pan tego nie zrobił, z przyjemnością im to powiem. To i tylko to. Powiem: o nic nie pytajcie, chodzi zupełnie o coś innego. Ale muszę być przekonujący. Muszę mówić z niezachwianym przeświadczeniem opartym na niepodważalnych faktach.

– To nie było nic ważnego – powiedział Bartley.

– Wóz albo przewóz, panie pułkowniku. Tylko głupiec grzebie w dziurze, do której wpadł. Naprawdę nie obchodzi mnie, co pan wtedy robił. Nawet o tym nie wspomnę. Seks, prochy czy rock and roll, nie moja rzecz. Pod warunkiem że to nie było to. Co, jak już uzgodniliśmy, jest mało prawdopodobne. Chcę pana spytać o coś innego. Z zupełnie innej beczki.

– Słucham.

– Podkreślam, to nie jest właściwe pytanie. Rozumiemy się? Raczej dodatkowe, uzupełniające. Takie na rozgrzewkę. Lata pan do Zurychu co tydzień?

Bartley milczał.

– Tak albo nie, pułkowniku, to proste. Prawda cię wyzwoli. Jedno małe słówko i odejdzie pan bez plamy na honorze. Albo z plamą.

– Prawie – powiedział Bartley. – Prawie co tydzień.

– I był pan tam wiadomego dnia?

– Tak.

– Zachował pan bilet?

– Tak.

– Przylot przed lunchem, odlot po kolacji?

– Tak.

– Chodzi pan do banku?

– Tak.

– Z?

– Z pieniędzmi. Ale moimi. Czystymi.

– Mógłby pan to rozwinąć?

– Co będzie, jeśli rozwinę?

– Zależy od tego, o czym mówimy. Od tego, czy nie pohańbił pan munduru.

– A jeśli tak?

– Musi pan zaryzykować.

Bartley zamilkł.

– Niech pan pomyśli – drążył Reacher. – Jest pan inteligentny, na pewno ukończył pan studia. To nie jest rozszczepianie atomu. Rozkaz przyszedł z Białego Domu za pośrednictwem Kolegium Połączonych Szefów Sztabów. Więc kogo tu reprezentujemy?

– Radę Bezpieczeństwa Narodowego.

– Czy ci ludzie mogą panu zaszkodzić?

– Bardzo.

– Bardziej, niż pan sobie wyobraża. Milion razy bardziej niż skandal z przewożeniem pieniędzy do Szwajcarii. Jeśli to skandal, oczywiście. Bo może wcale nie. Jeśli pieniądze są pańskie i czyste. A według pana takie są.

– Ukrywam je przed żoną – wypalił Bartley. – Chcę się z nią rozwieść.

– Wycięła panu jakiś numer?

– Nie.

– Mimo to wywozi pan pieniądze...

– Które legalnie zarobiłem.

– Ile mógł pan zarobić? Jest pan podpułkownikiem, podpada pan pod piątą klasę zaszeregowania, wiem, ile panu płacą. Z całym szacunkiem, ale wątpię, czy te kwoty nie pozwalają spać szwajcarskim bankierom. I proszę tylko nie mówić, że liczy się każdy cent. Nie ma sensu latać co tydzień do Zurychu z dwoma dolarami w kieszeni. Bilet jest dużo droższy.

– Wziąłem to pod uwagę. Opłaty manipulacyjne też. Wszystko skalkulowałem.

– Co to za pieniądze? – spytał Reacher.

– Za nasz dom. Tu, w Stanach. Z różnicy między jego aktualną ceną rynkową i obciążeniami hipotecznymi. Przelewam pieniądze do Niemiec i natychmiast wywożę. W gotówce, bez śladów na papierze. W Zurychu mam skrytkę bankową.

– Jest pan prawdziwym księciem wśród mężczyzn, pułkowniku – stwierdził Reacher. – To pewne jak dwa razy dwa. Ale muszę pana spytać, kogo pan tam widział. W Zurychu. Może kogoś, kto lata tam i z powrotem jak pan. Albo kogoś nowego, kogo widział pan tylko raz. Poznał pan tam kogoś?

– Na przykład kogo?

– Innych Amerykanów.

– Wizyta w banku wymaga prywatności. Nikogo się raczej nie poznaje.

– A na lotnisku? Czy na ulicy?

Bartley nie odpowiedział.

– Proszę sporządzić listę, pułkowniku – ciągnął Reacher. – Z datami i rysopisami. Wojskowych i cywili. Najdokładniejszą, jaką pan potrafi.

– Co teraz zrobicie? Komu powiecie? I co?

– Prezydent zawiadomi Kolegium Połączonych Szefów Sztabów, że Rada Bezpieczeństwa Narodowego się panem nie interesuje. Nie w tej kwestii. A potem? Trudno powiedzieć. Zależy od tego, kto wezwie pana na dywanik. I jakiego szumu narobi pańska żona.

Wysadzili go przed hotelem i pojechali dalej, do McLean. Cóż, mówią, że o popularności człowieka świadczy lista jego wrogów.

• • •

Spisali raport o rozmowie z Bartleyem i umieścili go w aktach głównych. Potem Neagley odebrała telefon i okazało się, że ten na czteromiesięcznej lewiźnie nazywa się Wiley. I jest z Teksasu. Był członkiem pięcioosobowej załogi M-48 Chaparral, wyrzutni wchodzącej w skład systemu obrony przeciwlotniczej. Dwanaście samonaprowadzających się pocisków rakietowych na samobieżnej platformie. Cztery na prowadnicach, gotowe do odpalenia, osiem w podręcznym magazynie. Miały chronić żołnierzy i pojazdy opancerzone na wysuniętych przyczółkach pola bitwy. Chodziło o to, żeby przyczaiwszy się za pierwszą linią czołgów, obserwować horyzont w poszukiwaniu nadlatujących samolotów myśliwsko-szturmowych i śmigłowców. Za pomocą radaru i lornetek. I w razie czego odpalić rakiety. Termolokacyjne, jak stare sidewindery, tylko lepsze. Specjalnie zaprojektowane do neutralizowania nisko lecących celów, kiedy wróg rusza do rozstrzygającego ataku.

– Nadają się idealnie do zestrzeliwania cywilnych maszyn nad miastami – powiedział Reacher. – Podczas startu i lądowania. Kiedy samolot jest tuż nad ziemią.

– Są za duże – zauważyła Neagley. – Mają trzy metry długości. A wyrzutnia jest gigantyczna. Ma czołgowe gąsienice i jest pomalowana w barwy ochronne. Na lotniskowym parkingu rzucałaby się w oczy. Poza tym musieliby mieć

85

radar. A czujniki podczerwieni są skomplikowane. Próbowali je unowocześnić, ale nic z tego nie wyszło. Obsługa tych rakiet wymaga dużej wiedzy fachowej. Z całym szacunkiem, ale obóz szkoleniowy w Jemenie to nie to samo co Ford Aerospace. No i znowu problem z ceną. Dwanaście rakiet na każdej platformie. Prędkość maksymalna platformy: niecałe siedemdziesiąt kilometrów na godzinę. Konwój za sto milionów dolarów wlókłby się cały dzień. Jak defilada na placu Czerwonym. Poza tym facet dał nogę cztery miesiące temu. Nie może nagle wrócić i zająć się organizacją dostawy. Natychmiast by go aresztowano.

– Tak czy inaczej, miej na niego oko – polecił Reacher. – Cztery miesiące. Nie podoba mi się to. Wstyd. Ktoś powinien za to oberwać. Co się tam, do diabła, dzieje?

• • •

W Hamburgu zapadał wieczór. Irańczyk wybrał się na spacer. Na krótką przechadzkę z gazetą pod pachą. W sklepach, biurach i barkach zapalały się światła. Zapalały się także u złotników, w pralniach i siedzibach firm ubezpieczeniowych. Jasne, czyste i białe. Ale nie jaskrawe. Łagodniejsze, bardziej europejskie. Okna piekarni i ciastkarni były ciemne. Ich dzień dobiegł już końca. Lampy w restauracjach i barach świeciły na bursztynowo. Przyćmione i zapraszające, stwarzały wrażenie, że wszystkie te wyłożone dębową boazerią lokale są miłe i przyjazne. Na ulicach panował duży ruch. Każdy szczegół tej rozjarzonej scenerii odbijał się w wywoskowanych karoseriach samochodów, które jechały, nieustannie badając jezdnię nowym rodzajem nienaturalnie błękitnych reflektorów.

Irańczyk wszedł na mały skwer i usiadł na ławce. Odchylił się do tyłu i położył ręce na oparciu. Ulicą wciąż przejeżdżały samochody. Spojrzał przed siebie. Ani jednego przechodnia.

Czekał.

Potem niespiesznie wstał i jak na porządnego obywatela przystało, wrzucił gazetę do kosza na śmieci, opuścił skwer i leniwym krokiem ruszył z powrotem do domu.

Trzydzieści sekund później z cienia po drugiej stronie ulicy wychynął szef niemieckiej komórki CIA. Przeszedł przez jezdnię, podszedł do kosza, wyjął gazetę, wsunął ją pod pachę i zniknął w mroku.

Pół godziny później, już z konsulatu, zadzwonił do McLean w Wirginii.

10

Odebrał Vanderbilt i poprosił do telefonu White'a. Ten słuchał i zanim skończył, jego oczy przerobiły cały repertuar ruchów i odruchów, od patrzenia w dal i tuż przed siebie, poprzez mrużenie i zwężanie, do strzelania w lewo i prawo. Zanotował coś na kartce. Dwie oddzielne sprawy, pomyślał Reacher. Dwa nagłówki. Dwie kolumny starannego, pochyłego pisma.

W końcu White odłożył słuchawkę i odchrząknął.

– Dwie wiadomości. Irańczyk zażądał kontaktu za pośrednictwem skrytki. Pół godziny temu. Zostawił meldunek w gazecie. Częściowo... powiedzmy, że hipotetyczny, częściowo analityczny. Prawie jak wypracowanie. Pisze, że Saudyjczyk, znajomy posłańca, jest bardzo podekscytowany. Jakby miało wydarzyć się coś niezwykłego. Bardziej niezwykłego, niż śmieliby marzyć. Oczywiście związanego ze stoma milionami dolarów. Jakby dostali coś, czego się nie spodziewali. Irańczyk podkreśla, że nie zna szczegółów, ani on, ani Saudyjczyk. Po prostu ma przeczucie. Pozostali też, jakby rozpoczęła się zupełnie nowa gra. Pisze, że Saudyjczyk uśmiecha się tak, jakby ujrzał ziemię obiecaną.

– A druga wiadomość? – spytał Reacher.

– Hamburska komenda policji przesłała do konsulatu rutynowy meldunek służb mundurowych o jakimś Amerykaninie, który rozmawiał w barze z Arabem. Zawracanie głowy, gdyby nie jedna rzecz: rozmowa odbyła się interesującego nas dnia i o interesującej nas godzinie. Niewykluczone, że ktoś był świadkiem ich pierwszego spotkania.

• • •

White zadzwonił do konsulatu i podano mu kilka miejscowych numerów, w tym ten najważniejszy, grubasa nazwiskiem Griezman, szefa detektywów miejskiej policji kryminalnej. W konsulacie dobrze go znano. W Hamburgu dzień pracy już się kończył, ale Griezman wciąż był w biurze. Wciąż przy biurku. Odebrał po pierwszym dzwonku. White przełączył rozmowę na głośnik i spytał go o meldunek o Amerykaninie. Griezman zaszeleścił papierami. Nie pamiętał tego raportu. Wreszcie go znalazł. Tak, ta dziwna informacja o spotkaniu Amerykanina i Araba w barze...

Którą wysłał do konsulatu.

Hm, co znaczyło, że mógł zarobić kilka punktów i wzmocnić plecy.

– Jak mógłbym panom pomóc? – spytał. Po angielsku i bardzo uprzejmie.

Jak konsjerż w hotelu.

– Potrzebne nam są namiary na tego świadka – odparł White. – Jego nazwisko i adres. Adres baru i podstawowe dane z wywiadu środowiskowego. Jeśli to możliwe, chcielibyśmy, żebyście wzięli go pod obserwację, jego i bar.

– Nie wiem...

– Ma do pana zadzwonić wasz kanclerz? Głowa państwa? Wtedy by pan wiedział?

– Nie, nie, chciałem tylko powiedzieć, że nie znam szczegółów. Jestem przełożonym detektywów. Meldunki przechodzą przez moje biuro i idą dalej, to wszystko. Zresztą piszą tu, że ten informator to wariat.

– Potrafi odczytać godzinę na zegarku? – warknął White.

– Dobrze, zbiorę szczegóły. Oczywiście. Na jutro wieczorem.

– Pan żartuje? Ma pan godzinę. I proszę nikomu nie mówić, co robimy i po co. Niech pan traktuje tę sprawę jak ściśle tajną. Zadzwonię za godzinę, proszę nie blokować linii.

. . .

Griezman odetchnął i spojrzał w okno, na mroczne niebo. Potem zabrał się do pracy. Nie była zbyt męcząca. Po prostu wykonał kilka telefonów. Jeden numer prowadził do drugiego. Przypominało to wędrówkę po sieci neuronów. Organizacja w działaniu. Coś, z czego był dumny. Weryfikacja teorii. Hipotezy z wieloma powiązanymi ze sobą elementami. Mógłby prześledzić wszystko od końca do samego początku, do nieszczęsnego policjanta, który odebrał telefon od tego wariata. Gdyby tylko zechciał. I oczywiście zechciał. Zadzwonił, na szczęście tylko z paroma prostymi pytaniami. O nazwisko i adres, mężczyzny i baru.

. . .

– Coś bardziej niezwykłego, niż śmieliby marzyć – mówił Landry, asystent Watermana. – Kiepsko to brzmi. Gorzej niż zdalne zatrzymanie zegara w komputerze.

– To wiadomość z trzeciej ręki – zauważył Reacher. – Nie słyszymy tonu głosu.

– Ale?

– Ale padają tam słowa o zupełnie nowej grze. Jakby zrobili wielki krok naprzód. Jakby wydarzyło się coś tak nieoczekiwanego, że graniczącego z niemożliwym. Gubisz pięć centów i znajdujesz dolara, z tym że w innej skali.

W skali tak dużej, że dwudziestokilkuletni faceci, którzy noszą włoskie buty i chodzą do nocnych klubów, wpadają w zachwyt. Dla mnie niemal erotyczny. Czy komputery to naprawdę aż tak wielka sprawa?

– Tak uważamy – odparł Landry. – Jeśli nie są teraz, to na pewno kiedyś będą. Ale nawet teraz straty i zniszczenia byłyby katastrofalne. Zginęłoby wielu ludzi. Ale tak, zgoda, komputery nie przyprawiają o erotyczny dreszcz.

– I nie da się nimi dokonać wielkiego wyczynu – dodał Vanderbilt. – Wielkiego gestu, który oni bardzo cenią. Takiego z rozmachem. To nie to samo, co wysadzić w powietrze wieżowiec. Brakuje punktu kulminacyjnego. Trochę za dużo w tym techniki.

– A więc zgadzamy się, że komputery to nie to – podsumował Reacher. – Że tracimy tylko czas.

– Więc od czego by pan zaczął?

– Od tego, co ten Amerykanin sprzedaje.

– Już to przerabialiśmy.

– Godzina minęła – mruknął Waterman.

White zadzwonił do Hamburga. Odebrał Griezman. Miał już nazwisko i adres, świadka i baru. Świadek był pracownikiem miejskim. Zaczynał pracę wczesnym rankiem, kończył po lunchu. Dlatego po południu wpadł do baru. Miał silne przekonania, w większości agresywne i błędne. Bar mieścił się pięć ulic od domu, w którym mieszkali Saudyjczycy. Należał do lokali często odwiedzanych przez wszelkiego rodzaju radykałów. Ale nie robił takiego wrażenia. Wyglądał bardzo kulturalnie. Surowo, lecz dyskretnie. Wśród gości przeważali mężczyźni w garniturach, normalnie ostrzyżeni. Nie był także całkowicie antyamerykański, pod warunkiem że Amerykanin był biały.

Kiedy skończyli rozmawiać, Neagley znalazła bar na planie miasta.

– To nie ten, który tak nam się podobał – powiedziała. – Ten jest w lepszej części dzielnicy. Niedaleko mieszkania Saudyjczyków. Można tam dojść w niecałe dwadzieścia minut. Czas pasuje. Myślisz, że to tam?

– Pasuje czas, pasuje miejsce, pasuje atmosfera – podsumował Reacher.

– Świadek musi go nam opisać. Przydałby się portret pamięciowy.

– Ufamy hamburskim gliniarzom? Czy załatwimy to sami?

– Nie mamy rysownika. Poza tym ten Niemiec może nie mówić po angielsku. Musimy im zaufać. Zresztą będzie nas naciskał Departament Stanu. Inaczej mogłoby dojść do incydentu dyplomatycznego.

Reacher kiwnął głową. Miał już do czynienia z niemieckimi policjantami, zwykłymi i tymi z żandarmerii wojskowej. Nie zawsze się dogadywali. Głównie dlatego, że inaczej postrzegali pewne rzeczy. Niemcy uważali, że podarowano im kraj, a Amerykanie, że kupili olbrzymią bazę wojskową z pełną obsługą.

Na podjeździe zawarczał silnik. Samochód skręcił, minął wysoką do kolan tabliczkę i zaparkował. Potem drugi. Dwa wozy. Na pewno vany. Czarne. Chwilę później weszło dwóch mężczyzn w garniturach, za nimi Ratcliffe i Sinclair, a na końcu dwóch kolejnych mężczyzn, też w garniturach. Ratcliffe był zasapany. Sinclair miała lekkie rumieńce. Na szyi i policzkach. Znowu była w czarnej sukience i wyglądała jak marzenie. Chyba nawet lepiej. Pewnie dzięki rumieńcom.

– Podobno mamy świadka – zaczął Ratcliffe.

– Takie jest doraźne założenie operacyjne – potwierdził Reacher.

– Zaryzykujemy. Jeszcze dziś wieczorem pan i sierżant Neagley wrócicie do Niemiec. Departament Stanu przekaże wam zdjęcia wszystkich dwustu programistów, łącznie z ekspatriantami. Z samego rana przesłuchacie świadka. Nasze władze prowadzą już stosowne rozmowy z tamtejszą policją. Kiedy tylko świadek rozpozna podejrzanego, przekażecie nam jego nazwisko i zostanie zatrzymany. Co będzie szybkim i czystym zakończeniem sprawy.

Reacher milczał.

• • •

Załapali się na ten sam lot Lufthansy. Odlot wczesnym wieczorem, sześć stref czasowych, przylot na początku dnia pracy. Neagley miała torbę. Tym razem on też. Dużą, czerwoną płócienną torbę z Muzeum Lotnictwa i Przestrzeni Kosmicznej. Pewnie zarekwirowano ją pospiesznie jakiemuś urzędnikowi z Departamentu Stanu, żeby mieć gdzie zapakować dwieście zdjęć paszportowych. Dwieście zdjęć zajmuje sporo miejsca. Każde było przyklejone do fiszki z nazwiskiem i numerem paszportu. Niektóre już przejrzeli. Wymieniali się nimi jak kartami do gry. Znaleźli mieszkającego w Hamburgu ekspatrianta, szczupłego kudłacza z kontrkultury. Oficjalne zdjęcie – błyszczące, wyraźne, wymiarowe i na białym tle – było dużo lepszej jakości niż to z czasopisma. Gość patrzył buńczucznie przed siebie. Duża głowa, cienka szyja.

– To nie on – powiedział Reacher.

– Bo? – spytała Neagley.

– Popatrz na jego włosy. Musi coś z nimi robić, inaczej by tak nie wyglądały. A jeśli nawet nie robi, to z pełną świadomością. To coś w rodzaju deklaracji. Mówi: spójrzcie na mnie, mam ciekawą fryzurę. Jak faceci, którzy noszą kapelusz. Mówią: spójrzcie na mnie, mam ciekawy kapelusz. Trochę to desperackie, nie sądzisz? Brak pewności siebie. Jakby nie wystarczało im to, co mają w środku. Tacy ludzie nie piszą komputerowych łatek, które mogłyby wysadzić w powietrze znany nam wszechświat. Ktoś, kto jest bystry na tyle, żeby taką wymyślić i potajemnie sprzedać za sto milionów dolarów, wierzy w siebie jak w Boga. Ma o sobie wysokie mniemanie. Jesteś wielki. Jesteś królem świata.

Schowali zdjęcia do torby i zjedli kolację. Neagley siedziała przy oknie i zasnęła z głową opartą o ścianę, żeby ograniczyć ryzyko kontaktu fizycznego. On nie spał. Myślał o niemieckim świadku. Pracowniku komunalnym o agresywnych poglądach. Możliwe, że tracili tylko czas. Ale możliwe również, że facet uratuje świat. Reacher chciał mu się przyjrzeć. Czuł się jak samolot pędzący na spotkanie świtu.

• • •

Amerykanin czesał się przed lustrem w łazience. Wstał wcześnie. Bez powodu. Bo spał dobrze. Był spokojny. Ale musiał już wracać. Weźmie prysznic, spakuje się i wyruszy w drogę przed poranną godziną szczytu. Potem będzie już z górki.

Najpierw jednak chciał wypić kawę, więc ubrał się w rzeczy z poprzedniego dnia i poszedł do łazienki, żeby się uczesać. Na czubku głowy miał „koguta". Od poduszki. Zwilżył rękę i go przyklepał. Spojrzał w lustro. Do przyjęcia. Potem windą na dół. W holu wziął kawę na wynos ze srebrzystego termosu na stoliku przed wejściem do jadalni. Na identycznym stoliku po przeciwnej stronie leżały gazety. Oczywiście holenderskie, ale i francuskie, belgijskie i niemieckie, a nawet amerykańska „Herald Tribune". Ładnie poukładane i wyeksponowane.

W berlińskiej nic nie znalazł. Ani nagłówka, ani najmniejszej notki. Na pierwszej stronie hamburskiej też nic nie było. Ani na drugiej. Ani na trzeciej.

Było na czwartej.

Na samym dole. Niewielki nagłówek. I długa na pięć centymetrów notka. Prowadzono intensywne śledztwo i robiono postępy.

Chodziło o odciski palców znalezione w samochodzie ofiary.

Amerykanin odłożył gazetę. Zamknął oczy. Zgodziła się już tam, na parkingu. Obróciła się dookoła, zawirowała radośnie i teatralnie i pokiwała na niego palcem, natarczywie, z grzesznym uśmieszkiem na ustach. Zawiozła go do domu. Czyściutkim trzydrzwiowym coupé, małym, lecz zbudowanym jak skarbiec w banku.

Wsiadł do niego jeszcze raz, w myśli. Zewnętrzna klamka. Czarna, lekko chropowata. Jak w sportowym samochodzie. Raczej nie będzie problemu. Klamka wewnętrzna była skórzana. Gruba, wbudowana w drzwi. A pod klamką? Prawdopodobnie nic. Sam winyl, dla oszczędności. Ale winyl granulowany, tak jak we wszystkich widocznych miejscach. Chropowaty. Kiepska powierzchnia. Prawdopodobnie bezpieczna.

Końcówka klamry pasa bezpieczeństwa miała kształt litery T. Obudowa była z czarnego plastiku, matowa i szorstka jak drobny papier ścierny. Pewnie dla lepszego chwytu, zgodnie z jakimiś przepisami. Bezpieczna. Potem przycisk zwalniający. Kciukiem lewej ręki. Pamiętał, jak to robił. Cofnął łokieć, żeby go wymacać. Guzik z czerwonego plastiku, twardy, kanciasty i karbowany.

W najlepszym wypadku odcisk częściowy. Możliwe nawet, że zamazany, bo otarł się o guzik połą marynarki. Pamiętał głównie nacisk na paznokieć. Pionowo w dół. Spokojnie. Bez pośpiechu. A nawet powoli. Ciche, precyzyjne kliknięcie pasujące do przypominającego klejnot samochodu. Żeby zbudować napięcie, zanim rozwinie prezent. Pod wieloma względami jego ulubiona chwila.

Nie, klamra pasa była bezpieczna.

Ale klamka otwierająca drzwi już nie. Mała chromowana dźwignia, chłodna w dotyku i lekko zakrzywiona, żeby palce się nie ześlizgnęły. W jego przypadku środkowy palec prawej ręki. Wsunął tylko jeden – myślał, że tak będzie elegancko, a nawet sugestywnie – i sekundę przytrzymał, niemo pytając: Pójdziemy? Mocno przycisnął całą opuszkę do wewnętrznej części dźwigni, a potem pociągnął, żeby odblokować zamek. Rozległo się kolejne kliknięcie, ciche, precyzyjne i dystyngowane, i palec wysunął się spod dźwigni równie elegancko, jak się wsunął.

Wyraźny odcisk.

Na gładkiej chromowanej powierzchni.

Dureń.

Jego wina.

11

Góra musiała uprzedzić tych z urzędu imigracyjnego, bo kiedy tylko Neagley podała paszport żołnierzowi straży granicznej, ten dał komuś znak i z metalowego krzesła w sąsiednim pomieszczeniu wstał potężny grubas. Nazywał się Griezman i powiedział, że zna ich nazwiska. Jeden z policjantów spisał ich na ulicy jako turystów. Którymi najwyraźniej nie byli. Teraz wszystko rozumiał i zapowiedział, że chętnie im pomoże. Świadek czekał już na komendzie, pełen dobrej woli i skory do współpracy. Powiedziano mu, że jego zeznania będą kluczowe dla bezpieczeństwa Niemiec. Dostał jednodniowy urlop. Płatny, ponieważ spełniał obowiązek obywatelski. Nie mówi po angielsku. Ale będzie tłumacz. I tak, według niemieckiego prawa, można mu okazać zdjęcia potencjalnych podejrzanych.

Na zakazie parkowania czekał służbowy mercedes. Wsiedli i pojechali. Siedzenie Griezmana uginało się pod jego ciężarem. Naczelnik był prawdziwym olbrzymem. Ze trzy centymetry wyższym od Reachera i trzydzieści kilo cięższym, ponad dwa razy cięższym od Neagley. Ale tylko dlatego, że zamiast mięśni miał głównie tłuszcz. Jeśli był groźny, to wyłącznie dla samego siebie.

– Przez telefon powiedział pan, że to wariat – zagaił Reacher.

– Oczywiście nie dosłownie. Ma obsesje, to wszystko. Zakorzenione w rasistowskich i ksenofobicznych patologiach i spotęgowane przez irracjonalne lęki. Ale poza tym jest całkiem normalny.

– Uwierzyłby mu pan w sądzie?

– Zdecydowanie tak.

– A sędzia i przysięgli?

– Też – odparł Griezman. – W życiu codziennym funkcjonuje bardzo dobrze. Ostatecznie jest pracownikiem miejskim, tak jak ja.

Komenda należała chyba do najwspanialszych w Hamburgu. Wielka, nowiutka, supernowoczesna i w pełni zintegrowana, miała nawet własne laboratoria. Na skrzyżowaniach ścieżek przed budynkiem roiło się od tabliczek i strzałek wskazujących drogę do tego wydziału czy tamtego. Podobnie w środku. Bardzo złożony obiekt. Przypominał szpital. Albo uniwersytet. Griezman zaparkował na zarezerwowanym miejscu i wysiedli, Neagley ze swoją torbą, Reacher ze swoją. Weszli do budynku i co chwilę skręcając to w lewo, to w prawo, czystymi, szerokimi korytarzami doszli do pokoju przesłuchań z zabezpieczonym drucianą siatką okienkiem w drzwiach. W pokoju siedział mężczyzna. Przy zasłanym okruchami stole, na którym stał kubek kawy i taca z ciastkami. Około czterdziestki, w okularach w stalowej oprawce, szarym garniturze – prawdopodobnie z poliestru – i o siwych włosach przyklejonych do głowy oliwką. Miał wyblakłe oczy. I bladą cerę. Jedyną plamą koloru na jego ciele był krawat w żółto-pomarańczowe maziaje, szeroki i krótki jak wisząca na szyi ryba.

– Helmut Klopp, tak się nazywa – powiedział Griezman. – Jest z NRD. Przyjechał tu po zjednoczeniu. Tak jak wielu innych. Za pracą.

Reacher nie odrywał oczu od mężczyzny za drzwiami. Możliwe, że tracili tylko czas. Możliwe, że facet uratuje świat. Griezman nie wszedł do pokoju. Podciągnął mankiet koszuli i spojrzał na zegarek. W tym samym momencie zza rogu wyszła jakaś kobieta. Zobaczył ją i zadowolony opuścił mankiet. Co do sekundy. Nie ma to jak niemiecka punktualność i precyzja.

– Nasza tłumaczka – wyjaśnił.

Szara sukienka z grubej gabardyny, wytrzymała jak kurtka od munduru, grube wełniane pończochy, buty ważące co najmniej kilogram każdy. Niska kobieta w trudnym do określenia wieku, o polakierowanych włosach ułożonych w kształt wielkiej półkuli na czubku głowy, czegoś przypominającego kask motocyklowy.

– Dzień dobry – powiedziała głosem gwiazdy filmowej.

– Wejdziemy? – zaproponował Griezman.

– Czym się pan Klopp zajmuje? – spytał Reacher.

– Zawodowo? Jest urzędnikiem, inspektorem, obecnie w wydziale ścieków komunalnych.

– Jest zadowolony z pracy?

– Siedzi głównie w biurze. Nie jest to stanowisko wymagające zbyt wielkiej wprawy i doświadczenia. Ale nie, nie narzeka. Ma dobrą opinię. Jest bardzo skrupulatny.

– Dlaczego pracuje w tak dziwnych godzinach?

– Dlaczego dziwnych?

– Wspomniał pan, że kończy po lunchu. Jakby był pracownikiem fizycznym, a nie umysłowym.

Griezman powiedział coś po niemiecku, jedno długie słowo, jakąś nazwę.

– Padła propozycja ograniczenia zanieczyszczenia powietrza poprzez zmniejszenie natężenia ruchu ulicznego w godzinach szczytu – wyjaśniła tłumaczka. – Pracowników zachęcano do naprzemiennych godzin pracy. Naturalnie oczekiwano, że urzędy miejskie dadzą przykład. Wydział ścieków komunalnych postanowił najwyraźniej wcześniej zaczynać i wcześniej kończyć. Albo zostało im to narzucone. W każdym razie ogłoszono, że dobroczynne skutki tej decyzji są już widoczne. Według ostatnich badań emisja szkodliwych cząsteczek zmniejszyła się o ponad siedemnaście procent.

Powiedziała to tak, jakby dokonali cudu. Jak na czarno--białym filmie z lat czterdziestych: gigantyczny srebrny ekran, a na ekranie zasadniczy przystojniak, który zgadza się zrobić coś złego, ponieważ dama prosi go o to lekko zachrypniętym głosem.

– Gotowi? – spytał Griezman.

Weszli i Herr Klopp podniósł wzrok. Rzeczywiście, robił wrażenie zadowolonego. Choć raz był w centrum uwagi. I cieszył się z tego. Pewnie frustrat. Niemiec, ale wschodni, w dodatku na Zachodzie, gdzie imigranci nie byli mile widziani. Griezman zrobił wstęp po niemiecku, Klopp odpowiedział, tłumaczka przetłumaczyła.

– Zostaliście przedstawieni jako agenci operacyjni wysokiego szczebla, którzy przylecieli z Ameryki w pilnej sprawie.

– A co powiedział pan Klopp? – spytał Reacher.

– Że jest gotów pomóc w miarę swoich możliwości.

– Nie sądzę.

– Zna pan niemiecki?

– Trochę podłapałem. Już tu kiedyś byłem. Rozumiem, że chce pani być uprzejma, ale pani sierżant i ja słyszeliśmy gorsze rzeczy. Dokładność jest ważniejsza od uczuć.

Tłumaczka zerknęła na Griezmana, a ten skinął głową.

– Świadek cieszy się, że przysłali białych.

– Dobrze. Proszę mu powiedzieć, że jest ważną postacią w tej operacji. Że zamierzamy przepytać go dokładnie na tematy polityczne. Chcemy wysłuchać jego opinii i rad. Ale musimy od czegoś zacząć, a ponieważ najlepszym początkiem jest zawsze początek, dlatego najpierw skupimy się na fizycznym i behawioralnym rysopisie tych dwóch mężczyzn. Na pierwszy ogień weźmiemy Amerykanina. Niech pan Klopp opowie o nim własnymi słowami, a potem pokażemy mu zdjęcia.

Tłumaczka przetłumaczyła to na niemiecki z ożywieniem i doskonałą dykcją. Klopp uważnie słuchał, z powagą kiwając głową, jakby mimo trudnego zadania chciał dać z siebie wszystko.

– Czy pan Klopp często bywa w tym barze? – spytał Reacher.

Tłumaczka przetłumaczyła, Niemiec odpowiedział – mówił dość długo – a ona przełożyła to na angielski.

– Bywa tam dwa, trzy razy w tygodniu. Ma dwa ulubione bary i chodzi do nich naprzemiennie, tak aby wypełnić pięciodniowy tydzień pracy.

– Od jak dawna chodzi do tego?

– Prawie od dwóch lat.

– Czy widział tam kiedyś tego Amerykanina?

Krótka przerwa. Czas na namysł. Potem coś po niemiecku i...

– Tak, widział go chyba dwa, może trzy miesiące wcześniej.

– Chyba?

– Nie jest tego pewny. Mężczyzna, którego widział dwa, trzy miesiące przedtem, był w czapce, dlatego pan Klopp się waha. Jest gotów przyznać, że się myli.

– Jaka to była czapka?

– Baseballowa.

– Z jakąś naszywką?

– Chyba z czerwoną gwiazdą. Ale nie widział dokładnie.

– I było to dawno temu.

– Pamięta tę czapkę z powodu pogody.

– W każdym razie Amerykanin nie jest tam stałym gościem.

– Nie, nie jest.

– Skąd wie, że to Amerykanin?

Odbyły się długie konsultacje. Sporządzono długą listę. W końcu tłumaczka powiedziała:

– Poznał to po jego angielszczyźnie. Po akcencie. Po tym, że głośno mówił. Po tym, jak był ubrany. I jak się poruszał.

– Dobrze. Teraz rysopis. Czy Amerykanin siedział, czy stał?

– Siedział i stał. Wszedł do baru, przez jakiś czas siedział samotnie, potem z Arabem, znowu samotnie, a potem wyszedł.

– Jakiego jest wzrostu?

– Metr siedemdziesiąt, metr siedemdziesiąt pięć.

– Pięć stóp, sześć cali – przeliczył Griezman. – Średniego.

– Tęgi? – kontynuował Reacher.

– Raczej nie.

– Masywnej budowy ciała?

– Niezupełnie.

– Siłacz czy słabeusz?

– Raczej siłacz.

– Jaki mógłby uprawiać sport?

Klopp zamilkł.

– Proszę pomyśleć o transmisjach telewizyjnych – dociekał Reacher. – O olimpiadzie. Jaka mogłaby to być dyscyplina?

Klopp myślał długo i intensywnie, jakby szczegółowo przeglądał roczny kalendarz imprez sportowych. W końcu wygłosił długą przemowę, przedstawiając argumenty za i przeciw, trochę tego, trochę tamtego.

– Pan Klopp myśli, że uprawiałby biegi średniodystansowe. Od tysiąca pięciuset metrów w górę. Może nawet długodystansowe, do dziesięciu kilometrów. Ale nie maraton, bo nie wyglądał jak patyczak.

– Patyczak afrykański, tak?

– Tak, dodał, że afrykański.

– Proszę niczego nie pomijać, dobrze?

– Przepraszam.

– A więc Amerykanin jest średniego wzrostu i średniej, może niższej niż średnia wagi. Jest również energiczny i ruchliwy, tak?

– Tak, nie mógł usiedzieć na miejscu.

– Jak długo był w barze, zanim pojawił się Saudyjczyk?

– Najwyżej pięć minut. Wyglądał na zwykłego gościa, jednego z wielu. Nikt się nim nie interesował.

– Co pił?

– Wziął pół litra jasnego piwa. Pił powoli. Kiedy spotkanie się skończyło, wciąż miał sporo w kuflu.

– Jak długo został po wyjściu Saudyjczyka?

– Około pół godziny.

– Co pił Saudyjczyk?

– Nic. Nie obsłużono by go.

– Jakie Amerykanin miał włosy?

Klopp wzruszył ramionami, ale tłumaczka skarciła go i kazała mu pomyśleć. Niemiec mruknął coś z zakłopotaniem – było widać, że włosy to nie jego specjalność – lecz po chwili zaczął mówić, zdecydowany przypomnieć sobie wszystkie szczegóły. Wygłosił długą przemowę. W końcu oddał głos tłumaczce.

– Amerykanin miał jasne włosy, koloru siana albo słomy w lecie. Normalnej długości z boków, ale o wiele dłuższe pośrodku, jakby specjalnie wymodelowane. Ta fryzura była czymś w rodzaju czupryny, którą można przerzucać z boku na bok. Coś à la Elvis Presley.

– Czyli włosy były zadbane?

– Tak, starannie uczesane.

– Miał coś na nich?

– To znaczy?

– Na przykład oliwkę, jak on. Wosk albo coś takiego.

– Nie, były naturalne.

– Oczy?

Opisana przez Kloppa twarz pasowała do włosów i budowy ciała. Głęboko osadzone niebieskie oczy, napięta skóra na czole, wydatne kości policzkowe, cienki nos, białe zęby, usta bez uśmiechu, mocno zarysowana szczęka. Bez widocznych defektów. Bez blizn czy tatuaży. Stara opalenizna i nieliczne zmarszczki wokół oczu, kurze łapki od mrużenia, nie od śmiechu czy zatroskania. Charakterystyczna bruzda na policzku; być może nie miał któregoś zęba. Ale wszystko do siebie pasowało. Wąskie i ściśnięte. Czoło, oczy, kości policzkowe, wąska szczelina ust, ściągnięta twarz na co dzień. Bardziej prawdopodobne było, że ma trzydzieści kilka, a nie dwadzieścia kilka lat.

– Proszę powiedzieć panu Kloppowi, że będzie musiał powtórzyć to wszystko rysownikowi.

Kobieta przetłumaczyła i Niemiec kiwnął głową.

– Jak Amerykanin był ubrany? – spytał Reacher.

– Miał na sobie kurtkę Levi's, identyczną jak pańska.

– Dokładnie taką samą?

– Dokładnie.

– Świat jest mały – mruknął Reacher. – Proszę go spytać, dlaczego uważa, że Saudyjczyk był wzburzony. Ale niech się trzyma faktów, dowodów z pierwszej ręki, tego, co widział albo słyszał. Analizy polityczne niech zostawi na potem.

Odbyła się dyskusja po niemiecku, w której uczestniczył także Griezman, debata z mnóstwem pytań i odpowiedzi, wszystko po to, żeby uściślić terminologię. W końcu tłumaczka powiedziała:

– Po namyśle Herr Klopp uważa, że lepszym określeniem byłoby nie „wzburzony", tylko „podekscytowany". Podekscytowany i zdenerwowany. Amerykanin powiedział coś Arabowi, a ten tak właśnie zareagował.

– Czy pan Klopp słyszał, o czym rozmawiali?

– Nie.

– Jak długo trwała ta część rozmowy?

– Około minuty.

– A potem? Jak długo Saudyjczyk został?

– Natychmiast wyszedł.

– A Amerykanin siedział tam jeszcze pół godziny?

– Tak, prawie pół godziny.

– Dobrze – rzucił Reacher. – Proszę powiedzieć panu Kloppowi, że pora obejrzeć zdjęcia.

• • •

Postawił na stole torbę.

– Zdjęć jest bardzo dużo. Jeśli zechce, w każdej chwili może zrobić przerwę. Niech pamięta wszystko to, co opowiedział nam o jego twarzy, wszystkie szczegóły, i niech wykorzysta je jak coś w rodzaju listy porównawczej. Proszę mu powiedzieć, że włosy mogą się zmienić, ale oczy i uszy nigdy. Nie szkodzi, jeśli nie będzie miał stuprocentowej pewności. Może odłożyć te zdjęcia na bok i wrócić do nich później. Ale niech nie popełni błędu.

Neagley wyjęła zdjęcia. Dwieście fiszek. Podzieliła je na pięć równych plików po czterdzieści w każdym, żeby nie przerazić Niemca. Podsunęła mu pierwszy. Klopp zabrał się do pracy bez widocznego entuzjazmu, lecz z dużą wprawą. Jak na inspektora przystało. Reacher obserwował jego oczy. Wydawało się, że Niemiec poszedł za jego sugestią i porównuje w myśli to, co mówił, z tym, co widzi. Jeden szczegół po drugim. Oczy, nos, kości policzkowe, usta, zarys szczęki. Każdy krok był decyzją: tak lub nie. Większość kandydatów odpadała natychmiast. Rósł plik odrzuconych fiszek. Twarze nalane, okrągłe, ciemne oczy, pełne usta. Polegli wszyscy z pierwszego pliku. Nie przeszli nawet do kategorii niepewnych.

Neagley podsunęła mu drugi. Przechwyciła spojrzenie Reachera i puściła do niego oko. Kiwnął głową. Na wierzchu leżała fiszka ze zdjęciem hamburskiego ekspatrianta. Kudłacza z kontrkultury. Klopp natychmiast go odrzucił. Reacher rozumiał dlaczego. Brak mocno zarysowanych kości policzkowych, brak wąskiej szczeliny ust, pełne, wydęte wargi.

Stos odrzuconych rósł i rósł.

Stosu niepewnych wciąż nie było.

Neagley podsunęła mu trzeci. Klopp wziął się do roboty. Tłumaczka milczała. Griezman wyszedł i po chwili wrócił z dzbankiem kawy i pięcioma filiżankami. Klopp nie przerwał pracy. Brał fiszki, za każdym razem po jednej, chwytał je dwoma palcami, kciukiem i palcem wskazującym, podnosił, patrzył i jedną po drugiej odkładał z trzaskiem na stos odrzuconych.

Który wciąż rósł.

Stosu niepewnych nie było.

Klopp powiedział coś po niemiecku.

– Przeprasza, że nie jest bardziej pomocny – przetłumaczyła kobieta.

– Proszę go spytać, czy jest pewny tych odrzuconych – poprosił Reacher.

– Na sto procent.

– Imponujące.

– Mówi, że taki ma umysł... – Tłumaczka urwała. Zerknęła na Reachera, który kazał jej wszystko mówić, potem na Griezmana, jakby pytała go o pozwolenie. – Herr Klopp był biegłym rewidentem księgowym w Niemczech Wschodnich, zastępcą dyrektora dużej fabryki przy polskiej granicy. Chce, byśmy zrozumieli, że ma zbyt wysokie kwalifikacje jak na obecne stanowisko. Ale tu, na Zachodzie, wszystkie lepsze przydziela się nie etnicznym Niemcom, tylko tureckim imigrantom.

– Nie chce zrobić przerwy? – spytał Reacher. – Zostało jeszcze osiemdziesiąt zdjęć.

Przetłumaczyła, Niemiec odpowiedział.

– Nie, chętnie będzie kontynuował. Ma w oczach twarz tego Amerykanina. Albo tu jest, albo nie. Proponuje, żebyście porównali jego rysopis z portretem pamięciowym, kiedy już powstanie. Jest pewny, że będziecie zadowoleni.

– Dobrze, niech najpierw skończy.

W czwartym stosie też nic nie było. Nawet jednego niepewnego. Sto sześćdziesiąt fiszek mieli z głowy. Neagley podsunęła mu czterdzieści ostatnich. Reacher uważnie go obserwował. Jedna fiszka naraz. Zawsze między kciukiem i palcem wskazującym lewej ręki, swobodny chwyt, ani zbyt daleko od twarzy, ani zbyt blisko. Był w okularach, dobrze widział. I pracował z autentycznym skupieniem. Bez znudzonej miny czy pełnego zniecierpliwienia kpiącego uśmieszku. Spokojnie i dokładnie. Jakby te zdjęcia przesłuchiwał, jedno po drugim, punkt po punkcie. Oczy, kości policzkowe, usta. Tak albo nie.

Za każdy razem „nie”. Ciągle. Nic, tylko suchy trzask odkładanych na bok kartoników. Ponad sto siedemdziesiąt zdjęć pokazujących, kim Amerykanin nie był. Co zaczynało zawężać liczbę tych, wśród których mógł być. Tych o głęboko osadzonych niebieskich oczach, wydatnych kościach policzkowych, cienkim nosie, smutnych ustach i mocno zarysowanej szczęce. Wszystkie pozostałe warianty odpadały. Liczyła się jedynie twarz poniżej linii włosów koloru siana albo słomy w lecie. Normalnej długości z boków, lecz o wiele dłuższe pośrodku. Jak wymodelowane.

Reacher obserwował.

Stos odrzuconych rósł.

Stosu niepewnych nie było.

Klopp wziął ostatnią fiszkę, spojrzał na nią z takim samym skupieniem jak na poprzednie i położył ją na wierzchu stosu odrzuconych.

• • •

Reacher zadzwonił z gabinetu Griezmana. Odebrał Landry, który poprosił do telefonu Vanderbilta, a ten poprosił z kolei zaspanego White'a – w Wirginii była piąta rano.

– Ten Niemiec był świadkiem spotkania – powiedział Reacher. – Nie ma co do tego żadnych wątpliwości. Scenariusz pasuje jak ulał. Prawdopodobieństwo, że w tej samej okolicy i w tym samym czasie doszło do dwóch identycznych spotkań, jest zerowe.

– Rozpoznał Amerykanina?

– Nie. Ratcliffe się myli. Nie chodzi o komputery. Bez ładu i składu skojarzył dwie plotki. Nie ma między nimi związku. To zupełnie niezależne sprawy. Przypadkowe. Losowe.

– Dobra, trzeba mu powiedzieć. Lepiej wracajcie.

– Nie – zdecydował Reacher. – Zostajemy.

12

Rysownik wolał pracować sam, więc Griezman oprowadził ich po komendzie. Pokazał im pokoje przesłuchań, pokoje dla kadry oficerskiej i mundurowych, pomieszczenia, w których rejestrowano zatrzymanych, cele, magazyny dowodów rzeczowych i kantynę. Wszędzie krzątali się pochłonięci czymś ludzie. Griezman był bardzo dumny ze swego miejsca pracy. Reacher pomyślał, że ma ku temu powody. Naprawdę robiło wrażenie.

Pchnęli drzwi i przeszklonym pasażem na wysokości pierwszego piętra przeszli do nowszej części kompleksu. Centrum naukowe. Centrum medycyny sądowej. Laboratoria. Najbliżej była duża biała sala z rzędami komputerów na długich białych stołach.

– Właśnie tak ludzie będą się kiedyś wzajemnie okradać – powiedział Griezman. – Internetu używa już trzy procent Niemców. U was ponad piętnaście. Będzie ich coraz więcej.

Poszli dalej, mijając po drodze sterylne pokoje ze śluzami powietrznymi. Przypominały szpitalne sale operacyjne. Analiza chemiczna, broń palna, krew, tkanki, DNA. Stoły laboratoryjne, setki szklanych rurek, dziwaczne urządzenia. Musieli mieć gigantyczny budżet.

– Część badań współfinansuje uniwersytet – wyjaśnił Niemiec. – Pracują tu ich naukowcy. Co jest wzajemnie korzystne. No i dostajemy olbrzymie pieniądze od rządu. To nasz wspólny kompleks. W pewnych okolicznościach także wojskowy.

Reacher kiwnął głową. Tak jak powiedział Waterman, ścisła współpraca.

Zeszli na parter. Tam powietrze było świeższe, jakby wpadało bezpośrednio z zewnątrz. Otworzyli kolejne drzwi i znaleźli się w pomieszczeniu do badań mechanoskopijnych. Wyglądało jak warsztat samochodowy albo sklep z oponami, tylko było nieskazitelnie czyste. Niemal aseptyczne. Gładka biała podłoga, białe kafelki na ścianach, jaskrawe białe światło. Żadnych plam oleju, żadnego brudu, żadnych rupieci. I dwa samochody. Bliżej stał duży sedan z uszkodzonym przodem. Coś więcej niż drobna stłuczka, ale jeszcze nie wrak. Do naprawienia.

– Kierowca zbiegł z miejsca wypadku – powiedział Griezman. – Potrącił dziecko, jest ciężko ranne. Naszym zdaniem to ten samochód. Właściciel zaprzecza. Szukamy włókien i śladów krwi. Ale trudno je będzie znaleźć.

Drugim samochodem było małe, śliczne coupé z otwartymi drzwiami. Zaglądał do niego mężczyzna w białym kombinezonie.

– Zdejmujemy odciski palców – wyjaśnił Griezman. – Doszło do zabójstwa. Sprawca mógł być ostatnim pasażerem ofiary. Prostytutki. Niebezpieczny zawód.

Reacher podszedł bliżej. Wóz był naprawdę cudny, zwłaszcza w porównaniu z jego chevroletem z odzysku. I nienagannie czysty. Błyszczał w świetle lamp. Pasował do tej aseptycznej atmosfery.

– Czyściutki jest.

– Jak jej mieszkanie – powiedział Griezman.

– Miała gosposię?

– Chyba sprzątaczkę.

– W takim razie o samochód też dbała. Pewnie regularnie go myła. Woskowała, odkurzała i tak dalej. W środku i na zewnątrz. Ale to dobrze. Będzie mniej starych odcisków.

Griezman zagadał po niemiecku do mężczyzny w kombinezonie. Pewnie poprosił go o krótki raport. Mężczyzna odpowiedział, wskazując kilka miejsc w kabinie samochodu. Griezman pochylił się, zajrzał do środka i niezdarnie się wyprostował.

– Mamy częściowy odcisk kciuka lewej ręki na przycisku pasa bezpieczeństwa. Niestety, przyciski są karbowane, dlatego odcisk jest bardzo mały, wąski i rozmazany. Możliwe, że znajdziemy coś na samej klamrze, ale jej obudowa jest beznadziejna. Twardy plastik, matowy i szorstki. Pewnie zgodnie z jakimiś przepisami. Trzeba by porozmawiać z tymi od materiałów eksploatacyjnych. Nie są zbyt pomocni.

– Co to za wóz? – spytał Reacher.

– Audi.

– W takim razie Audi już wam pomogło. Mój znajomy miał identyczny problem. Mniej więcej rok temu. W Fort Hood, mieście wielkości Hamburga, na osiedlu oficerskim. Chodziło o jaguara, ale obie marki słyną z wysokiej jakości. W obydwu wozach montuje się chromowane klamki wewnętrzne. Robią wrażenie luksusowych, są przyjemne w dotyku i błyszczą w ciemności, więc łatwo je znaleźć. Według speców od reklamy, potęgują wrażenia estetyczne. Pasażer wkłada pod klamkę środkowy palec i ciągnie. Nie mały, bo myśli, że mały jest za słaby i nie dałby rady, nie serdeczny, bo to zbyt niezręcznie, i nie wskazujący, bo nadgarstek musiałby się odchylić o dodatkowe dwadzieścia pięć stopni w prawo, co byłoby niewygodne. Zawsze środkowy. Dlatego musicie rozebrać drzwi i zdjąć odcisk z wewnętrznej strony klamki. Tak poradziłby wam mój znajomy.

Mężczyzna w kombinezonie powiedział coś po niemiecku. Reacher nie zrozumiał słów, lecz usłyszał irytację w jego głosie. Tamten najwyraźniej rozumiał po angielsku.

– Mówi, że właśnie mieli to zrobić – przetłumaczył Griezman. – Czy pana znajomemu udało się postawić podejrzanego w stan oskarżenia?

– Nie – odparł Reacher. – Pękł łańcuch dowodowy. Udowodniono, że tak, na klamce był jego odcisk palca, ale nie udowodniono, że zdjęto go z samochodu jego byłej żony. Obrońca utrzymywał, że policja mogła go znaleźć w stu innych miejscach.

– Więc gdzie znajomy popełnił błąd?

– Przed wymontowaniem klamki powinien był wygrawerować na niej swoje inicjały. Wiertłem dentystycznym. I ktoś powinien był go przy tym fotografować. Najpierw szerokie ujęcia, żeby pokazać, jaki to wóz, potem kilka zbliżeń.

Griezman wydał polecenia, a właściwie długą ich listę. Padło słowo *Zahnarzt*, które Reacher poznał we Frankfurcie, gdy rozbolał go ząb. Mężczyzna w białym kombinezonie słuchał, kiwając głową.

• • •

Kiedy wrócili do pokoju przesłuchań, Klopp szykował się już do wyjścia. Policyjny rysownik wręczył im portret pamięciowy wykonany kolorowymi kredkami. Griezman powiedział, że przefaksuje go zaraz do McLean, a oryginał dołączy do akt.

Reacher i Neagley podeszli do drzwi, do zabezpieczonego drucianą siatką okienka, przez które wpadało trochę naturalnego światła. Amerykanin wyglądał dokładnie tak, jak opisał go Niemiec. Rysownik odwalił kawał dobrej roboty, przenosząc jego słowa na papier. Fala jasnych włosów. Napięta skóra twarzy. Czoło i kości policzkowe, poziome linie, równoległe i ściągnięte jak dwa pręty w osłonie starego hełmu futbolowego, za którą błyszczały oczy. Wąska szczelina ust. I dwie linie pionowe, przypominający ostrze nos i bruzda na prawym policzku. Do tego trzy czwarte ust wiecznie wykrzywionych w ironicznym uśmieszku i dżinsowa kurtka, identyczna jak Reachera. Wyblakły brąz, autentyczna pod każdym względem. Pod kurtką biały podkoszulek. I kości obojczyka wydatne jak te policzkowe. Poprzecinana grubymi ścięgnami szyja. Ktoś nawykły do trudów, już nie pierwszej młodości.

– Wojskowy? – spytała Neagley.

– Trudno powiedzieć.

– To dlaczego zostajemy?

– Nie wiem. Ratcliffe mówi, że możemy wszystko. Nie mam ochoty odpowiadać za czyjeś błędy.

– Oni mogą spotkać się gdzie indziej.

– Zgoda, jest dziewięćdziesięcioprocentowa szansa, że nie spotkają się tutaj, co znaczy, że jeśli zostaniemy, będziemy mieli jedną szansę na dziesięć, że w odpowiedniej chwili znajdziemy się w odpowiednim miejscu. A jeśli wrócimy do Stanów, szanse zmaleją do zera. Chyba że tamci spotkają się pod pomnikiem Waszyngtona. W co bardzo wątpię.

Podeszła do nich tłumaczka.

– Pan Klopp pyta, kiedy odbędzie się druga część przesłuchania.

– Proszę mu powiedzieć, że już skończyliśmy – odparł Reacher. – I że jeśli znowu go zobaczę, wydłubię mu paznokciem oczy, jedno po drugim.

– Dacie się państwo zaprosić na lunch? – spytał Griezman.

W Hamburgu dochodziła dwunasta w południe.

• • •

W Kijowie zaś pierwsza. Posłaniec wysiadał z samolotu. Przewieziono go przez góry pakistańskiego Peszawaru, potem poleciał do Karaczi, w końcu na Ukrainę, do Kijowa. W każdym kraju zmieniał paszport; raz zmienił koszulkę, z różowej na czarną, włożył również ciemne okulary i czapkę z naszywką drużyny piłkarskiej z Doniecka. Był anonimowy, nie do wytropienia. Przeszedł przez kontrolę paszportową bez żadnych problemów. Przeciął halę odbioru bagażu i wyszedł z terminalu. Stanął w kolejce do taksówek i czekając, wypalił papierosa.

Kiedy podjechała stara skoda, wsiadł i podał kierowcy adres targu kwiatowego pięć ulic od miejsca, w którym miał się stawić, małego mieszkania wynajmowanego przez czterech wiernych z Turkmenistanu i Somalii. Od kryjówki. Ostatni etap podróży zawsze lepiej jest odbyć piechotą. Taksówkarze dużo pamiętają, inni też. Niektórzy robią nawet notatki. Taki a taki przebieg, tyle a tyle litrów benzyny, taki a taki adres. Nie znał tych z dziupli. Ale się go spodziewali. Kijów to nie Hamburg. Nie mógł tam tak po prostu przyjść. Kogoś do nich wysłano. Posłańca, który uprzedził ich o przybyciu drugiego posłańca. Takie były wymogi, takie środki bezpieczeństwa.

Wysiadł na targu. Przeszedł między straganami uginającymi się pod ciężarem różnokolorowych kwiatów, wszedł do wilgotnej oranżerii pełnej rzadszych okazów i wyszedł z niej w różowej koszulce polo, bez czapki i okularów.

Pięć ulic dalej znalazł właściwy blok, przysadzisty betonowy wieżowiec w rzędzie starszych, bardziej eleganckich domów. Blok sterczał tam jak sztuczny ząb. Jakby kiedyś spadła tam bomba i zrobiła miejsce. Może i spadła. W holu zalatywało amoniakiem. Winda wydawała nieprzyjemne odgłosy. Korytarze na górze były wąskie.

Zapukał i zaczął odliczać sekundy. Pukał do wielu drzwi, wiedział, jak to działa. Pierwsza sekunda: słyszą pukanie. Druga: wstają z kanapy. Trzecia: omijają graty i rupiecie. Czwarta: podchodzą do drzwi. Piąta: otwierają.

I otworzyli. W progu stał mężczyzna. Sam. W pokoju panowała cisza.

– Spodziewacie się mnie – zaczął posłaniec.

– Musimy wyjść – powiedział tamten.

– Kiedy?

– Teraz.

Somalijczyk, pomyślał posłaniec. Dwadzieścia kilka lat, ale już zniszczony, sama skóra i ścięgna. Prymityw, jak jego przodkowie.

– Nie chcę wychodzić. Jestem zmęczony. Muszę rano wstać. Lecę dalej.

– Nie da rady. Musimy wyjść.

– Kryjówki są po to, żeby się w nich ukrywać.

– W Moskwie gra dziś wieczorem drużyna piłkarska z Kijowa. Wszyscy będą siedzieli w barach i oglądali transmisję. Zaraz się zaczyna, bo między Kijowem i Moskwą jest różnica czasu. Byłoby dziwne, gdybyśmy nie poszli. Ktoś mógłby to zauważyć.

– Możesz iść sam.

– Nikt nie może tu zostać, nie dzisiaj. Sąsiedzi zaczęliby coś podejrzewać. Te drużyny to odwieczni rywale. Kibicowanie to patriotyczny obowiązek Ukraińców. Musimy się dostosować.

Posłaniec wzruszył ramionami. Środki bezpieczeństwa to środki bezpieczeństwa. Zresztą piłka nożna nie jest taka zła. Widział kiedyś, jak grano ludzką głową.

– Dobrze – zdecydował.

Zgodnie z niemą umową, żeby nie ryzykować przejażdżki windą, zeszli schodami i zostawiwszy z tyłu targ kwiatowy, ruszyli w przeciwnym kierunku. Minęli kilka okazałych, teraz już zapuszczonych bloków mieszkalnych z rdzewiejącymi żelaznymi ozdobami i odpadającym tynkiem i skręcili w biegnący między nimi przesmyk; Somalijczyk powiedział, że to skrót. Przesmyk okazał się rozbrzmiewającą echem i budzącą nieprzyjemne skojarzenia, wyłożoną kostką uliczką, która tuż za blokiem wychodziła na małe podwórko otoczone trzypiętrowymi budynkami, niewiele większe niż średniej wielkości pokój. Wysoko w górze jaśniał skrawek nieba. Po ścianach, podziurawionych ślepymi lub zamalowanymi oknami i obwieszonych bezsensownymi zwojami kabla antenowego, pięły się grube rynny.

Na podwórku czekało trzech mężczyzn.

Jeden z nich mógł być krewnym Somalijczyka. Pozostali dwaj też byli do siebie podobni. Turkmeni. Pewnie ci z dziupli. Uradowany posłaniec pomyślał, że spotykają się tu, aby pójść razem do baru. Ale sekundę później zauważył, że podwórko jest ślepą studnią.

To nie był skrót.

To była pułapka.

I wtedy zrozumiał. Oczywiście, przecież to jasne jak słońce. Całkowicie logiczne. Stanowił zagrożenie. Bo znał cenę. Sto milionów dolarów. Najbardziej niebezpieczny element całego przedsięwzięcia. Tak wielka kwota mogłaby uruchomić dzwonki alarmowe dosłownie wszędzie. Każdy, kto znał jej wysokość, był potencjalnym źródłem przecieku. Klasyczna teoria. Analizowali ją w obozie na podstawie hipotetycznych przykładów. Szkoda, mówili. Strata wielka, lecz konieczna. Wielkie czyny wymagają wielkich poświęceń. Posłaniec, który przyjechał tu przed nim, nie prosił, żeby wywietrzono i przygotowano dla niego mieszkanie. Przywiózł zupełnie inne rozkazy.

Zastygł bez ruchu. Nie, nic nie powie. Nigdy. Nie on. Przecież muszą to wiedzieć. Nie po tym, co zrobił dla organizacji. On jest inny. On by nie zdradził. Nigdy. Prawda?

Ale tacy jak oni grali w piłkę ludzkimi głowami. Nie znali współczucia.

– Przykro mi, bracie – powiedział Somalijczyk.

Posłaniec zamknął oczy. Pistolet? Nie, nie w centrum miasta. Zrobią to nożem.

Mylił się. Użyli młotka.

• • •

W Dżalalabadzie było wpół do piątej po południu. W białej lepiance podano herbatę. Do małej, gorącej izby wprowadzono nowego posłańca. Kobietę. Miała dwadzieścia cztery lata, długie, czarne włosy i cerę koloru herbaty. Była w białej koszuli traperskiej z mnóstwem pętelek i kieszeni, brązowych spodniach i pustynnych butach. Stanęła na baczność przed dwoma mężczyznami siedzącymi na poduszkach.

– Sprawa nie jest zbyt ważna, lecz pilna – powiedział ten wysoki. – Dlatego polecisz bezpośrednio z Karaczi. Nie musisz uważać. Nikt cię nie zna. Spotkasz się z Amerykaninem i powiesz mu, że zgadzamy się na cenę. Powtarzam: zgadzamy się na cenę. Rozumiesz?

– Tak – odparła kobieta.

– Amerykanin jej nie wymieni, a ty o nią nie spytasz – dodał ten gruby. – Cena musi pozostać tajemnicą. On wstydzi się, że zszedł tak nisko, my zaś nie chcemy, żeby wzięto nas za bankrutów, których nie stać na więcej.

Kobieta lekko pochyliła głowę.

– Kiedy mam wyruszyć?

– Natychmiast – odrzekł ten wysoki. – Jedź całą noc. Rano złapiesz pierwszy samolot.

13

Po lunchu Griezman odwiózł ich do hotelu, w którym zatrzymali się poprzednio. Podziękowali mu, pomachali na do widzenia, ale się nie zameldowali. Reacher nie lubił mieszkać dwa razy w tym samym miejscu. Ot, taki nawyk. Niektórzy mówili, że głupi. Ale on miał trzydzieści pięć lat i wciąż żył. Więc chyba nie taki najgłupszy.

Popatrzyli na plan miasta. Neagley dźgnęła palcem blok Saudyjczyków.

– Oczywiście mogą mieć kilka takich dziupli.

– Mogą. Wszystko opiera się na statystyce.

Poszli się przejść i znaleźli ulicę, gdzie podczas pierwszej wizyty widzieli cztery policyjne radiowozy. Gdzie zamordowano prostytutkę. Skręcili w lewo, w kierunku bloku, i podeszli trochę bliżej, sprawdzając po drodze boczne uliczki. Ciężka sprawa. Inaczej niż w innych częściach świata. Ani jednej tablicy. Ani jednego neonu czy kołyszącego się na wietrze szyldu. Pewnie zakaz, ze względów estetycznych. Wszystkie sklepy, bary i hotele musiano dokładnie obejrzeć, każdy z osobna. Zobaczyli wypożyczalnię samochodów zajmującą dwa sąsiadujące ze sobą adresy. Z innymi lokalami też nie mieli trudności. Poza kilkoma. Reacher wstąpił do czegoś, co wyglądało na hotel, a okazało się solarium z kabinami na zapleczu. Kobieta za ladą roześmiała się, z trudem stłumiła śmiech, spoważniała i wskazała im drogę do butikowego hotelu ulicę dalej. Który okazał się całkiem przyzwoity. Przed drzwiami stał nawet odźwierny w cylindrze.

– Masz pieniądze? – spytała Neagley.

– Ratcliffe zapłaci – odparł Reacher.

– Nie wie, że tu jesteśmy.

– Więc do niego zadzwonimy. Zresztą wypada.

– Skąd zadzwonimy?

– Z pokoju. Twojego albo mojego.

– Nie dostaniemy pokoju. Bez pieniędzy?

Reacher wyjął z kieszeni podręczny zwitek banknotów. Fundusze na doraźne cele operacyjne, z których się nie rozliczył. Skromna kwota. Neagley miała tyle samo.

– Wynajmiemy jeden – zdecydował. – Tymczasem. Dopóki nie zadzwoni do nich ktoś z RBN-u.

Neagley zawahała się i kiwnęła głową.

Weszli.

• • •

W tej samym momencie Amerykanin był trzy ulice dalej. Zaparkował przed agencją wynajmu samochodów, którą Reacher i Neagley widzieli chwilę wcześniej. Zatrzymał się na lunch w Groningen. I wypił kieliszek wina. Potem zrobił przerwę w podróży. Na wszelki wypadek, żeby alkohol wyparował. W Niemczech obowiązywało bardzo surowe prawo. Poszedł na spacer. Miasto było naprawdę śliczne. Wrócił, wsiadł do samochodu i przekroczywszy umowną granicę, dojechał autostradą do Bremy. Cieszył się każdym kilometrem. Ogarnęło go coś w rodzaju przedwczesnej nostalgii. Minie sporo czasu, zanim ponownie zobaczy Europę. Kto wie, może już nigdy tu nie zawita.

Oddał kluczyki i kilka ulic dalej skręcił w stronę portu. Domu. Mieszkania, którego wynajem kończył się już za niecały miesiąc. A co! Kto nie marnuje, temu nie brakuje. Wycyrklował wprost idealnie.

• • •

Pokój miał ciemnozieloną tapetę w grafitowy wzorek. Ale przynajmniej telefon działał. Reacher zadzwonił do McLean, do niańki z RBN-u, która miała z kolei zadzwonić do konsulatu, żeby sfinansowano ich pobyt. Potem do telefonu podszedł White.

– Vanderbilt sprawdził Szwajcarię – zameldował. – Cztery lata wstecz. Zweryfikował listy i wyszło mu, że tego dnia w Niemczech przebywało dokładnie czterystu Amerykanów, którzy co najmniej raz byli w Zurychu.

– Mocne – powiedział Reacher. – Ale nie oczywiste. Mógł załatwić to przez bank na Kajmanach. Albo w Luksemburgu. Albo w Monako. Mógł pojechać do Zurychu na urlop. Raz tam byłem, ale do głowy mi nie przyszło iść do banku.

– Rozumiem.

– Ale niech pan podziękuje Vanderbiltowi.

Słuchawkę przejął Waterman.

– Niepokoją się o pana.

– Kto się niepokoi?

– Ratcliffe i Sinclair.

– Ratcliffe powiedział, że trzeba zaryzykować. Nie ma sensu siedzieć na kupie.

– Doszliście do czegoś?

– A wy?

– Nie.

– My też nie. To kolejny powód, żeby się rozdzielić.

– Sinclair chce z panem rozmawiać.

– Niech pan jej powie, że zadzwonię. Jak tylko konsulat się sprawdzi. Krótka zwłoka zachęci ich do działania.

– Przyszła przesyłka do sierżant Neagley. Z Departamentu Armii.

– Coś pilnego?

– Chyba nie.

– Zaczekajcie, aż pogadam z Sinclair.

– Możemy umówić się konkretniej?

– Niech pan jej powie, że za dwie godziny.

• • •

Poszli poszukać baru, w którym Helmut Klopp widział Amerykanina. Dwadzieścia minut piechotą, tyle samo, co z dziupli, tylko w drugą stronę, jak dwie szprychy tego samego koła. Minęli bar, nie zwalniając ani nie przyspieszając, patrząc przed siebie i dyskretnie obserwując. Mieścił się na parterze starej kamienicy, kiedyś być może czynszówki albo jakiejś fabryki, która spłonęła podczas wojny, lecz nadawała się do odbudowania. Fasada była obita deskami. Ale nie jak w rustykalnym domu. Nie wyglądała jak ściana wiejskiej stodoły. Deski, solidne i starannie wygładzone, ułożono bardzo ściśle. Ciemnozłote i grubo polakierowane błyszczały jak burta łódki na stawie w parku. Od strony ulicy było kilka małych okien przybranych kremowymi koronkowymi firankami przesłaniającymi ich dolną połowę i rzędami papierowych chorągiewek, flag na sznurku na górnej. Wszystkie niemieckie. Światło w środku było przyćmione, bursztynowe.

– Mamy ogon – rzuciła Neagley.

– Gdzie?

– Na rogu, pięćdziesiąt metrów za nami.

Reacher się nie odwrócił.

– Kto?

– Dwóch. Trzydzieści, czterdzieści lat. Wyższych ode mnie, niższych od ciebie. Raczej nie Niemców. Chodzą jak Amerykanie.

121

– A jak chodzą Amerykanie?

– Jak my.

– Długo za nami idą?

– Nie wiem.

– Kości policzkowe?

– Nie. I są za wysocy.

– Dobra – zdecydował Reacher. – Chodźmy na kawę.

Tym samym leniwym krokiem szli dalej, aż zobaczyli cukiernię z oknem wystawowym pełnym smakołyków, ekspresem do kawy i czterema małymi stolikami z dwoma krzesłami każdy. Stoliki i krzesła były metalowe i pomalowane na srebrzysty kolor. Stały tuż przy oknie, z którego roztaczał się dobry widok na ulicę. Neagley usiadła, a Reacher podszedł do lady. Zamówił dwie podwójne kawy i spytał:

– Chcesz ciastko?

– No masz! – odparła Neagley. – Strudel z jabłkami.

– Dwa poproszę. – Stara wojskowa zasada: jedz, kiedy tylko się da, bo następna okazja może się trafić nie wiadomo kiedy. Sprzedawczyni pokazała mu na migi, żeby usiadł, a ona podejdzie z tacą. On z kolei pokazał jej na migi, że chce zapłacić już teraz. Tak nakazywała jego własna zasada. Mógł nagle wyjść i nie chciał pozbawiać zarobku ciężko pracującej kobiety. Wziął resztę, wrócił do stolika i usiadł.

Neagley dyskretnie wyciągnęła szyję.

– Widzieli, jak tu wchodzimy. Przyspieszyli. Zaraz ich zobaczymy.

Reacher zerknął w lewo i w prawo. Po drugiej stronie ulicy była druga cukiernia, dwadzieścia metrów dalej. Ze stolikami w oknie. I z dobrym widokiem. Każdy rozsądnie myślący by tam wpadł. Nie wzbudzając niczyich podejrzeń, mógłby spokojnie siedzieć, ile by tylko musiał, a potem wyjść i ruszyć za celem.

– Są – szepnęła Neagley.

Zobaczył dwóch mężczyzn w wieku trzydziestu kilku lat, niższych od niego i wyższych od niej, tak jak mówiła. Metr osiemdziesiąt wzrostu, dziewięćdziesiąt kilo wagi. Krótkie włosy. Szli jak Amerykanie. Ubrani jak Amerykanie. Według jego wprawnego oka, jak amerykańscy wojskowi po cywilnemu. Każ cywilowi nosić przez godzinę mundur, na planie filmowym czy na imprezie dla przebierańców, i od razu widać, że coś jest nie tak, że źle w nim wygląda, jest nieprzyzwyczajony. Podobnie każ wojskowemu z dziesięcioletnim stażem włożyć dżinsy i marynarkę i równie nieprzyzwyczajony, też będzie dziwnie wyglądał. Nie ta postawa. Nie garbi się, nie powłóczy nogami, jest zbyt schludny, ma za ostre kanty.

Tamci szli leniwym krokiem, tak jak oni, ani przyspieszając, ani zwalniając, patrząc prosto przed siebie i obserwując okolicę kątem oka. Duże, harde twarze, zniszczone ręce. Prawdopodobnie podoficerowie na dożywotnim kontrakcie. Jeden szepnął coś do drugiego, ten kiwnął głową i weszli do kawiarni, tej prawie naprzeciwko. Ulicą przejeżdżały samochody, chodnikiem spieszyli urzędnicy i ludzie na zakupach. Tamci usiedli przy stoliku w oknie, udając, że na nich nie patrzą, tak jak oni udawali, że patrzą gdzie indziej.

– Kto to jest? – mruknął Reacher.

– Trudno powiedzieć – odparła Neagley.

– Strzelaj.

– Na pewno wojskowi. Kontraktowi sierżanci. Ale nie frontowi. Frontowcy wyglądają inaczej. Ci służą gdzie indziej.

– Ale na pewno nie w kancelarii.

– Nie. Pracują fizycznie.

– Zgoda. W wojskach wsparcia. W transporcie? Może ładują ciężarówki. I rozładowują.

– I co myślisz?

– Ciekawe, skąd się tu wzięli. Skąd wiedzieli, że tu jesteśmy.

– Od Griezmana? – myślała na głos Neagley. – Może podrzucił nas do hotelu i gdzieś zadzwonił?

– Ale my się tam nie zatrzymaliśmy. Nie idą za nami od hotelu, bo nawet tam nie weszliśmy.

– Co by znaczyło, że przeciek jest w RBN-ie, bo tylko oni wiedzą, gdzie się zatrzymaliśmy. Przecież to idiotyczne.

– Pełna zgoda – powiedział Reacher. – Dlatego to nie oni szli za nami. To my przyszliśmy do nich. Czekali na nas.

– Po co?

– Może ten bar to lokal dla... wiesz... podobnie myślących. Miejsce spotkań różnych typów, którzy tłuką dużą kasę. Więc co się dzieje, kiedy do miasta przyjeżdża nagle żandarmeria wojskowa? Wystawiają czujki, na wszelki wypadek. No i wystawili. A my uruchomiliśmy cichy alarm.

– Przecież oni nie wiedzą, że jesteśmy z żandarmerii. Nie znają naszych nazwisk. Nie wiedzą nawet, że jesteśmy w Niemczech.

– Jak dowiedzieliśmy się o Kloppie? – spytał Reacher.

– Griezman wysłał meldunek do konsulatu.

– Bo jest szlachetnym obywatelem?

– Nie, bo kryje swoje wielkie dupsko – odparła Neagley.

– W takim razie wysłał im także meldunek o żandarmach spisanych w pobliżu miejsca zbrodni, którzy przechodzili tamtędy, podając się za turystów. Miał nasze nazwiska, czarno na białym. Musiał przesłać je dalej, pewnie prosto do Dowództwa Europejskiego Stanów Zjednoczonych w Stuttgarcie. Tam ktoś nas sprawdził, zobaczył, że służyliśmy w Sto Dziesiątej, i nacisnął czerwony guzik. Jak w banku. Nikt nic nie słyszał, ale wszyscy biegają po mieście jak opętani. Pamiętaj, kogo szukamy. Zarzuciliśmy szeroką sieć. Wkurzymy mnóstwo ludzi.

– Myślisz, że tych dwóch już wkurzyliśmy?

– Zajmiesz się tym z lewej i dostaniesz Legię Zasługi.

– Sierżantom Legii nie dają.

– Nie, tych jeszcze nie wkurzyliśmy. Mam szczęście, ale nie aż takie.

– Więc kto to jest?

– Trudno powiedzieć – rzucił Reacher.

Zjedli strudel do ostatniego okruszka, wypili kawę do błotnistego osadu na dnie filiżanki. Potem szybko wstali i wyszli.

14

Omijając przechodniów na chodniku i samochody na jezdni, przeszli na ukos na drugą stronę ulicy. Przez okno kawiarni zobaczyli, że tamci sztywnieją, wpadają w popłoch. Siedzieli obok siebie przy narożnym stoliku na cztery osoby, bo mieli stamtąd najlepszy widok, co znaczyło, że od sali odgradzały ich dwa wolne krzesła. Neagley weszła pierwsza i usiadła na jednym z nich. Reacher zajął drugie, blokując im drogę ucieczki. Wszystko po cichu, spokojnie i kulturalnie, co jednak nie znaczyło, że mężczyźni mogliby wstać i wyjść. Chyba że Reacher i Neagley by ich przepuścili. Czego na razie nie mieli w planie.

– Posłuchajcie uważnie, bo powiem to tylko raz – zaczął Reacher. – Mamy dla was wyjątkową ofertę. Pomożemy wam. Oczywiście w miarę możliwości. Minimalny wyrok w zamian za pełne i szczere zeznanie. Chyba że chodzi o coś, co nas interesuje. Ale nie sądzę. To nie wy. Wy się do tego nie nadajecie.

– Spadaj – warknął ten siedzący po lewej.

Już pod czterdziestkę, miał krótko ostrzyżone, siwiejące czarne włosy i szeroką, nalaną gębę jak bochen chleba z zakalcem. Do tego ciemne oczy i zgrubiałe ręce. Mówił z akcentem z Arkansas, Tennessee albo Missisipi.

– Znacie nasze nazwiska, bo ktoś nas sprawdził i wszczął alarm – ciągnął Reacher. – Dlatego wiecie, że jesteśmy z żandarmerii wojskowej. Od tej chwili uważajcie się za aresztowanych.

– Nie macie prawa.

– Mamy. Zgodnie z Ujednoliconym Kodeksem Wojskowym. Gdybyśmy chcieli, moglibyśmy aresztować nawet przewodniczącego Kolegium Połączonych Szefów Sztabów. Musielibyśmy mieć dobry powód, ale teoretycznie mamy takie prawo. A w porównaniu z przewodniczącym wy jesteście nikim.

– To wykracza poza wasze kompetencje.

– Wielkie słowa.

– Nie jesteśmy wojskowymi.

– Chyba jednak jesteście.

– Ani Amerykanami.

– Nie? A ja myślę, że tak.

– To się mylisz.

– Udowodnijcie to. Macie jakieś papiery?

– Spadaj.

– Niemieckie prawo nakłada na każdego obowiązek wylegitymowania się przed policjantem.

– Niemieckim. Nie przed tobą.

– Źle pogrywacie. Idziecie na coraz większy wyrok.

Tamten zamilkł. Ten drugi przysłuchiwał się rozmowie, patrząc to na swojego kumpla, to na Reachera. Tam i z powrotem, jak na meczu tenisowym.

– Pokażcie papiery – zażądał Reacher.

– Chcielibyśmy wyjść – powiedział ten po lewej. – Odsuńcie się.

– Nie ma takiej opcji.

– Możemy wyjść, nawet jak nam zabronicie.

– Tak, moglibyście spróbować, ale zrobilibyście sobie

127

krzywdę. To nie wasza liga. Macie przed sobą przeciwnika, jakiego nigdy w życiu nie widzieliście.

– Cóż za skromność.

– Nie mówię o sobie. – Reacher ruchem głowy wskazał Neagley. – Mówię o niej. Ja tu tylko sprzątam.

Spojrzeli na nią. Ciemne włosy, ciemne oczy, opalenizna. Ładna kobieta. W dodatku uśmiechnięta. Ręce trzymała na stole. Reacher zwrócił uwagę na jej paznokcie. Starannie spiłowane błyszczały od świeżego lakieru. Nawet te u palców prawej ręki, co znaczyło, że musiała je zrobić lewą. Na pewno nie poszła do manikiurzystki. Nie znosiła, kiedy ktoś jej dotykał. Spojrzała na tego po lewej stronie, potem na tego po prawej.

Ten po lewej wzruszył ramionami, podniósł się na krześle i sięgnął do tylnej kieszeni spodni. Ten po prawej poszedł w jego ślady. Reacher zmrużył oczy. Spokojnie. Nikt nie nosi tam broni. To niewygodne. Nie można jej szybko wyjąć.

Wyjęli dokumenty. Plastikowe, wielkości karty kredytowej. Dowód osobisty i prawo jazdy. Z nadrukiem *Bundesrepublik Deutschland* na górze. Niemieckie. Republika Federalna Niemiec. Zdjęcia pasowały. Facet po lewej nazywał się Bernd Durnberger, facet po prawej Klaus Augenthaler.

– Jesteście Niemcami? – spytał Reacher.

Ten po lewej zabrał dowody i kiwnął głową.

– Naturalizowanymi?

Znowu lekkie skinienie głową.

– Musieliście zdawać egzamin na obywatelstwo?

– Oczywiście.

– Ciężko było?

– Tak sobie.

– W jakim jesteśmy kraju? – spytał Reacher.

– W Niemczech.

– W tym kraju obowiązuje system federalny. Bundesrepublik. Tak się to państwo nazywa. Niemcy składają się z krajów związkowych, jak Stany ze stanów. Zamiast pięćdziesięciu mają tylko szesnaście, ale zasada jest taka sama.

– Chyba zapomniałem.

– Hamburg – rzucił Reacher.

– To miasto.

– I kraj związkowy, miasto wydzielone. Tak jak Nowy Jork. Jest jeszcze Szlezwik-Holsztyn i Brema. I Dolna Saksonia. Zmieniliście nazwisko?

– Pewnie, czemu nie?

– Dlaczego wybrałeś „Durnberger"?

– Bo ładnie brzmi.

– Zachowaliście amerykańskie obywatelstwo?

– Nie, zrzekliśmy się. Nie mamy podwójnego. Dlatego możecie nam naskoczyć.

– Możemy też być niekulturalni.

– Że co?

– Amerykanie często bywają niekulturalni, zwłaszcza za granicą. Wy, Europejczycy, zawsze na to narzekacie. Możemy tu siedzieć i siedzieć.

– To sobie siedźcie, my wychodzimy.

– Dlaczego?

– Bo chcemy.

– Na siusiu?

– Nie.

– Macie ważne spotkanie?

– Mamy zagwarantowaną swobodę poruszania się.

– Jasne. Jak ktoś, kto jedzie do pracy przez Times Square. Musi staranować co najmniej dziesięciu turystów, inaczej nie zdąży.

Facet się nie odezwał.

Reacher spojrzał na tego drugiego.

– Dlaczego wybrałeś to nazwisko?

– Z tego samego powodu co on. Bo ładnie brzmi.

– Tak? A jak się nazywasz?

Mężczyzna zacisnął usta.

– No powiedz – nie ustępował Reacher. – Przecież tak ładnie brzmi, chcę to usłyszeć.

Cisza.

– No? Powiedz.

Milczenie.

Reacher wsunął kciuki pod brzeg stolika i zacisnął palce na blacie. Pochylił się do przodu.

– Powiedz, jak się nazywasz.

Znowu nic.

– A więc jeden z was zapomniał, że Niemcy składają się z krajów związkowych, a drugi nie pamięta własnego nazwiska. Wspaniale, jeszcze trochę i wam uwierzę.

Nie pochylał się nad stołem i nie zaciskał palców na blacie dla większego dramatyzmu. Chciał się przygotować na to, co miało zaraz nastąpić. I co nastąpiło. Ten po prawej pchnął stolik, mierząc kantem w jego brzuch, chcąc go przewrócić wraz z krzesłem, ale Reacher go wyczuł i pchnął stolik dziesięć razy mocniej: trafił tuż pod żebra. Cios w miarę skuteczny, jednak ruch stolika stworzył szybko powiększającą się wyrwę dla tego z lewej, co facet natychmiast wykorzystał, wstając, prześlizgując się za krzesłem Reachera i biegnąc do drzwi. Może by i zdążył, ale Neagley, która też zdążyła już wstać, zrobiła krok w lewo z ramieniem wysuniętym do przodu, wykonała błyskawiczny obrót i grzmotnęła go pięścią w brzuch, dokładnie w splot słoneczny, co go momentalnie zastopowało i pozbawiło tchu. Przez chwilę wyglądał tak, jakby połknął elektryczną pałkę do poganiania bydła, dzięki czemu Neagley miała mnóstwo czasu na zadanie drugiego i trzeciego ciosu. Przyłożyła mu w krocze lewym kolanem, prawym poprawiła w twarz i gość runął na podłogę u jej stóp.

Jego kolega wciąż siedział, bo Reacher przygniatał go do ściany stolikiem.

– A nie mówiłem? – mruknął. – Że też zawsze muszę po niej sprzątać.

Spojrzał za siebie, na starszą kobietę za ladą, która wyglądała tak, jakby chciała krzyknąć, zemdleć albo popędzić do telefonu.

– *Sexueller Angriff!* – zawołał. Kiedyś eskortował więźnia do sądu cywilnego we Frankfurcie i wiedział, że znaczy to „napaść na tle seksualnym". – *Militärpolizei!* – To dodał już od siebie.

Starsza pani trochę się uspokoiła. Nad sytuacją panowały siły prawa i porządku. Zresztą nic się nie zniszczyło. Padając, mężczyzna o nic nie zawadził. Neagley lubiła dokładność. Na podłodze było trochę krwi, ale niewiele. Wystarczy jedno machnięcie mopem. Nie ma szkody, nie ma winy.

Reacher spojrzał na Neagley.

– Spytaj, czy możesz skorzystać z telefonu. Zadzwoń do Stuttgartu i sprawdź, czy znamy kogoś, kto mógłby tu dzisiaj przyjechać.

– Po nich?

– Robi się szum. Trzeba wywieźć śmieci.

– Nie chcesz załatwić tego przez Sinclair?

– To sprawa wojskowa. Nie będziemy zanudzać jej szczegółami.

Neagley mówiła po niemiecku jak on, więc z uniesionymi brwiami odegrała przed sprzedawczynią scenę pod tytułem „chcę zadzwonić", uniwersalną pantomimę z kciukiem i małym palcem prawej ręki. Kobieta popędziła na koniec lady i wróciła ze starym czarnym telefonem z długim kablem. Neagley wybrała numer, chwilę zaczekała i zaczęła mówić.

Reacher przeniósł wzrok na siedzącego przed nim mężczyznę. Gość był blady. Miał niskie czoło i ślady po trądziku na policzkach. Patrzył to na niego, to na kumpla na podłodze. Tam i z powrotem, jak wahadełko w metronomie. Z paniką w oczach.

– Będę strzelał – powiedział Reacher. – Nie jesteś mózgiem tej operacji. Co stawia cię w niekorzystnej sytuacji. Ale masz szczęście. Jestem rozsądnym człowiekiem. Moja oferta jest wciąż aktualna. Tylko dla ciebie. Najniższy możliwy wyrok w zamian za szczere zeznanie. Policzę do trzech. Potem szansa przepadnie.

Panika narastała. Mężczyzna otworzył usta, ale nie mógł mówić. Nie należał do zbyt rozgarniętych. Ani zbytnio wygadanych.

– Kto ci kazał tu przyjść? – spytał Reacher.

Mężczyzna wskazał kumpla.

– On.

– Po co?

– Sprzedajemy różne... rzeczy.

– Gdzie?

– W barze.

– Jakie rzeczy?

Cisza.

– Duże czy małe? – drążył Reacher.

– Małe.

– Pistolety?

Mężczyzna kiwnął głową.

– Na przykład beretty M9s?

Tamten przytaknął.

– Coś jeszcze?

– Nie.

– Dobra, sprzedajecie pistolety skinheadom. Winszuję. Nówki czy używki?

– Tylko używki.

– Skąd je bierzecie?

– Z transportów na złom.

Reacher westchnął. Wycofany z użytku sprzęt, zniszczony lub zużyty, który ginął w drodze do huty. Dość powszechne.

– Amunicję też sprzedajecie?

– Tak.

– W tym samym barze?

– Tak.

– Skąd wzięliście lewe papiery?

– Stamtąd. Z baru. Od jednego Niemca.

– Co tam się właściwie dzieje?

– Ludzie handlują. Czym się da.

– Często tam chodzisz?

Mężczyzna spojrzał na tego na podłodze i kiwnął głową.

– My też handlujemy.

Reacher wyjął z kieszeni portret pamięciowy Amerykanina. Czoło, kości policzkowe, głęboko osadzone oczy. Czupryna. Rozłożył kartkę, rozpłaszczył ją i odwrócił w stronę faceta.

– Widziałeś go tam?

Mężczyzna spojrzał na rysunek.

– Tak, widziałem.

15

Neagley odłożyła słuchawkę, podziękowała na migi Niemce i wróciła do stolika.

— Ten tu widział go w barze — powiedział Reacher.

— Ile razy? — spytała.

— Ze trzy — odparł mężczyzna.

— Ze trzy razy w ciągu ilu miesięcy?

— Kilku. Czasem nosi czapkę.

— Jaką?

— Sportową. Chyba baseballową. Z czerwoną gwiazdą.

— Wiesz, jak się nazywa?

— Nie.

— Co robił w barze?

— Nic.

— To wojskowy?

— Ostatni raz był bez czapki i miał za długie włosy.

— Kiedy to było?

— Jakieś dwa tygodnie temu.

— Co wtedy robił?

— Siedział samotnie pod oknem i pił piwo.

• • •

W tym momencie Amerykanin czekał na autobus do centrum. Miał coś do załatwienia. Ostatnie sprawy i zakupy. Hamburg to portowe miasto, gdzie przypływa i odpływa mnóstwo promów i statków pasażerskich, dlatego akcesoria podróżne łatwo jest znaleźć. Przede wszystkim ubranie stosowne na długą wyprawę. Wszystko za gotówkę, w różnych sklepach. Harmonogram napięty, lecz konieczny. Zegar tykał.

Nadjechał autobus i Amerykanin wsiadł.

* * *

Reacher postawił na nogi tego znokautowanego i wypchnął go na ulicę. Neagley zajęła się jego kompanem. Zajrzeli do planu miasta i poszli do małego parku. Ten poturbowany kulał i powłóczył nogami. Miał złamany nos od ciosu kolanem. Nie był przez to ładniejszy. Ani brzydszy.

W parku usiedli na dwóch ławkach. Neagley i ten głupszy na jednej, Reacher ze swoim na drugiej. Czekali. Ten głupszy zupełnie nieruchomo. Jakby bał się swojej opiekunki. Może jednak nie był taki głupi. Ten poobijany powoli dochodził do siebie. Stawał się coraz bardziej niespokojny. Rozglądał się, obliczał kąty, ważył szanse. W pewnej chwili ulicą przejechał powoli miejski autobus, bardzo blisko, z rykiem, pełen jadących do centrum pasażerów, i wyczuwszy, że gość się poruszył, jakby w hałasie i zamieszaniu upatrywał okazji, Reacher przyjacielskim gestem położył mu rękę na karku i ścisnął szyję. Facet wydał bezgłośny krzyk. Autobus pojechał dalej.

Czekali. Popołudnie przechodziło w wieczór. Wtedy na ulicy przystanął niebieski samochód. Duży opel, sedan. Produkt General Motors. Za kierownicą siedział mężczyzna w wojskowym mundurze polowym. Obok niego drugi. Od tylnych miejsc oddzielało ich plastikowe przepierzenie, od podłogi do sufitu.

Pasażer wysiadł. Niski, szeroki w barach i ciemnowłosy. Manuel Orozco. Były żołnierz Sto Dziesiątej. „Ze śledczymi się nie zadziera". Jego kredo. Stary przyjaciel.

– Myślałem, że pochowali cię w jakiejś szkółce – powiedział.

– Tak mówią? – spytał Reacher.

– Wszyscy. Jakbyś wykitował.

– RBN wysłała nas z tajną misją. Chodzimy i trzęsiemy drzewami. Spada mnóstwo gówna. Zupełnie nieoczekiwanie. Będziecie musieli po nas posprzątać. Bez wymieniania nazwisk. Wszystkie zasługi możesz przypisać sobie. Dostaniesz kolejny medal. Zacznij od tych dwóch. Sprzedają skinheadom zezłomowane emdziewiątki.

– Za to medalu nie dostanę – powiedział Orozco.

– Chodzi o bar, w którym je sprzedają. To może być wierzchołek góry lodowej.

– Co mu się stało w nos?

– Przedstawiłem go Neagley.

– Znakomita robota.

– Ten bar trzeba dokładnie sprawdzić. Handlują tam wszystkim, czym się da. Spisz osobny raport, dobra? A potem możesz bawić się na własną rękę. Ale dopiero wtedy, kiedy ci powiemy. Kogoś szukamy i nie chcemy go spłoszyć. Zakładając, że znowu się pokaże, choć to wątpliwe.

– Tak jest, szefie – powiedział Orozco.

– Nie jestem już twoim szefem.

– Ale na pewno czemuś szefujesz.

Orozco zapakował aresztantów za przepierzenie, usiadł obok kierowcy i odjechali. Reacher i Neagley pomachali im na pożegnanie. Potem wrócili do hotelu, gdzie recepcjonista poinformował ich, że ponieważ konsulat dotrzymał obietnicy, przydzielono im dwa sąsiednie pokoje na najwyższym piętrze, dużo lepsze. Najpierw poszli do pokoju Neagley, skąd zadzwonili do McLean, żeby porozmawiać z Sinclair.

* * *

Tymczasem technik policyjny rozmawiał przez telefon z przełożonym hamburskich detektywów Griezmanem. Zameldował, że udało mu się zdjąć wspaniały odcisk z chromowanej klamki audi. Wyraźny, czyściutki jak łza. Jego wprawne oko mówiło, że jest to odcisk środkowego palca prawej ręki mężczyzny średniej budowy ciała albo tęgiej kobiety. Jego właściciel – lub właścicielka – nie figurował w bazie danych. Dlatego sprawca niemal na pewno nie był Niemcem.

* * *

W lepszych pokojach były nowoczesne telefony, więc Neagley przełączyła rozmowę na głośnik i usiadła na łóżku. Reacher na krześle. W McLean też przełączyli się na głośnik, bo najpierw zabrzmiało odbite od ścian echo, potem Sinclair powiedziała „dzień dobry", a po niej Waterman i White. Pewnie siedzieli w biurze, przy stole konferencyjnym, w skórzanych fotelach.

– Robicie postępy? – spytała Sinclair.

Zmęczonym głosem.

– Ten niemiecki świadek nazywa się Klopp – odparł Reacher. – Mamy dokładny rysopis i portret pamięciowy Amerykanina. Już go wam przefaksowaliśmy. Klopp twierdzi, że widział go dwa razy. Mamy też drugiego świadka, który widział go trzy razy. W tym samym barze. Wydaje się, że to miejsce spotkań skrajnych prawicowców i podziemne targowisko, dwa w jednym. Robią tam wszystkie możliwe interesy.

– I tam dojdzie do drugiego spotkania?

– Rachunek prawdopodobieństwa mówi, że nie. Mogą wybierać od Skandynawii po Afrykę Północną.

– Weryfikujemy listy z kilku ubocznych źródeł – odezwał się White. – Góra odpaliła największe komputery. Sprawdzamy nazwiska około czterystu Amerykanów, czyli o wiele za dużo, żeby był z tego jakiś pożytek. W sumie odwiedzili ostatnio ponad czterdzieści krajów, czyli też za dużo.

– Wszystko sprowadza się do starego pytania – podsumował Reacher. – Co ten facet sprzedaje?

Odpowiedziała mu cisza, którą po chwili przerwała Sinclair.

– Otrzymaliśmy dziwną wiadomość. Od naszych ludzi na Ukrainie. Rutynowy meldunek z kijowskiej policji. W zaułku w centrum miasta znaleziono martwego Araba. Prawdopodobnie zabito go młotkiem. Dwadzieścia kilka lat, koszulka polo z krokodylkiem na piersi. Co zwróciło naszą uwagę. Ale to pewnie nic takiego. Ukraińska telewizja transmitowała wtedy mecz piłkarski. Miejscowi przegrali z drużyną z Moskwy. W barach były tłumy niezadowolonych młodych ludzi. Samotny Arab w różowej koszulce mógł być kuszącym celem.

– Albo? – spytał Reacher.

– Głupio jest opierać teorię na zwykłej koszulce. Ale może to jeden z nich. Może rozpętali wojnę domową.

– Czy to zmienia nasze plany?

– Nie. Wciąż zakładamy, że posłaniec jest w drodze. I działamy, jakby miało dojść do drugiego spotkania. Musimy tylko ustalić, czy pan i sierżant Neagley zostaniecie w Hamburgu, czy wrócicie do kraju.

– Gdzie jak gdzie, ale w McLean się nie spotkają – powiedział Reacher. – Na pewno. A tu mogą. Przynajmniej istnieje takie prawdopodobieństwo. Małe, ale małe to małe, a żadne to żadne.

Sinclair długo milczała. Słuchać było tylko echo i trzaski. W końcu zdecydowała.

– Dobrze, ale trzymajcie się z dala od mieszkania Saudyjczyków.

– Nawet jeśli w konsekwencji przegapimy spotkanie?

– Wszystko w swoim czasie, majorze. Niech pan przyjmie to do wiadomości. Decyzja nie należy do pana.

. . .

W Dżalalabadzie zjedzono już kolację i zabrano talerze. Mężczyźni w białych szatach wrócili do małej, gorącej izby. Połowę rozmowy stanowiły rytualne przypomnienia, że jeszcze nic nie osiągnięto. Nie ustalono do końca. A jeśli ustalono, to nie na pewno. Byli blisko, jednocześnie daleko. Cytowano prastare arabskie przysłowia, plemienne zaklęcia, powtarzano, żeby nie dzielić skóry na niedźwiedziu. Ale w drugiej połowie rozmowy zaczęto tę skórę dzielić. Dzielono ją i dzielono. We wspaniałych, przepełnionych marzeniami hipotezach. Sporządzono listę i mężczyźni omawiali ją bez końca, kołysząc się na poduszkach. W izbie tchnęło niemal erotyką.

Musieli wybrać dziesięć miast. Byli zgodni co do Waszyngtonu, Nowego Jorku i Londynu. Te nie podlegały dyskusji. Ale zostało jeszcze siedem. Czwartym mógłby być Paryż. I Bruksela, bo mieściła się tam kwatera główna NATO i Parlament Europejski. No i Berlin, bo dlaczego nie? A cztery pozostałe? Na Moskwie zależałoby braciom z Europy Wschodniej. No i oczywiście Tel Awiw, chociaż to osobna sprawa. Zatem jeszcze dwa. Amsterdam? Chicago? Los Angeles? Madryt?

Potem znowu przypomniało im się, że nie warto dzielić skóry na niedźwiedziu. W tym postanowieniu wytrwali niecałą minutę. Zakołysali się w milczeniu na poduszkach i zaczęli od początku, od czwartego miasta. Może jednak nie Paryż, tylko San Francisco? Albo most Golden Gate?

. . .

Amerykanin wysiadł w centrum handlowym w śródmieściu. Z lekkim uśmiechem na twarzy. Autobus zwolnił na rogu przed małym parkiem i przez okno po drugiej stronie przejścia

Amerykanin zobaczył dwóch mężczyzn, z którymi robił interesy w barze. Siedzieli na ławce. Świat jest mały. Byli ze znajomymi, mężczyzną i kobietą. Mężczyzna miał na sobie kurtkę identyczną jak jego. Świat zmalał jeszcze bardziej. Bo jakie było prawdopodobieństwo?

Przeszedł przez brukowany rynek i wstąpił do kantoru, gdzie wymienił garść niemieckich marek i amerykańskich dolarów na argentyńskie peso. Powtórzył to ulicę dalej, w innym kantorze, potem jeszcze w jednym. Brał tylko zmięte, zużyte banknoty o różnych nominałach. Zawsze gotówka za gotówkę. Małe kwoty. Nic, co zapadłoby w pamięć. Nic wartego odnotowania.

Ostatnią partię wymienił na dworcu kolejowym, w bardzo smutnym miejscu pełnym bezdomnych i obłąkanych o niespokojnych oczach, płochliwych ludzi z rękami głęboko w pojemnych kieszeniach. Ściany były upstrzone graffiti. Może nie tak jak na południowym Bronxie, w śródmieściu Detroit czy środkowopołudniowej części Los Angeles, ale w Niemczech się tego nie spotykało. Zjednoczenie było ogromnym obciążeniem. Ekonomicznym i socjalnym. I psychicznym. Widział to na własne oczy. To tak, jakby wieść z rodziną wygodne życie w małym, ładnym domku, i nagle zwala się do was tłum krewnych. Z kraju, w którym nikt nie używa noża i widelca. Banda opóźnionych w rozwoju niedouków, ale Niemców jak wy. Braci, których odebrano wam zaraz po porodzie i zamknięto w szafie. Teraz mają czterdzieści kilka lat i wyłażą z niej bladzi, przygarbieni i na wpół ślepi. Ciężka sprawa.

Zadowolony zmierzył palcami grubość pliku banknotów. Peso tylko na nieprzewidziane wydatki, na nic więcej. Zgodnie z umową, główne płatności załatwi bank, telegraficznie, teleksem lub jeszcze inaczej, w każdym razie po cichu. Gotówki potrzebował na napiwki, taksówki i na bagażowych na lotnisku. To wszystko.

Teraz ubrania. Potem apteka. Jeszcze potem sklep żelazny, sklep z artykułami turystycznymi i zabawkami.

• • •

Reacher i Neagley poszli na wczesną kolację. W okolicy widzieli dużo różnych knajpek.

Wybrali restaurację specjalizującą się w potrawach z mięsa i ziemniaków, schodkami w dół, trzy stopnie pod ziemią. Były tam ściany wyłożone brązową boazerią i akordeonowa muzyka z głośników pod sufitem.

– Sinclair tu przyleci – powiedziała Neagley.

– Myślisz? – spytał Reacher. – Po co?

– Chyba kupiła twój argument, że małe to małe, a żadne to żadne.

– Myślałem, że czegoś oczywistego nie trzeba wciskać nikomu na siłę.

– Chce cię mieć na oku.

– Wiedziała, w co się pakuje. Garber na pewno ją uprzedził.

– Dziesięć dolców, że jutro tu będzie.

– Masz tyle?

– Nie muszę. Tylko nie dawaj mi kasy z przydziału. Wyjmij swoją.

– Nie przyleci – upierał się Reacher. – To byłoby jak obstawianie konia na wyścigach. Oni tego nie robią.

Nagle pociemniało i do stolika podszedł Griezman. Prawie dwa metry wzrostu i sto trzydzieści sześć kilo żywej wagi. W rozdętym szarym garniturze wielkości dwuosobowego namiotu. Zaskrzypiała podłoga.

– Bardzo przepraszam, że przeszkadzam.

– Zgłodniał pan?

Griezman lekko się zawahał.

– Właściwie to tak. Troszeczkę.

Co za szczęśliwy traf, pomyślał Reacher.

– Proszę, niech pan się przysiądzie – zaproponował. – Będzie pan gościem Pentagonu.

– Nie, nie mogę na to pozwolić. Nie w moim mieście. To ja zapraszam.

– Świetnie. Bardzo dziękujemy. Departament Skarbu Stanów Zjednoczonych będzie panu wdzięczny.

Griezman usiadł. Spiesznie nadszedł kelner z trzecim nakryciem. Nalał wodę i przyniósł chleb.

– Chciałbym prosić państwa o przysługę – zaczął Niemiec.

– Najpierw niech pan powie, jak pan nas znalazł.

– Zawiadomiła nas recepcja waszego hotelu. To ich obowiązek. Wszystkie rezerwacje konsularne, dyplomatyczne i misyjne zmuszają nas do zastosowania odpowiednich środków bezpieczeństwa. Taki mamy system. Wysłałem w teren ludzi w samochodach. Przekazywali was sobie, aż doszliście tutaj. Nie chciałem, żeby chodzili za wami piechotą. Pomyślałem, że od razu ich zauważycie.

– Zrobiliśmy coś nie tak? – spytał Reacher.

– Nie, nie. Po prostu chciałem państwa prosić o wielką przysługę. Osobiście, twarzą w twarz.

– To znaczy?

– Znaleźliśmy odcisk palca w samochodzie tej prostytutki, pamięta pan. Dokładnie tam, gdzie pan mówił. Na wewnętrznej stronie chromowanej klamki. Odcisk środkowego palca prawej ręki.

– Moje gratulacje.

– Nie ma go w naszej bazie danych.

– To coś niezwykłego?

– Nie, jeśli odcisk należy do cudzoziemca.

Reacher milczał.

– Sprawdziliby państwo u siebie, w swoich systemach?

– Poważna sprawa – mruknęła Neagley.

Reacher kiwnął głową.

– Polityczna. Puszka Pandory. Zwłaszcza uwzględniając wszystkie te natowskie bzdety i Czwartą Poprawkę. Wsiedliby na nas PR-owcy i adwokaci. Minąłby rok, zanim nasi zechcieliby w ogóle o tym pomyśleć.

Griezman westchnął.

– Zawsze ten sam problem. Nie jestem politykiem. Jestem zwykłym detektywem. Ty mi oddasz przysługę, ja ci oddam przysługę, z tego żyję.

– Bzdura – rzucił Reacher. – Stawia nam pan dzisiaj kolację, bo wspomniałem o Pentagonie. Kto wie, może kiedyś wystartuje pan w wyborach na burmistrza. Hamburg to liberalne miasto. Wyborcy nie chcieliby usłyszeć, że zaprosiło pana na kolację dwoje nieokrzesanych podżegaczy wojennych. Dlatego woli pan jutrzejszą kłótnię o nadszarpnięte wydatki reprezentacyjne niż kłopotliwą sytuację za dziesięć lat. To zdecydowanie polityczna zagrywka.

– Po prostu chcę złapać mordercę.

– Dlaczego miałby to być akurat Amerykanin?

– Liczba zabójstw. Statystyka.

– I myśli pan, że się do tego oficjalnie przyznamy? Że powiemy, tak, zgoda, w Hamburgu zamordowano prostytutkę, więc to na pewno któryś z naszych? Że potulnie weźmiemy winę na siebie? Nie ma takiej opcji, w domu czekałoby nas piekło. Ta sprawa wykracza poza moje kompetencje.

– Osobiście się z panem zgadzam – powiedział Griezman. – Moim zdaniem zabójcą jest jakiś marynarz. Jednej ze stu narodowości. Tyle tylko, że tworzycie w Niemczech dużą grupę. Mógłbym wyeliminować sporo możliwości.

– Więc teraz uważa pan, że to jednak nie Amerykanin?

– Chciałbym to udowodnić, tak. Zanim sprawa zostanie umorzona, a szczerze mówiąc, chciałbym, żeby stało się to jak najszybciej, muszę podjąć jakieś działania, tego się ode mnie wymaga.

– Dlaczego zależy panu na szybkim umorzeniu?

– Cóż, choćby dlatego, że tracimy na to śledztwo zbyt dużo czasu.

– Bo ofiara była prostytutką?

– Chyba do tego się to sprowadza. Ale mówię tak tylko z gorzkiego doświadczenia i na podstawie statystyk. Większość prostytutek ginie z rąk przyjezdnych sprawców. Takie są fakty. Jestem przekonany, że ten człowiek jest już na środku Atlantyku. I cieszy się, że uszło mu to na sucho.

Polityczna sprawa. Reacher czuł, że ktoś się nim bawi.

– Przemyślę to – powiedział. – Na wszelki wypadek niech pan przyśle mi kopię tego odcisku.

– Nie muszę. – Griezman sięgnął pod połę marynarki i wyjął małą kopertę. – Proszę. Jest tam również wizytówka z moim numerem.

Reacher schował kopertę do kieszeni.

* * *

Po kolacji postanowili wrócić do hotelu, więc Griezman wsiadł do służbowego mercedesa i odjechał. Poszli okrężną drogą, zahaczając o blok Saudyjczyków. Ot, zwykły wieczorny spacer, krótkie zerknięcie kątem oka. Nie, żeby wiedzieli, które to mieszkanie. Piętnaście okien mieszkań na klatce schodowej Saudyjczyków wychodziło na ulicę. Kilka było ciemnych. Kilka pobłyskiwało na niebiesko od telewizorów. Z kilku sączyło się ciepłe przyćmione światło. Nikogo w nich nie dostrzegli. Przy krawężniku parkowały samochody, od czasu do czasu ktoś przechodził chodnikiem. Ot, wieczór w dużym mieście. Poszli dalej.

Przed hotelem stał niebieski samochód. Opel. Służbowy wóz Manuela Orozco, który czekał w holu.

– Mam coś pilnego – powiedział.

16

– Wyszli i oparli się o samochód. Było chłodno i wilgotno. Pachniało morzem.

– Mogłeś zadzwonić – powiedział Reacher.

– Nie – odparł Orozco. – To nie jest sprawa na telefon.

– Bo?

– Pokazaliście mi pagórek. Przegapiliście górę.

– Sprzedają coś większego?

– Nie, w ciągu ostatnich sześciu miesięcy opchnęli coś około czterdziestu zezłomowanych emdziewiątek, nic więcej. I tysiąc sztuk amunicji. Jeszcze nie koniec świata. Widzieliśmy gorsze rzeczy.

– Więc gdzie ta góra?

– Mają autentyczne dowody osobiste.

– Są Niemcami?

– Nie, Amerykanami, jak Statua Wolności. Jeden jest z Arkansas, drugi z Kentucky. Ledwo mówią po angielsku, nie wspominając już o niemieckim. Nazywają się Billy Bob i Jimmy Lee czy jakoś tak.

– A więc dowody są fałszywe.

– W tym sensie tak. Jednocześnie prawdziwe. To znaczy,

że są o wiele za dobre jak na fałszywe. Tak dobre, że muszą pochodzić z rządowego źródła. Z państwowej wytwórni, tak jak wszystkie niemieckie papiery.

– Podobno kupili je od kogoś w barze – powiedział Reacher.

– Wiem, mnie też tak mówili.

– No i?

– I ja im wierzę.

– Więc?

– Skąd je miał, ten ktoś z baru?

– To pewna sprawa?

– Trochę popytałem. Zrobiliśmy naradę. Niektórzy mówią, że rzecz jest skomplikowana, bo po upadku muru pracę straciła duża grupa komunistycznych fałszerzy. A byli naprawdę dobrzy. Z Niemiec Wschodnich pochodziła masa świetnych podróbek. I teraz ci ze wschodu pracują dla kogoś innego. Najlepszy scenariusz? Przestępczość zorganizowana. Najgorszy? Służby wywiadowcze nowych Niemiec. Tak czy inaczej, lepiej nie gadać o tym przez telefon. Nie wiadomo, kto podsłuchuje.

– Tych z wywiadu stać na broń osobistą. Nie musieliby drukować lewych papierów dla paru drobnych kanciarzy.

– Dobra, ale załóżmy, że ich służby mają własną wytwórnię dokumentów, tak jak wszystkie inne. W której pracuje cały przekrój ekscentryków, jak we wszystkich innych. A jeśli któryś z nich dał się przekupić? I robi interesy w tym barze? Ci dwaj twierdzą, że tam jest jak na giełdzie. Można kupić, sprzedać i wymienić co tylko chcesz.

– Pierwszy świadek, który widział tam tego Amerykanina, jest pracownikiem państwowym. Inni też mogą w tym siedzieć.

Orozco kiwnął głową.

– Dlatego musicie uważać. Chodzicie, trzęsiecie drzewami

i może wam spaść na głowę mnóstwo gówna, sam mówiłeś. Oby nie spadło coś naprawdę ciężkiego.

• • •

Orozco odjechał, a Reacher wpadł do Neagley, żeby zadzwonić do White'a.

– Otrzymaliśmy sprawdzoną informację, że w tym barze można kupić autentyczne niemieckie dokumenty – powiedział. – Jak dotąd widzieliśmy dowód osobisty i prawo jazdy. Niewykluczone, że można tam kupić i paszport. I że kupił go nasz poszukiwany. Dlatego obserwowanie czterystu Amerykanów jest stratą czasu. Stawiam dziesięć dolarów, że facet będzie podróżował pod niemieckim nazwiskiem.

White długo milczał, w końcu odzyskał mowę.

– Jesteście na miejscu. Możecie się dowiedzieć, kto i co mu sprzedał, jakie papiery i na jakie nazwisko. Przydałaby się data urodzenia i numer paszportu. Ci ludzie prowadzą zwykle zapiski. Dla własnego bezpieczeństwa albo dla szantażu.

– Ale wtedy stawką będzie wszystko albo nic – zauważył Reacher. – Jeśli pójdziemy do baru i zaczniemy rozpytywać, wpadną w panikę. Wiadomość szybko się rozniesie i gość natychmiast przywaruje. Poza tym może mieć kilka paszportów. Takich barów jest więcej. Nasz świadek bywa w dwóch.

– Lepszego wyjścia nie ma.

– Niech pan pogada z Ratcliffe'em. Chciałbym wiedzieć, ile daje nam swobody.

• • •

Po rozmowie Reacher poszedł do siebie. Był zmęczony. Nie spał od ponad trzydziestu godzin. Ustawił buty pod oknem, jeden obok drugiego, i przykrył je skarpetkami. Kant do kantu, złożył równo spodnie i włożył je pod materac, żeby

147

się wyprasowały. Zdjął kurtkę i powiesił ją starannie na oparciu krzesła. Coś zaszeleściło w kieszeni. Koperta od Griezmana. Odcisk palca. Chciał go dać Manuelowi Orozco, ale zapomniał.

Może następnym razem.

Wziął prysznic, zrzucił z łóżka sześć zielonych brokatowych poduszek, położył się i zasnął.

• • •

Przedsenna rutyna Amerykanina nie zmieniała się od kilku dni. Zaczynał od dziesięciu minut przyjemności, kończył dwudziestoma minutami pracy. Przyjemność polegała na rozkładaniu mapy Argentyny. Mapy w dużej skali, z cieniutkimi liniami i mnóstwem szczegółów. Rancho, które zamierzał kupić, leżało dokładnie pośrodku. Olbrzymia kwadratowa parcela o boku czterdziestu ośmiu kilometrów. Od rogu do rogu godzina jazdy z obowiązującą w mieście prędkością. Ponad dwa tysiące trzysta kilometrów kwadratowych. Ponad dwieście czterdzieści tysięcy hektarów. Ranczo widoczne z kosmosu. Ale to nieprawda, że większe niż Rhode Island, bo stan Rhode Island ma ponad trzy tysiące kilometrów kwadratowych powierzchni. Za to zdecydowanie większe niż największa posiadłość w Teksasie, która ma tylko dwa tysiące siedemdziesiąt jeden kilometrów kwadratowych. Rhode Island i jego ranczo były jednak karzełkami w porównaniu z Anna Creek Station w Australii, największą farmą na świecie, zajmującą aż dwadzieścia cztery tysiące kilometrów kwadratowych. Dwa miliony czterysta hektarów. Prawie jak Massachusetts. Czytał kiedyś o jej właścicielu. Facet przejechał samochodem sto sześćdziesiąt tysięcy kilometrów, ani razu nie opuszczając granic swojej posiadłości. Nie szkodzi, i tak jego przyszłe argentyńskie ranczo znajdzie się w pierwszej dziesiątce największych na świecie. Będzie wielkie jak cholera, z domem stojącym dwadzieścia cztery kilometry od bramy wjazdowej. Ale właśnie takie odosobnienie nada się idealnie do życia w nowym świecie, który pomagał stworzyć.

Złożył mapę, by rozpocząć drugi etap półgodzinnej rutyny przedsennej, czyli naukę hiszpańskiego z taśm. Będzie potrzebował robotników, a nie mógł oczekiwać, że zechcą nauczyć się angielskiego. Położył się więc i ze słuchawkami na uszach słuchał, powtarzał i wkuwał, aż zmęczył się i zasnął.

* * *

Neagley zapukała do drzwi o ósmej rano. Reacher już nie spał. Zdążył wziąć prysznic i ubrać się. Był gotów na kawę. Winda wyglądała jak złota klatka na łańcuchu w szybie ozdobionym esami-floresami z kutego żelaza. Słyszeli, jak nadjeżdża. Wsiedli. Na podłodze leżała karta kredytowa. Albo prawo jazdy. Albo coś takiego. Awersem do dołu. Pewnie ktoś niechcący upuścił i zgubił. Ale nie był to niemiecki dowód osobisty. Inny kolor.

Neagley pochyliła się i wyciągnęła rękę.

Spojrzała na kartę.

– Wisisz mi dziesięć dolców.

Było to amerykańskie prawo jazdy. Z Wirginii. Z wyraźnym zdjęciem kobiety o szczerej, otwartej twarzy. I jasnych włosach, ani krótkich, ani długich, bezpretensjonalnie ułożonych i przeczesanych ręką. Marian Sinclair. Czterdzieści trzy lata, zamieszkała w Alexandrii. Sądząc po adresie, na przedmieściach.

Reacher wyjął z kieszeni zwitek banknotów. Odliczył dwie piątki i podał je Neagley.

– Musiała przed chwilą przyjechać – powiedział. – Pewnie leciała tym samym lotem co my. Tracę wyczucie. Nie sądziłem, że się tu zjawi. A już na pewno nie myślałem, że należy do tych, którzy gubią prawo jazdy w windzie. Na miłość boską, przecież to numer dwa w RBN-ie. Trzyma w rękach przyszłość świata.

Winda zatrzymała się na parterze. Jadalnia mieściła się pół piętra niżej, w czymś w rodzaju sutereny. Krętymi schodami zeszli do ładnej sali z otwartymi podwójnymi drzwiami i odkrytym patio. Była tam Sinclair. W czarnej sukience. Przy stoliku tonącym w porannym słońcu. Piła kawę i jadła drożdżówkę. Podeszli bliżej.

– Dzień dobry – powiedzieli.

Sinclair podniosła wzrok.

– Dzień dobry. Proszę, niech się państwo przysiądą.

– Po co pani przyjechała? – spytał Reacher, gdy usiedli.

Przeniosła na niego wzrok.

– Bo małe to małe, a żadne to żadne.

– Zgubiła pani prawo jazdy w windzie.

– Tak?

Reacher podał jej plastikowy kartonik, a ona położyła go obok filiżanki.

– Dziękuję. Byłam bardzo nieostrożna. Mam szczęście, że je znaleźliście. Przyjechałam pod innym nazwiskiem. Nie byłoby wiadomo, komu je zwrócić. Zaoszczędziliście mi mnóstwo papierkowej roboty i wizyt w wydziale komunikacji.

– Dlaczego pod innym? – spytał Reacher.

– Nazwiskiem? Hotele są w stałym kontakcie z policją. Mój przyjazd uruchomiłby alarm dyplomatyczny. Dlatego oficjalnie mnie tu nie ma.

– Ma pani tożsamość zastępczą?

– Kilka. Pracuje dla nas wydział wytwarzania dokumentów specjalnego przeznaczenia, tak jak u Niemców. Rozmawiałam rano z majorem Orozco i znam sprawę. Tak, obserwowaliśmy waszych przyjaciół, to chyba oczywiste. Nie posłuchaliście rozkazu. Mieliście się kontaktować tylko z panem Ratcliffe'em albo z prezydentem.

– To była prywatna sprawa.

– Tu nie ma prywatnych spraw, majorze. Nie w tej kwestii. Ale proszę nie mieć majorowi Orozco za złe, że na pana doniósł. Po prostu musiał. Tak jak panowie White i Waterman, którzy zareagowali podobnie. Należało się tego spodziewać. Znają pańską przeszłość.

– To nie miało nic wspólnego z tym, co tu robimy.

– Owszem, miało, w związku z przechwyconymi przez was dokumentami – zauważyła Sinclair. – To wszystko zmienia. Dokumenty dobre na tyle, że umożliwiają swobodne i wielokrotne przekraczanie granic, spotyka się bardzo rzadko. Nie braliśmy tego pod uwagę. Ale teraz musimy, co zmniejsza nasze szanse do ujemnych. Ten Amerykanin będzie jednym z dziesięciu milionów anonimowych ludzi podróżujących do jednego z dziesięciu tysięcy miast.

– Nie, nie spadniemy poniżej zera – odparł Reacher. – On poszuka miejsca, gdzie będzie czuł się jak u siebie w domu, w przeciwieństwie do posłańca. Czyli dużego miasta na Zachodzie. Z bezpośrednim połączeniem lotniczym. Nie zechce podróżować częściej i dalej, niż będzie musiał. A Hamburg już zna. I może tu wrócić. Dlatego wciąż mamy szanse, moim zdaniem jeden do dziesięciu.

– Czyli wciąż chce pan obserwować dom, w którym mieszkają Saudyjczycy.

– Chyba musimy.

– Mogą mieć kilka takich mieszkań.

Reacher kiwnął głową.

– Nawet po dziesięć w każdym mieście na świecie. To zabawa w rachunek prawdopodobieństwa. Trzeba od czegoś zacząć.

– Bierzemy to pod uwagę – powiedziała Sinclair. – Tak czy inaczej, kiedy tylko posłaniec się zjawi, będziemy o tym wiedzieli. Jeśli w ogóle się zjawi. Wtedy pomyślimy. Ostatnim razem czekaliśmy czterdzieści osiem godzin. Zdążymy podjąć decyzję.

– Jak kontaktuje się z wami ten Irańczyk? – spytał Reacher.

– Przez telefon, jeśli może. Kiedy jest to bezpieczne. Albo przez skrytkę. Poza tym szef naszej hamburskiej placówki wprowadził ostatnio bardzo podstawowy system wczesnego ostrzegania. Uznaliśmy, że w tych okolicznościach to konieczne. Jeśli Irańczyk nie będzie mógł zadzwonić ani skorzystać ze skrytki kontaktowej, to kiedy tylko przyjedzie posłaniec, przesunie lampę na parapecie okna w sypialni. Z prawej lub lewej strony na środek. Sypialnia mieści się po drugiej stronie budynku, dlatego okno wychodzi na sąsiednią ulicę. Szef placówki przejeżdża tamtędy cztery razy dziennie.

Nadeszła kelnerka z żółtymi warkoczykami, żeby zebrać od nich zamówienia. Sinclair wyjęła z torebki dużą brązową kopertę i podała ją Neagley.

– Do pani, z Departamentu Armii.

Neagley podziękowała, otworzyła kopertę, przejrzała dokumenty, schowała je z powrotem do koperty i uśmiechnęła się wojskowym uśmiechem tylko dla wtajemniczonych.

– Co to? – spytał Reacher.

– Nic – rzuciła.

– Nie musi się pani obawiać, pani sierżant – powiedziała Sinclair. – Mam dostęp do tajnych informacji.

– Nie, to naprawdę nic takiego. Zupełnie bez związku. Po raz kolejny dowodzi tylko, że naszą najskuteczniejszą służbą mundurową jest służba prasowa. Prosiłam ich o informacje na temat żołnierza, który cztery miesiące temu oddalił się bez pozwolenia z jednostki. Całkowicie drugorzędna sprawa, ale pan major prosił, żebym trzymała rękę na pulsie.

– Dlaczego?

– Bo wolę trzymać się z daleka od takich rzeczy – odparł Reacher.

– I ci od prasy odpowiedzieli?

– Tak, przysłali dwa ogólne artykuły na temat jego jednostki. Zrobili, co mogli. Postarali się. Jeden nie jest właściwie artykułem, tylko ulotką reklamową. Od razu widać, że nic o tym żołnierzu nie wiedzą. Ostatecznie są tylko służbą prasową. Ale przynajmniej chcą pomóc i są bardzo szybcy.

– A jednostki, które powinny coś wiedzieć? – spytała Sinclair. – Nie odpisały?

– Jak dotąd nie.

– Czy cztery miesiące to długo?

– Tak, przynajmniej tam, gdzie kiedyś służyłam – powiedziała Neagley.

– To teraz wstawiają zdjęcia do ulotek? – zdziwił się Reacher.

Neagley otworzyła kopertę i po raz drugi wyjęła jej zawartość, stary numer „Army Timesa" i ulotkę reklamową z jakichś targów. „Times" zamieścił mało ciekawy artykuł o wycofywaniu wojsk z przesmyku Fulda pod Frankfurtem, gdzie, jak kiedyś przewidywano, miało dojść do rozstrzygającej bitwy pancernej między Wschodem i Zachodem. Teraz wroga już nie było, granica, niczym wielki odpływ, przesunęła się setki kilometrów na wschód i pierwszoliniowe jednostki pozostały na brzegu jak wyrzucone przez morze ryby. Niektóre wciąż parły przed siebie, na wszelki wypadek, inne powróciły powoli do olbrzymich obozowisk i magazynów, gdzie zakonserwowano je kulkami na mole. W czynnej służbie pozostawało jedynie pięć załóg samobieżnych wyrzutni Chaparrali – w tym załoga żołnierza na samowolce, którą uwieczniono na zdjęciu na górze artykułu.

Zdjęcie było pozowane, zrobione aparatem ustawionym nisko za żołnierzami i ich pojazdem. Wszyscy stali twarzą do zbliżającego się zagrożenia, na szczęście tylko wyimaginowanego. Spoczywające na wyrzutni pociski celowały w niski horyzont, a oni patrzyli w ten sam punkt na niebie, jedni przez lornetkę, inni osłaniając ręką oczy, jakby raziło ich wschodzące słońce. Miało się wrażenie, że oglądający zdjęcie kuli się ze strachu dwadzieścia metrów dalej, wciąż pozostając jednak pod ich czujną i mężną ochroną. Szczupli, zdecydowani i pełni energii, z tyłu wyglądali całkiem nieźle. Reacher znał żołnierzy z podobnych jednostek i z doświadczenia wiedział, że są kimś w rodzaju zwykłych artylerzystów skrzyżowanych z obsługą pokładową lotniskowca marynarki wojennej. Sam zgiełk i harmider z domieszką chojractwa typowego dla asów lotnictwa myśliwskiego – wyrzutnie były dla nich jak samoloty. Morale i zwartość bojowa stały zazwyczaj na wysokim poziomie. Ci na zdjęciu mieli zrobionego mydłem lub woskiem irokeza, szeroką na pięć centymetrów podłużną kępę włosów biegnącą przez środek dokładnie ogolonej głowy. Niezbyt zgodnie z przepisami, ponieważ rozporządzenie armii Stanów Zjednoczonych numer 670-3-2 mówiło, że włosy powinny być krótkie i schludnie utrzymane i że skrajność, nadmierna ekscentryczność lub uleganie chwilowej modzie są zabronione. Ale ich mądry dowódca najwyraźniej przymknął na to oko. Niektórych bitew nie warto toczyć, zwłaszcza kiedy tuż za horyzontem czają się te prawdziwe.

Ulotka wyglądała jak artykuł prasowy. Jej autor, producent odzieży wojskowej, reklamował nowe barwy ochronne dla mundurów polowych przeznaczonych do walk w mieście z nadzieją, że zainteresuje nimi Departament Obrony lub SWAT. Główne zdjęcie wyglądało tak, jakby zrobiono je w olbrzymim studiu. Pokazywało tę samą wyrzutnię i tych samych żołnierzy co „Army Times". I wyrzutnia, i załoga kryli się pod identycznym kamuflażem, w szumie cyfrowym z malutkich prostokącików w różnych odcieniach szarości. Twarze, ręce i częściowo łyse głowy pokrywała jednakowa farba, tak jak platformę, a nawet pociski. Wszystkich i wszystko umieszczono na sztucznym tle pokazującym ruiny zburzonego miasta. Tym razem aparat ustawiono wysoko przed nimi, jakby patrzył na nich pilot nadlatującego samolotu albo lecącego nisko śmigłowca szturmowego podczas ataku wyprzedzającego. W tym przypadku nowy kamuflaż odniósł fenomenalny skutek. Żołnierze i sprzęt byli prawie niewidoczni. Niczym duchy, niemal idealnie zlewali się z otoczeniem, obecni i nieobecni zarazem. Nie widać było żadnych szczegółów. W tle ginęły nawet pociski. W oczy rzucało się jedynie pięć sterczących obok siebie irokezów, ponieważ tylko ich nie pomalowano. Efekt byłby powalający, gdyby nie pewien drobiazg. Producent mundurów miał luksus wyboru scenografii i tła, które w tym przypadku pasowało do barw ochronnych. W świecie rzeczywistym mogło być zupełnie inaczej.

Sinclair wskazała paznokciem ledwo widoczne pociski i spytała:

– Czy takie rzeczy da się ukraść i sprzedać?

– Nie za sto milionów dolarów – odparła Neagley. – W tym problem. Ciągle do tego wracamy. To paragraf dwadzieścia dwa. Albo coś jest bardzo tanie, albo bardzo drogie, nie ma nic pośrodku. Wszystko się zdewaluowało. Jest zbyt dużo starego, taniego sprzętu z Rosji i Chin i zbyt dużo sprzętu nowego, równie taniego. Od upadku muru producenci broni szaleją. Coraz bardziej się denerwują. Czują presję. Co miesiąc urządzają gdzieś targi. Jeśli ma się grubą książeczkę czekową, można kupić wszystko. Z wyjątkiem broni nuklearnej. Co poniekąd dowodzi słuszności tego, co mówię. Nie ma nic pośrodku. Żeby wydać sto milionów dolarów, trzeba by kupić... nie wiem... pewnie bombę atomową.

– Lepiej nie wypowiadajcie tego słowa – powiedziała Sinclair.

– Niestety, musimy. Choćby tylko po to, żeby odrzucić taką ewentualność. W naszych bazach mamy bomby. Na pustkowiu i na okrętach podwodnych – rakiety. Wszystkie są pilnie strzeżone i gdyby którejś zabrakło, na pewno byśmy to zauważyli. Najmniejszą i najbardziej dostępną przenośną rakietą w naszym arsenale jest chyba międzykontynentalny Minuteman, ale tysiąc razy łatwiej byłoby sprzedać i prze-transportować most Brookliński. Poza tym żaden żołnierz nie zna wszystkich kodów startowych, bo zgodnie z przepisami muszą być zawsze rozdzielone między dwóch operatorów. W przypadku broni nuklearnej to podstawowe zabezpieczenie.

– Więc pani zdaniem nie chodzi o sprzęt wojskowy? – spytała Sinclair.

– Chyba że za sprzęt uznamy informacje wywiadowcze.

– Jaka informacja może być warta sto milionów dolarów?

– Tego też nie wiemy.

– Uważa pani, że powinniśmy przeprowadzić inwentaryza-cję całego arsenału?

– Ciągnęłaby się w nieskończoność i wiem, co by wyka-zała: brak miliona drobiazgów i ani jednej bomby.

– Skąd pani wie?

– Z nasłuchu.

– Z poczty pantoflowej – wyjaśnił Reacher. – Najskutecz-niejszej w świecie. Niedawno się przekonałem.

Umilkli.

– Trzeba obserwować ten dom – powtórzył po chwili Reacher.

– Musielibyśmy mieć zespół – powiedziała Sinclair. – W Hamburgu nie mamy. Trudno by było umotywować ko-nieczność ściągnięcia ludzi z kraju. Nasza polityka nie popiera przedsięwzięć o szansach powodzenia jeden do dziesięciu.

– Ani biegania w kółko, jakby się paliło i waliło – dodał Reacher.

– Griezman mógłby dać nam swoich detektywów – zasugerowała Neagley. – Są nieźli. Namierzyli nas wczoraj w restauracji. I jest nam coś winien. Doniósł na nas do Stuttgartu.

Reacher wyjął z kieszeni portret pamięciowy Amerykanina. Czoło, kości policzkowe, głęboko osadzone oczy. Czupryna. Był rozpoznawalny. Ludzie Griezmana mogliby prowadzić obserwację ze strategicznie rozstawionych samochodów. Przez radio. Dzień w dzień. Może by coś wypatrzyli.

– To byłaby bardzo poważna robota – zauważył. – Mnóstwo godzin pracy. Musielibyśmy się odwdzięczyć.

– Na przykład czym? – spytała Sinclair.

– W Hamburgu uduszono prostytutkę. Griezman ma odcisk palca sprawcy. Chce, żebyśmy przepuścili go przez nasze systemy.

– Nie możemy.

– Też mu to powiedziałem.

– Mamy coś jeszcze?

– Nic nie przychodzi mi do głowy. Może jedzenie? Gruby jest.

Znowu zapadła cisza. Sinclair pochyliła się, pogrzebała w kopertówce i wyjęła portfel. Gruby, z niebieskiej skóry, zapinany na pasek. Rozpięła go, wzięła ze stołu prawo jazdy i chciała schować je do przegródki, gdy wtem...

Znieruchomiała.

– Mam prawo jazdy – powiedziała. – Tutaj.

Wyjęła je czubkami palców z plastikowego okienka.

Dwa prawa jazdy, jedno obok drugiego. Jak dwie krople wody. Wirginia, taki sam numer, nazwisko, adres, data urodzenia i podpis.

Nawet zdjęcie.

Dwa prawa jazdy.

Identyczne.

17

Tylna część jego mózgu sprawdziła okna i drzwi, przednia zajęła się faktami i logiką. Wygrała przednia. Jednak pewność to niebezpieczna iluzja.

– Lepiej chodźmy stąd – powiedział Reacher.

Neagley poszła pierwsza. Sinclair jedną ręką chwyciła torebkę i portfel, drugą prawa jazdy i ruszyła za nią. On ubezpieczał tyły. Podwójne drzwi, jadalnia i schody do holu – nikogo.

– Trzeba sprawdzić mój pokój – rzuciła Sinclair.

– Gdzie pani mieszka?

– Na najwyższym piętrze.

Szyb windy był pusty. Kabina wisiała gdzieś wyżej.

– Zaczekajcie – powiedział Reacher.

Podszedł do lady recepcji, za którą stała ta sama kobieta, która ich meldowała, stara, pulchna matrona, na pewno bardzo kompetentna.

– Przepraszam, była tu może kobieta podobna do mojej znajomej, tej przy windzie? – spytał. – Prosiła o klucz? Okazała dowód?

– Okazała? – powtórzyła matrona. – *Ich verstehe nicht.*

– Pokazała.

– Nie. Nikt tu nie prosił. Nie wchodził. Żaden kobieta. Tylko jedna mężczyzna. Stał przy windzie. Pewnie na kogoś czekała. Ale musiałam do biura. – Wskazała za siebie, na drzwi. – A potem ona już tu nie był.

– Jak ten mężczyzna wyglądał?

– Taki mały. W płaszczu na deszcz.

– Dziękuję.

Reacher wrócił do windy.

– Schodami – rozkazał.

Neagley znowu poszła pierwsza, tuż przy ścianie, wyciągając szyję i zadzierając głowę. Schody wiły się wokół szybu. Widać było jego wnętrze, esy-floresy z kutego żelaza. Nic się tam nie poruszało. Łańcuchy, liny, żelazny blok przeciwwagi – nic nawet nie drgnęło. Dotarli na pierwsze piętro. Potem na drugie. Podnieśli głowy i zobaczyli spód kabiny. Złotej klatki. Stała na trzecim piętrze. Na najwyższym.

– Jeśli ruszy na dół, biegniemy schodami – powiedział Reacher. – Będziemy pierwsi. Jedzie bardzo wolno.

Ale winda nie ruszyła. Stała i czekała. Podeszli jeszcze wyżej i zajrzeli do środka. Była pusta. Miała zamknięte drzwi. Minęli ją i wyszli na korytarz.

Też pusty. Sinclair wyciągnęła rękę. Trzeci pokój od wejścia. Obok pokoju Reachera. Klasa premium. Przedstawiciele rządu Stanów Zjednoczonych zatrzymywali się tylko w najlepszych. Drzwi były zamknięte.

– Sprawdzę – szepnęła Neagley.

Bezszelestnie przeszła po grubej wykładzinie. Doszła do drzwi od strony zawiasów – pochyliła się, prześlizgnęła pod judaszem, przywarła do ściany, wyciągnęła lewą rękę i nacisnęła klamkę. Lata praktyki. Tak zawsze bezpieczniej. Drewno nie ma z kulą szans.

„Zamknięte", powiedziała bezgłośnie i na migi poprosiła o klucz. Sinclair włożyła pod pachę portfel i dokumenty, otworzyła torebkę i wyjęła mosiężny klucz na grafitowym breloku. Reacher wziął go i rzucił Neagley. Złapała go jedną ręką i włożyła do zamka. Nie zmieniając pozycji, wciąż rozpłaszczona na ścianie, z dala od linii ognia.

Włożyła i przekręciła.

Drzwi uchyliły się na dwa, trzy centymetry.

Cisza.

Żadnej reakcji.

Reacher podszedł bliżej i przywarł do ściany po ich drugiej stronie, symetrycznie do Neagley i równie bezpiecznie. Rozłożył palce, pchnął drzwi i otworzył je na oścież.

Wciąż cisza.

Neagley wykonała szybki obrót wokół futryny i wpadła do środka. Reacher za nią. Lata praktyki. Najpierw najniższy i najdrobniejszy, na końcu najwyższy i największy. Dzięki temu wszyscy mieli dobry widok. A ten najwyższy unikał przypadkowej kuli w plecy.

W pokoju nikogo nie było.

Stało tam tylko szerokie łóżko z zielonymi brokatowymi poduszkami i samotna walizka na kółkach pośrodku podłogi.

Łazienka? Też nikogo.

Szafa? Pusta.

Sinclair weszła i rzuciła na łóżko swoje rzeczy. Prawa jazdy, portfel i torebkę. Torebka się otworzyła i jej zawartość wysypała się. Reacher zamknął drzwi i trzasnął zasuwą. Wyjrzał przez okno.

Nikogo.

W miarę bezpiecznie.

• • •

Sinclair rozpoznała swoje prawdziwe prawo po dawno zapomnianej plamie od długopisu w rogu. Realizowała kiedyś czek w jednym z waszyngtońskich banków, gdzie zażądano od niej dowodu tożsamości. Ze względu na grubość kulo-odpornej szyby półeczka w okienku była bardzo mała i wąska i składając na czeku zamaszysty podpis, Sinclair musnęła długopisem leżące tuż obok prawo jazdy. Potem, wycierając je kciukiem, część plamy starła, resztę rozmazała.

Schowała to prawdziwe do portfela, portfel do torebki. Fałszywe zostawiła na łóżku. Usiadła i przygniotła je czubkiem palca, jakby bała się, że odfrunie.

– Nasuwa się masa pytań.

– Co najmniej jedno – zgodził się z nią Reacher.

– Tylko jedno?

– Czy kiedykolwiek zgubiła pani prawo jazdy?

– To jest właśnie to pytanie?

– Tak.

– Nie, nigdy.

– W takim razie Ratcliffe będzie miał trochę pracy.

– Dlaczego akurat on?

– Bo nie przekażą tego FBI. Za duże ryzyko skandalu.

– Kto nie przekaże? – nie zrozumiała.

– Biały Dom.

– Zapomnijmy o Białym Domu. Ktoś biega po Hamburgu, podając się za mnie.

– Albo odwrotnie.

– Co to znaczy?

– Że może być pani zagranicznym szpiegiem. Skąd pewność, że po Hamburgu nie biega prawdziwa Marian Sinclair?

– Pan żartuje?

– Trzeba zajrzeć pod każdy kamień.

– Przecież to absurd.

– Lubi pani baseball?

– Co takiego?

– Baseball – powtórzył Reacher. – Chodzi pani na mecze?

– Czasem, dla towarzystwa.

– Na stadion jakiej drużyny?

– Oriolesów.

– Co widać za ogrodzeniem prawego pola?

– Jakiś... magazyn.

– Dobra, zdała pani egzamin.

– Pan wcale nie żartował.

– Oczywiście, że żartowałem. Gdyby się pani tylko podawała za Marian Sinclair, nie przywiozłaby pani przesyłki dla sierżant Neagley.

– To nie miejsce ani pora na żarty, majorze.

– Dlaczego? Mamy wpaść w depresję?

– Biały Dom nie sfałszował mojego prawa jazdy.

– Pełna zgoda.

– Jesteśmy o rzut kamieniem od baru, gdzie takie rzeczy sprzedają.

– Przypadek.

– Nie wierzę w przypadki. Pan też nie powinien.

– Czasem trzeba. Gdyby prawo jazdy sfałszowano w Niemczech, fałszerze musieliby wykorzystać zdjęcie z prasy, bez względu na to, jak są dobrzy. Z gazety albo czasopisma. Pstryknęliby je aparatem, żeby wyglądało jak prawdziwe i żeby pani wyglądała jak pani, ale nie byłoby to zdjęcie z oryginalnego dokumentu, bo go po prostu nie mają. Ma je tylko wirgiński wydział komunikacji. Nigdy go pani nie zgubiła, więc nie mogli go skopiować.

– Więc kto je sfałszował? – spytała Sinclair.

– Wydział komunikacji w Wirginii.

– Któremu można zarzucić wszystko, tylko nie to, że jest organizacją przestępczą.

– Oczywiście. Zrobili to w ramach swoich statutowych obowiązków. Usług dla społeczeństwa. Kiedy zgubiła pani prawo jazdy i poprosiła o wystawienie nowego.

– Przecież nie zgubiłam.

– Tak – odparł Reacher. – Ale oni nie wiedzieli, że to nie pani. Ktoś wypełnił formularz z pani nazwiskiem i adresem, wysłał go, a potem obserwował pani skrzynkę pocztową, dopóki nie przyszła przesyłka z wydziału.

– Ktoś, ale kto?

– Pracownik biura wyjazdów służbowych Białego Domu. Ktoś starszy, kto pracuje tam bardzo długo. Dlatego postawiłaby ich pani w trudnej sytuacji. I dlatego Ratcliffe nie przekaże tej sprawy FBI.

– Dlaczego akurat w biurze wyjazdów służbowych? – dociekała Sinclair.

– Częściowo dlatego, że wydział komunikacji żąda nie tylko nazwiska i adresu. Żąda różnych numerów. Ci, którzy rezerwują bilety lotnicze i hotele, na pewno je znają.

– Zna je także mój adwokat. I księgowy. Sprzątaczka pewnie też.

– Jadła pani śniadanie pod przybranym nazwiskiem tysiące kilometrów od domu. Sześć metrów dalej ktoś podrzucił w windzie duplikat pani prawa jazdy. Nie wierzy pani w przypadki. Kto wiedział, że pani tu jest?

Sinclair zawahała się.

– Biuro podróży służbowych Białego Domu.

– Kto jeszcze? – spytał Reacher.

– Nikt.

– Nie wiedziała o tym nawet recepcjonistka. Zameldowała się pani pod innym nazwiskiem. Istnieje tylko jedno wytłumaczenie. Zadzwonił tu ktoś z biura podróży służbowych Białego Domu.

– Zadzwonił do kogo? Do kobiety, która miała się za mnie podawać?

– Nikogo takiego nie ma. Nikt nie pytał o panią w recepcji. Nikt tam nawet nie wchodził, nie licząc drobnego mężczyzny w płaszczu przeciwdeszczowym.

– Więc co się właściwie stało? – spytała Sinclair.

– Ten mężczyzna wiedział, kiedy przyleci pani do Hamburga. Nocny lot Lufthansy i tak dalej. Szczegóły podał mu ktoś z waszego biura podróży. Z lotniska przyjechał za panią tutaj. Stanął po drugiej stronie ulicy, zaczekał, aż się pani zamelduje, zobaczył, że wsiada pani do windy, wślizgnął się do holu, ściągnął windę na dół, podrzucił prawo jazdy i wyszedł.

– Ale po co?

– To był komunikat. Przypuszczam, że to pani miała znaleźć prawo jazdy. Pojechała pani na górę zostawić bagaż i myślał, że zaraz wróci pani na śniadanie, tą samą drogą.

– Zeszłam schodami.

– Właśnie.

– Ale dlaczego akurat ktoś starszy, kto od dawna pracuje w biurze?

– Niech się pani domyśli – odparł Reacher. – Sądzę, że już pani wie. Nie zastanawia się pani, kim był mężczyzna w płaszczu przeciwdeszczowym, więc chyba pani wie.

– Nie, nie wiem – zaprzeczyła Sinclair.

– Cóż za zdecydowanie.

– O pewnych rzeczach nie mogę rozmawiać.

– Pozwoli pani, że spróbuję zgadnąć – odezwała się Neagley. – Prowadziliście gdzieś tajną operację i daliście naszym niemieckie papiery, żeby mieli fałszywą przykrywkę. Albo po prostu dla zabawy. Albo za waszym pozwoleniem dostali papiery od Izraelczyków. Niemcy się zwiedzieli i trafił ich szlag. Nie chcieliście się do niczego przyznać ani o tym rozmawiać, więc teraz ich wywiad wywiera na was nacisk, kulturalnie i po niemiecku. Mówi: widzicie? My też tak umiemy. I jak wam się to podoba? Trochę się popisują, ale czemu nie? To podchody dyskretne i w sumie niegroźne, choć z całą pewnością denerwujące. Prawda?

– Dlaczego akurat ktoś starszy, kto od dawna pracuje w biurze? – powtórzyła Sinclair.

– Nasza ambasada ma ludzi, którzy wiedzieliby, jak się tym zająć, i zawsze mogą zdementować, że maczali w tym palce. Wykorzystali pewnie kogoś stąd, starego znajomego. Nowych znajomych tego rodzaju nie mają, nie w Niemczech po upadku muru. Wszyscy pochodzą z byłego NRD. Może jest to ktoś, kto pracuje w Białym Domu. W czasach młodości żył nadzieją, że prędzej czy później dojdzie do rewolucji, kopiował dokumenty i zostawiał je pod kamieniem w parku. Ale potem kupił dom i potrzebował pieniędzy, więc dalej kopiował dokumenty, aż w końcu dostały go w spadku służby wywiadowcze nowych Niemiec. Nareszcie może się komuś przydać. Zna pani adres, ponieważ pracuje teraz w biurze wyjazdów służbowych Białego Domu. Wyrabia lewe prawo jazdy i dostarcza je do ambasady. Możliwe, że papiery Ratcliffe'a też, jego i wszystkich tych, którymi się interesują. Dokumenty leżą w szufladzie, cierpliwie czekając, aż któreś z was przyjedzie do Niemiec. Pani przyjeżdża jako pierwsza, dziś rano. Lufthansa współpracuje, bo to linie państwowe. Nie przyleciała pani sama. W ostatniej chwili do samolotu wsiadł pracownik niemieckiej ambasady z prawem jazdy w kopercie. Mężczyzna w płaszczu przeciwdeszczowym musiał jechać za panią z lotniska. Mógłby zaczekać tutaj, bo wiedział, gdzie się pani zatrzyma, ponieważ biuro podróży służbowych zarezerwowało pokój, ale najpierw musiał wpaść na lotnisko, żeby odebrać kopertę od pracownika ambasady. Jechała pani do miasta, a tuż za panią jechało prawo jazdy. I tak aż do hotelu.

Sinclair długo milczała.

– Nie będę tego komentowała. Ale gdyby było tak, jak pan mówi, to oczywiście, musielibyśmy to zdementować. Co nie znaczy, że było.

– Nie zareaguje pani? – spytał Reacher.

– Musielibyśmy zastosować skomplikowany podwójny blef...

– Mogłaby pani pójść do Griezmana. I zmusić do blefu jego. Chętnie by się zgodził, ale potem skrzętnie by wszystko ukrył, żeby nie podpaść przełożonym, którzy mają go za solidnego pracownika. Dobrze by na tym wyszedł. Potraktowałby to jako przysługę. A w rewanżu mógłby obserwować dom Saudyjczyków.

– Mógłby się również uprzeć, żebyśmy sprawdzili ten odcisk palca – powiedziała Sinclair. – Tak byłoby dla niego prościej i wygodniej.

– Trzeba to zrobić tak czy inaczej. To jedyne słuszne wyjście. Zamordowano kobietę.

– Czy to opinia postronnego obserwatora?

– Każdy powinien to tak widzieć.

Sinclair umilkła.

– Możemy załatwić sprawę po cichu – dodał Reacher. – Jeśli odcisku nie będzie w bazie, powiemy mu, i już. A jeśli będzie, wymyślimy coś po drodze.

– Jakie jest prawdopodobieństwo, że to Amerykanin?

– Żołnierze korzystają z usług prostytutek, ale zwykle ich nie mordują. Poza tym, sądząc po okolicy, w której ta kobieta pracowała, była dosyć droga. Dlatego wątpię, żeby poszła z którymś z naszych.

– Nie – zdecydowała Sinclair. – To puszka Pandory. Za duże ryzyko polityczne.

• • •

W tym samym momencie nowa wysłanniczka stała w kolejce do odprawy paszportowej na hamburskim lotnisku. Działały cztery stanowiska, dwa tylko dla obywateli Unii Europejskiej i dwa dla posiadaczy paszportów innych krajów. Ona miała pakistański. Była piąta w kolejce. Nie denerwowała się. Nie miała powodu. Była czysta. Nowa. Nie figurowała w żadnej kartotece. Nigdy nie wyjeżdżała za granicę. Nikt jej nigdy nie widział, nie zdejmował odcisków palców i nie fotografował, nie licząc tego jednego, jedynego razu, kiedy zrobiono jej zdjęcie do paszportu, który trzymała teraz w ręce. Zresztą całkowicie autentycznego, z wyjątkiem nazwiska i narodowości.

Od okienka dzieliły ją już tylko cztery osoby. Widziała swoje odbicie w szybie. Miała włosy w lekkim nieładzie i zaspane oczy. Robiła wrażenie bezbronnej. Koszula wciąż była bielutka i świeża. Poddano ją działaniu środków konserwujących i antymikrobowych. Dwa guziki rozpięte. „Nigdy trzy – tak jej powiedziano. – Chyba że przypadkowo. Wybierz stanowisko z mężczyzną".

Była już trzecia w kolejce.

• • •

Wyszli, zostawiając Sinclair samą. Minęli drzwi Reachera i weszli do pokoju Neagley, żeby nie było ich słychać przez ścianę.

– Nie wiem, po cholerę przyjechała – powiedział. – Nie chce się zgodzić na obserwację, więc po co?

– Bo małe to małe, a żadne to żadne.

– Tylko że ona celowo stawia na żadne.

– Myślisz?

– Przecież widzę. O czym ty mówisz?

– Nieważne. Zrób sobie przerwę. W Wirginii wstaną dopiero za godzinę. Wtedy zadzwonimy. Rozmowa na pewno nas pocieszy.

• • •

Poszedł na spacer i wkrótce znalazł się na ulicy pełnej sklepów z męską odzieżą. Z paskami, rękawiczkami, zegarkami i portfelami. Ubrania i dodatki. Na czymś w rodzaju nieoficjalnego deptaka handlowego na otwartym powietrzu. Wstąpił do sklepu z podstawowymi artykułami i kupił świeżą bieliznę i nowy podkoszulek. Czarny, z dobrej bawełny. Kosztował cztery razy więcej niż w Stanach, ale przynajmniej pasował. Niemcy są wysocy. Nie aż tak jak Holendrzy, pod tym względem niepodważalni mistrzowie świata, ale wyżsi niż Amerykanie.

Przebrał się za kotarą i wrzucił stare ciuchy do kosza na śmieci. Tak jak mówiła Neagley: brak miliona drobiazgów. Oliwkowy podkoszulek leżał w koszu, kiedyś wydany, nigdy niezwrócony, niezniszczony ani nierozliczony. Nagle wyparował ze stanu i liczba podkoszulków w amerykańskich magazynach wojskowych już nigdy nie będzie się zgadzała.

Reacher poszedł dalej. W połowie ulicy, niczym ozdoba pośrodku zastawionego stołu, był zakład fryzjerski. Zrobiony na amerykański, z lat pięćdziesiątych albo sześćdziesiątych. Z dwoma winylowymi fotelami obłożonymi większą ilością chromu niż cadillac. I z dużym, starym radiem na półce. Lecz nie był to celowy marketing, tylko hołd. Amerykańscy żołnierze raczej się tu nie kręcili. A wojskowy fryzjer zawsze był tańszy. Omiótłszy przybytek wprawnym okiem, Reacher uznał, że zakład bardziej przypomina staromodną amerykańską restaurację, mimo to doceniał tę odważną próbę. Niektóre elementy wyposażenia wyglądały naprawdę nieźle. Na lustrze wisiały wzory fryzur. Amerykańskie. Reacher widział setki takich w Stanach. Czarno-białe szkice, dwadzieścia cztery głowy, każda inaczej ostrzyżona, żeby klient mógł którąś wskazać, zamiast tłumaczyć fryzjerowi, o co mu chodzi. W lewym górnym rogu była regulaminowa fryzura na jeża albo szczotkę, potem na marynarza, na miskę, na białe ściany i tak dalej. Im bliżej końca, tym włosy robiły się dłuższe, a fryzury dziwniejsze. Był tam również irokez oraz parę innych, w porównaniu z którymi irokez wyglądał jak wzór prawości i skromności.

Stojący za szybą fryzjer pokiwał na niego palcem.

– Ile? – spytał bezgłośnie Reacher.

Fryzjer podniósł rękę i rozczapierzył palce.

– Pięć czego? – spytał Reacher.

Fryzjer otworzył drzwi.

– Dolarów – odparł.

– Mój jest tańszy.

– Ale ja jestem lepszy. Mundur szyją panu na miarę, prawda?

– Wyglądam na takiego, co nosi mundur?

– No nie.

– Pięć dolarów? – powtórzył Reacher. – Pamiętam czasy, kiedy za piątaka można było kupić dwa hamburgery i dwa bilety w ostatnim rzędzie kina. Zostawało jeszcze na taksówkę dla dziewczyny, jeśli po drodze coś poszło nie tak. Golenie i strzyżenie kosztowało dwa dolary.

– Czy to wyraz uznania? – spytał fryzjer.

– Słucham?

– Powiedział pan to celowo?

– Czasem coś palnę, ale zwykle nie więcej niż jedną sylabę naraz.

– A więc celowo. Wyraził pan uznanie. Budował pan energię.

– Co robiłem? – nie zrozumiał Reacher.

– Podoba się tu panu.

– Chyba tak.

– W takim razie niech pan wesprze mój zakład pięcioma dolarami.

– Nie muszę się strzyc.

– Wie pan, jaka jest między nami różnica?

– Jaka?

– Ja widzę pańskie włosy od zewnątrz.

– No i?

– I powinien się pan ostrzyc.

– Za pięć dolców?

– Dołożę golenie. Gratis.

Golenie okazało się luksusowym doznaniem. Woda była ciepła, piana kremowa, brzytwa doskonała. Aż syczała, ścinając włoski na poziomie molekularnym. Lustro było przyciemnione, więc po skończonej robocie klient robił wrażenie opalonego w miejscach, gdzie ostrze go zaróżowiło. Ale w sumie wyszło nieźle. Powiedzmy, że za dolara, pomyślał Reacher. Co znaczy, że strzyżenie kosztuje cztery. Czyste zdzierstwo.

Fryzjer zmienił brzytwę na nożyczki. Reacher nie zwracał na niego uwagi, bo wciąż patrzył na wzory fryzur. Dwadzieścia cztery rodzaje. Po kolei powiódł po nich wzrokiem, nie poruszając głową, uważnie analizując je od pierwszej, tej najkrótszej, po ostatnią, fantastyczny „kaczy kuper" na drugim końcu skali.

Potem wrócił do irokeza.

– No i co? – spytał fryzjer.

– Ale co?

– Co pan myśli o nowej fryzurze?

Reacher spojrzał w lustro.

– Już pan skończył?

– Ma pan wątpliwości?

– Wszystko jest tak samo.

– O to właśnie chodzi. Najlepsza fryzura wygląda tak, jakby zrobiono ją tydzień temu.

– Więc płacę za coś, co już odrosło?

– To jest salon. A ja jestem artystą.

Reacher umilkł.

Jeszcze raz spojrzał na irokeza.

Potem wyjął z kieszeni pięć dolarów, dał je fryzjerowi i spytał:

– Jest tu telefon?

Fryzjer wskazał ścianę, na której wisiał stary automat telefoniczny Bella. Cały z metalu. Bardziej pasował do stacji benzynowej niż do zakładu fryzjerskiego, ale liczyły się dobre chęci.

– Działa?

– Oczywiście. Jesteśmy w Niemczech. Wymieniono mu wnętrzności.

Reacher wybrał numer z wizytówki Griezmana, tej z koperty z odciskiem palca. Usłyszał sygnał. Telefon rzeczywiście działał. Niemcy. Wymienione wnętrzności.

Griezman podniósł słuchawkę.

– Jesteśmy tylko zwykłymi detektywami – zaczął Reacher. – Pan mi odda przysługę, ja oddam przysługę panu, z tego żyjemy.

– Sprawdzi pan ten odcisk, tak?

– Pod warunkiem że coś pan dla mnie zrobi.

– Ale co?

– Właściwie to dwie rzeczy. Niech pan rozstawi ludzi wokół tego baru. Tego, do którego chodzi Klopp. W samochodach, z radiami. Niech wypatrują faceta z portretu pamięciowego. Ale nie rzucając się w oczy.

– A ta druga rzecz? – spytał Griezman.

– Pięć ulic dalej jest pewien blok. To samo. Samochody i radia. Dyskretnie. Prędzej czy później zjawi się tam młody Saudyjczyk. Posiedzi trochę w mieszkaniu, a potem wyjdzie na spotkanie. Chcę być informowany na bieżąco, dokąd idzie.

– Musiałbym załatwić mnóstwo ludzi i samochodów... – zaprotestował Griezman.

– To jest Europa – przypomniał mu Reacher. – Po to są.

– Kiedy?

– Natychmiast.

– To niemożliwe, muszę mieć czas na...

– Chce pan, żebym sprawdził ten odcisk, czy nie?

Niemiec zawahał się i odparł, że tak, chce, mówiąc to z dużo większym entuzjazmem, niż Reacher się spodziewał. Nie ma to jak duma zawodowa. Facet chciał jak najszybciej zamknąć sprawę.

– Pan postara się dla mnie, ja dla pana.

– Zgoda – powiedział Griezman.

Drugi telefon, do hotelu. Poprosił o połączenie z Neagley. Była w pokoju.

– Ściągnij Orozco – polecił, gdy odebrała. – Niech do mnie przyjedzie. Natychmiast. Wracam i pięć minut później idziemy do Sinclair.

– Ona wszędzie cię szuka. Ma coś dla ciebie.

– Co?

– Nie wiem. Coś od Vanderbilta. Jest cała podekscytowana.

– Powiedz Orozco, że jestem u fryzjera trzy ulice od hotelu. Niech się pospieszy.

– Ty też coś masz?

– Wiem, kim jest ten Amerykanin.

18

Fryzjer zrobił kawę. Reacher usiadł w fotelu, a on zaczął go wypytywać o wspomnienia z dawnej Ameryki. Pewnie z nadzieją, że tym sposobem odbuduje energię. Tymczasem tak naprawdę Reacher przeżył całe dzieciństwo poza granicami kontynentalnych Stanów Zjednoczonych. Był synem oficera piechoty morskiej, który służył w bazach wojskowych na całym świecie. Mały Jack jeździł razem z nim, z bratem i matką. Daleki Wschód, Pacyfik, Europa. Dziesiątki miejsc. Z czego na swój sposób skorzystał. Stara Ameryka zawsze była dla niego mitem. Więc powtórzył fryzjerowi te same zmyślone bzdury, którymi wtedy żył, o automatach z gumą balonową, cadillacach z wielkimi płetwami, o nieustannie świecącym słońcu, kinach samochodowych i kelnerkach na wrotkach, o cheeseburgerach i coca-coli w zielonych butelkach, o meczach baseballowych transmitowanych z Kansas City wśród szumów i trzasków z radiowego głośnika. Fryzjer uśmiechał się coraz szerzej i szerzej, jakby energia osiągnęła wreszcie odpowiedni poziom.

Potem zapiszczały opony i przed zakład zajechał Orozco. Reacher wstał, szybko wyszedł i wsiadł do samochodu.

– Ładna fryzurka – pochwalił go Orozco.

Reacher przeczesał ręką włosy.

– Widać, że się ostrzygłem?

– Podkreśla kości policzkowe. Panie oszaleją.

Reacher wyjął kopertę od Griezmana.

– Sprawdź ten odcisk.

– Gdzie?

– Na lądzie, morzu, w powietrzu i w piechocie morskiej. Tylko po cichu.

– Co się stało?

– Zamordowano prostytutkę. Miejscowi gliniarze myślą, że to ten facet.

– Są podstawy, żeby zakładać, że to amerykański wojskowy?

– Nie ma, ale zrobią coś dla mnie w rewanżu.

– Nie da rady, odpada.

– Dlatego powiedziałem, że po cichu. Wynik zobaczysz tylko ty, a potem tylko ja. Resztą zajmę się sam.

– Przychodzą do głowy dwa słowa: sąd i wojskowy – powiedział Orozco.

– Nie ma takiej możliwości – uspokoił go Reacher.

Orozco długo milczał. W końcu wziął kopertę. Ale bez słowa. Niczego nie obiecał, na wszelki wypadek. Zaprzeczać od samego początku. To zawsze dobry pomysł.

Odjechał, a Reacher ruszył spiesznie do hotelu.

• • •

Spotkali się w pokoju Sinclair. Wiadomością dnia było to, że porażony piorunem oddolnej inicjatywy Vanderbilt wziął portret pamięciowy Amerykanina, zawiózł go do hotelu oficerskiego w Fort Myer i pokazał Bartleyowi, podpułkownikowi, który nie chciał powiedzieć, co robił wiadomego dnia, i który wyprowadzał kasę z hipoteki, żeby rozwieść się z niczego niepodejrzewającą żoną. Bartley rozpoznał mężczyznę z portretu. Widział go na lotnisku podczas swojej przedostatniej wyprawy do Zurychu. Wracali tym samym samolotem do Hamburga. Dokładnie dwa tygodnie przed spotkaniem Amerykanina z Saudyjczykiem. Mężczyzna miał w ręku błyszczącą tekturową teczkę z kieszonkami, z logo jakiegoś banku. Taką, jaką dostaje się w okienku po otwarciu rachunku. Pułkownik ma podobną, ponieważ rok wcześniej wynajmował w Zurychu skrytkę.

– To jeszcze nie dowód – powiedziała Sinclair.

– Ale prawie – upierał się Reacher. – Klopp go widział i Bartley go widział, tego samego faceta. Myślę, że portret pamięciowy jest dobry. – Wyjął go z kieszeni i rozłożył. Czoło, kości policzkowe, głęboko osadzone oczy. Włosy koloru siana albo słomy w lecie. Normalnej długości z boków, lecz o wiele dłuższe pośrodku, jakby specjalnie wymodelowane. Coś w rodzaju czupryny, którą można przerzucać z boku na bok. Uczesanie à la Elvis Presley. – Jak się robi taką fryzurę? – spytał.

– Nie wiem – odparła Sinclair. – Chyba najpierw zapuszcza się włosy ze wszystkich stron, a potem mówi się fryzjerowi, jak mają wyglądać po strzyżeniu.

– Albo zaczynasz od irokeza i dopiero potem zapuszczasz. Po czterech miesiącach włosy są normalne z boków i długie pośrodku głowy, bo te pośrodku miały fory. Do tego czasu nosisz czapkę, żeby nie wyglądać jak idiota.

– Baseballową, z czerwoną gwiazdą – dodała Neagley.

– Pewnie Astrosów z Houston, bo jesteś z Teksasu. Nazywasz się Wiley i cztery miesiące temu dałeś nogę z jednostki obrony przeciwlotniczej kilkaset kilometrów na wschód stąd.

Sinclair milczała.

– I kupiłeś nowy paszport, żeby nie okazywać swojego – ciągnęła Neagley. – Co znaczy, że żandarmeria nigdy cię nie namierzy.

175

– Chyba za bardzo liczycie na te włosy – odezwała się Sinclair.

– Niech pani poprosi o teczkę personalną Wileya – powiedział Reacher. – I pokaże Kloppowi jego zdjęcie.

* * *

W tej samej chwili nowa wysłanniczka stała przed drzwiami mieszkania Saudyjczyków. Pierwszy raz w życiu widziała drzwi mieszkania i za chwilę miała do nich zapukać. Ale wiedziała, co się zaraz wydarzy. Dobrze ją wyszkolono. Wiedziała, że chociaż wyda jej się, iż mijają wieki, wszystko potrwa najwyżej pięć sekund. Raz, dwa, trzy, cztery, pięć. Tyle. Przeszła intensywne szkolenie. Pojechała nawet autobusem do miasta, pierwszy raz w życiu. Pierwszy raz w życiu widziała wyasfaltowane ulice. Godzinami wysłuchiwała monologów swoich bardziej doświadczonych towarzyszy, kłębiących się w ich głowach myśli, i wiedziała, co ma robić. Była przygotowana. Nie rzucała się w oczy. Popełniła parę drobnych błędów, lecz takie błędy popełniają wszyscy podróżni po wielu godzinach w samolocie. Idealnym zachowaniem wyróżniłaby się dużo bardziej.

Raz, dwa, trzy, cztery, pięć.

Drzwi się otworzyły.

– Tak? – spytał młody Saudyjczyk.

– Potrzebuję schronienia i azylu – powiedziała. – Nasza wiara nakazuje, żebyście mi pomogli. Tak jak pomagają braciom i siostrom nasi starsi i wyżej postawieni.

– Wejdź.

Weszła i Saudyjczyk zamknął drzwi.

– Zaraz – powiedział. – Naprawdę? Nie wierzę.

Dobrze ją wyszkolono.

– Więc lepiej uwierz – odrzekła. – Ten wysoki ustala strategię działania, ten gruby opracowuje szczegóły. W tym

176

przypadku chodziło o posłańca, którego nikt nie będzie o nic podejrzewał, ponieważ jest kobietą.

– Ten gruby?

– Ten po lewej stronie. Lata nad nim więcej much. – Nie ma to jak dobre wyszkolenie.

– W porządku, ale... Chociaż z drugiej strony, zawsze wiedzieliśmy, że chodzi o coś ważnego.

– Skąd? – Pierwszy raz w życiu była w mieszkaniu, lecz nie pierwszy raz groziło jej niebezpieczeństwo wynikające z nagle zerwanego sojuszu czy zwyczajnej zdrady. Pochodziła z terenów plemiennych. – Skąd wiedzieliście, że to ważne?

Młody Saudyjczyk milczał.

– Mój poprzednik wam powiedział?

– Wymienił cenę...

– I już nie żyje. Zabili go. Przysłali mnie w zastępstwie. Zakazali pytać o cenę. Nie lubią, kiedy ktoś ją zna. Dlatego szybko o niej zapomnijcie.

– Długo zostaniesz?

– Nie.

– Ciasno tu...

– Wielkie czyny wymagają wielkich poświęceń. Ale nie bądźcie zbyt ambitni. Słyszałam, że mojego poprzednika zabito młotkiem. To samo może spotkać was. Jeśli tak rozkażę. Albo jeśli nie wrócę do domu.

O tak, dobrze ją wyszkolono.

• • •

Sinclair poszła za jego radą. Otworzyła walizkę i wyjęła coś, co wyglądało dużo gorzej niż pierwszy telefon bezprzewodowy. Coś ciężkiego i topornego jak cegła.

– Telefon satelitarny – wyjaśniła. – Szyfrowany. Do rozmów z firmą.

Nacisnęła kilka guzików i po paru bipnięciach powiedziała:

– Proszę mi przysłać teczkę personalną starszego szeregowego Wileya, imię nieznane, od czterech miesięcy przebywającego na samowolnym oddaleniu się od jednostki macierzystej w Niemczech. Do Hamburga, natychmiast.

I rozłączyła się.

Rada Bezpieczeństwa Narodowego.

Klucze do królestwa.

Ktoś zapukał do drzwi.

Reacher pomyślał: kurczę, to jest dopiero tempo!

Ale nie.

Drzwi otworzyły się i do pokoju wszedł jakiś mężczyzna. Po sześćdziesiątce, ruchliwy, pełen werwy, średniego wzrostu i wagi, do tego szary garnitur, obcisła kamizelka i ciepła, przyjazna twarz, różowa i okrągła. Mnóstwo energii i początek uśmiechu na ustach. Ktoś, kto umie załatwiać sprawy i robi to z wielkim urokiem osobistym. Jak akwizytor, lecz akwizytor sprzedający coś trudnego do sprzedania. Na przykład skomplikowane instrumenty finansowe albo najnowszy model rolls-royce'a.

– Przepraszam – powiedział, zwracając się tylko do Sinclair. – Nie wiedziałem, że ma pani gości.

Amerykanin. Stary jankeski akcent.

Zapadła cisza.

– Przepraszam – połapała się Sinclair. – To jest sierżant Frances Neagley i major Jack Reacher z żandarmerii wojskowej, a to pan Rob Bishop, szef placówki CIA w naszym hamburskim konsulacie.

– Właśnie robiłem objazd – powiedział Bishop. – Równoległą ulicą, tą, z której widać okno Irańczyka. Lampa się przesunęła.

19

Nie chciał pozwolić, żeby tam pojechali i zobaczyli. Prze-jechał przed blokiem dwa razy, czyli o raz za dużo jak na jeden patrol. Ale musiał, bo coś było nie tak. Mimo to nie mógł ryzykować trzeciej przejażdżki. On wiedział, które to okno, oni nie. Musiałby bardzo zwolnić i je pokazać. Trzeci kurs z rzędu, czworo skulonych w samochodzie ludzi, którzy wyciągają szyje i zadzierają głowy? Odpada, zbyt oczywiste. Nie ma mowy.

– Co było nie tak? – spytał Reacher.

– Chłopak miał przesunąć lampę na środek parapetu. Ale przesunął tylko trochę, niedokładnie. To nie jest umówiony sygnał, w każdym razie nie do końca.

– Jak to można zinterpretować?

– Na trzy sposoby – odrzekł Bishop. – Po pierwsze, mógł mieć tylko pół sekundy. Błyskawicznie wejść, przestawić i wyjść. Albo uznał, że lampa stojąca dokładnie na środku rzuci się w oczy. Może ktoś cały czas wchodził i wychodził z jego pokoju. Mogliby zauważyć. Bo kto ni z tego, ni z owego przesuwa lampę w dniu, w którym odwiedził ich stary znajo-my? Ci ludzie nie są dekoratorami wnętrz. Mają na głowie inne rzeczy. Może po prostu doszedł do wniosku, że to zły pomysł.

179

– Nie zadzwonił?

– Pewnie nie może. Myślę, że siedzą tam teraz i gadają. Pamiętajcie, że bardzo ich to kręci.

– A trzecie wytłumaczenie? – spytał Reacher.

– Irańczyk próbuje nam coś powiedzieć.

– Na przykład co?

– Że coś się zmieniło – odparł Bishop. – Że nagle doszedł nowy element. Że niby jest tak samo, ale inaczej. Na przykład że posłaniec jest już w Hamburgu, ale do spotkania dojdzie gdzie indziej. Że ma pojechać do Bremy albo Berlina. I spotkają się w pociągu. Co byłoby sprytne, bo mogliby zamienić kilka słów na korytarzu i sprawa załatwiona. Albo znaczy to zupełnie coś innego, nie wiem.

– Mamy czterdzieści osiem godzin, żeby to ustalić – powiedziała Sinclair.

– Pod warunkiem że będą się trzymali starego harmonogramu – zauważyła Neagley. – A wcale nie muszą. To loteria. Wyjazd może ulec opóźnieniu. Oni budują siatkę, prawda? Wszędzie, w krajach Trzeciego Świata też. Dlatego muszą zakładać, że wyjazd potrwa dłużej, niż przewidywał plan. Jeśli samolot odlatuje o czasie, mają kilka dni luzu. Ale jeśli odlot jest opóźniony, do spotkania dochodzi natychmiast. Albo prawie natychmiast. Przynajmniej ja tak to widzę.

– Musimy wziąć ten budynek pod obserwację – powiedział Bishop.

– Nie da rady – odparła Sinclair. – Za duże ryzyko, nie możemy spalić dziupli.

– Bez tego będziemy ślepi. Facet nam się wyślizgnie, przegapimy stuprocentową okazję.

Reacher uniósł brwi. Niespodziewany sojusznik.

– Musimy myśleć o konsekwencjach, o przyszłości – upierała się Sinclair.

– Przyszłość to przyszłość, a teraźniejszość to teraźniejszość.

– Nie da rady – powtórzyła.

– Da – przerwał im Reacher. – Już dało.

– Co takiego?

– Naczelnik Griezman zgodził się ich obserwować. Wysłał tam tajniaków w samochodach. Są nieźli. Widzieliśmy, jak pracują. A raczej nie widzieliśmy.

Sinclair zbladła. Głównie z gniewu, pomyślał Reacher.

– Kiedy ma zacząć? – spytała.

– Chciałby dziś po południu. Jeśli zdąży.

– Dlaczego się zgodził?

– Bo go o to prosiłem.

– W zamian za co?

– Kazałem sprawdzić ten odcisk palca.

Sinclair wstała.

– Panie majorze, muszę z panem porozmawiać.

– Przecież rozmawiamy.

– Na osobności.

– Idźcie do mojego pokoju – poradziła Neagley. – Nie będzie słychać.

Rzuciła jej klucz, miękkim łukiem od dołu, a Sinclair bez trudu złapała go jedną ręką.

– Proszę za mną, majorze.

Wyszli. Korytarz, drzwi – przecięła pokój, stanęła przy oknie i odwróciła się na tle wpadającego przez okno słońca.

Wyższa od przeciętnej, lecz nie szersza.

Czarna sukienka, perły, nylony i eleganckie szpilki.

Twarz i przeczesane ręką włosy.

Całkiem, całkiem.

– Nie posłuchał pan rozkazu.

– Nie pamiętam, żeby mi jakiś wydano – odparł. – Szczerze mówiąc, po tym, jak prezydencki doradca do spraw bezpieczeństwa narodowego powiedział, że da nam wszystko, czego zażądamy, przestałem cokolwiek pamiętać. A ta obserwacja jest konieczna. Inaczej możemy mieć rok w plecy. Bez ludzi Griezmana to będą zwykłe poszukiwania. Żołnierza, który zwiał z jednostki cztery miesiące temu i zdążył zafundować sobie nowiutki zagraniczny paszport. A zamiast tego możemy mieć Saudyjczyka w różowej koszulce z krokodylkiem i w butach ze spiczastymi noskami, który zaprowadzi nas prosto do celu. Kto by na to nie poszedł? Po co nam przyszłość, jeśli jej nie dożyjemy?

– A więc złamał pan prawo tylko dlatego, że miał pan ku temu dobre powody, a przynajmniej tak pan myślał. Pan i wszyscy pozostali. Jest mnóstwo dobrych powodów, majorze, aż za dużo. Właśnie dlatego stworzyliśmy specjalną strukturę, której zadaniem jest wybieranie tych najlepszych, jeśli ze sobą kolidują. Tą strukturą jest Rada Bezpieczeństwa Narodowego, która rozstrzyga o wadze poszczególnych spraw i ich priorytecie. Przekreślił pan właśnie rok ciężkiej pracy, majorze. Powinien pan podać się do dymisji. I to jeszcze zanim zamelduję o tym przełożonym. Lepiej pan na tym wyjdzie.

– Dobrze – powiedział Reacher. – Jeśli okaże się, że zawaliłem, zrzucę mundur.

– Przekreślił pan również czterdzieści lat historii precedensów prawnych stanowiących o tym, które bazy danych są tajne, a które nie. Już za samo to grozi sąd wojskowy. Popełnił pan przestępstwo federalne.

– Dobra. Jeśli okaże się, że zawaliłem, przyznam się do winy.

– Jest pan winny bez względu na to, co się okaże.

– Nie, to nie tak. Jeśli wszystko pójdzie dobrze, dostanę Legię Zasługi.

– To jakiś żart?

– Nie, hazard. Jak dotąd wygrywam. Posłaniec jest w Hamburgu. Prawdopodobieństwo tego, że wróci, było jak dziesięć do jednego. A ja właśnie zgarnąłem garść żetonów ze stołu.

Jesteśmy na fali, trzeba grać dalej. Griezman jest w porządku. Nie spali dziupli Saudyjczyków. Ci chłopcy są bardzo pewni siebie. Nie zwracają na nic uwagi. Mieszka z nimi gość, który potajemnie gdzieś wydzwania i bez powodu chodzi wieczorami do parku, a oni nic, nie widzą tego i nie reagują. Dlaczego mieliby zauważyć samochód parkujący sto metrów od bloku?

Sinclair machnęła ręką, jakby nie o to chodziło.

– Ten odcisk palca to poważna sprawa, majorze. Z punktu widzenia prawnego i politycznego. Nie da się tego wymazać.

– Obietnicę sformułowałem bardzo ostrożnie. Powiedziałem tylko, że dam go do sprawdzenia. Nic więcej. Nie powiedziałem, że podzielę się wynikami. Małe oszustwo, owszem, ale hej: witajcie w pierwszej lidze. Dla takich jak ja to jest jak hazard. Zawsze. Gdzie drwa rąbią, tam wióry lecą, ale jeśli drewno można potem wykorzystać, wszystko się nam wybacza.

– A jeśli nie można?

– Jestem zawsze otwarty na nowe doświadczenia.

Sinclair powstrzymała się od komentarza.

– Jeżeli coś nie wypali, złoży pani na mnie raport – ciągnął Reacher. – Przedstawi pani dowody w sądzie. I ja to rozumiem. Zrobi to pani dobrowolnie. Rozumiem i to. Dowodzi pani nami, lecz nas nie aprobuje. Nie chcę pani urazić, ale grałem w tę grę wiele razy.

– A jeśli wszystko wypali?

– Wtedy nie złoży pani raportu i nie będzie procesu. Pani dostanie wspaniały list pochwalny, a ja kolejny medal.

– A pana zdaniem jak będzie? – spytała.

– Szczerze?

– Wyłącznie.

– Już po sprawie. Chodzi o zwykłego trepa na samowolce. On jest tutaj i ja jestem tutaj. Mogę iść do okienka po kasę.

– Zawsze jest pan taki pewny siebie?

– Kiedyś byłem.

– A teraz?

– Zrobiłem się jeszcze bardziej bezczelny.

– Sypia pan z sierżant Neagley?

– Nie. To by było niestosowne. I źle widziane. Zwłaszcza przez nią.

– Ona szaleje za panem.

– Jakoś się dogadujemy. Jak przyjaciel z przyjaciółką i kolega z koleżanką.

Sinclair umilkła.

Ktoś zapukał do drzwi. O wilku mowa, pomyślał Reacher. Neagley przyszła sprawdzić, czy Sinclair jeszcze go nie zabiła. Albo Bishop, żeby sprawdzić, czy on nie zabił Sinclair. Reacher wstał, stanął z boku i nacisnął klamkę. Z dala od linii ognia.

Lata praktyki.

Ani Neagley, ani Bishop.

W progu stał młody Amerykanin w garniturze z domu towarowego i krawacie z Brooks Brothers. W ręku trzymał plastikową torbę na zatrzask. Musiało być w niej co najmniej ćwierć ryzy papieru. Taką miała grubość. I sztywność.

– Dla pani doktor Sinclair – powiedział. – Z konsulatu. Dokumenty, o które prosiła.

Szybko.

Jak cholera.

Reacher wziął torbę i podał ją Sinclair. Młody w garniturze odszedł w stronę schodów. A oni wrócili do Neagley i Bishopa.

• • •

Sinclair rozpięła torbę i zapachniało wciąż ciepłym papierem z kserokopiarki. Najpierw rozpętała się pewnie burza telefonów, a potem ruszył przekaz danych cyfrowych albo

z Departamentu Kadr Wojskowych w Stanach, albo ze Stuttgartu bezpośrednio do hamburskiego konsulatu, gdzie szybkie
maszyny zaczęły szybko wypluwać kartkę za kartką, które
młody attaché w krawacie z Brooks Brothers jeszcze szybciej
zbierał i wkładał do torby, by następnie zapiąć ją i złapać
taksówkę. Rada Bezpieczeństwa Narodowego. Szybsza niż
wojskowa służba prasowa.

Były to wyraźne, czarno-białe kopie akt personalnych
starszego szeregowego Horace'a Wileya, trzydziestopięciolet-
niego żołnierza z Sugar Land w Teksasie, który kończył
właśnie pierwsze trzy lata służby. Zaciągnął się do wojska
jako trzydziestodwulatek. Miał metr siedemdziesiąt wzrostu
i był drobnej budowy ciała. Jak długodystansowiec.

Na drugiej stronie było jego zdjęcie przypięte spinaczem
do prawego górnego rogu. Nie małe, paszportowe, jak za
dawnych lat, tylko większe. Siedem i pół na pięć centymetrów.
Kserokopiarka jeszcze bardziej rozjaśniła jasne miejsca, zmieniając je w płynny neon, a cienie w sadzę. Spinacz wyglądał
jak sfotografowany kawałek radioaktywnego drutu.

To był ten sam mężczyzna.

Dzięki niedoskonałościom procesu kopiowania zdjęcie
wyglądało jak odręczny szkic węglem. Jak portret pamięciowy. Identyczne podobizny, ta sama osoba. Bez żadnych wątpliwości czy niepewności. Czoło, kości policzkowe, głęboko
osadzone oczy. Ostry jak brzytwa nos. Idealnie prosta bruzda
na policzku. Zarys szczęki, zaciśnięte zęby. Wąska rana
pozbawionych wyrazu ust.

Tylko włosy były inne. Zdjęcie zrobiono przed trzema laty.
Horace-bez drugiego imienia-Wiley wstąpił do wojska ostrzyżony prawie na łyso, jak typowy wieśniak, zgodnie z rozpo-
rządzeniem armii Stanów Zjednoczonych numer 670-3-2.
Skrajność, ekscentryczność i uleganie chwilowej modzie
miały dopiero nadejść.

– Pokażemy zdjęcie panu Kloppowi – powiedziała Sinclair. – Ale nie ma żadnych wątpliwości. Moje gratulacje, majorze. I pani sierżant. Wspaniała robota. Zaczynaliście od dwustu tysięcy.

Reacher westchnął.

– Tylko dlatego, że ktoś napisał idiotyczną notatkę służbową o idiotycznym telefonie, która jakimś cudem przebiła się przez siedem poziomów biurokracji, zanim trafiła do naszych agend rządowych. Ciągle próbujemy ograniczać biurokrację, a tu proszę. Może jednak trzeba to przemyśleć.

– Co teraz?

– Czekamy, aż młody Saudyjczyk w różowej koszulce polo i szpiczastych butach pójdzie na spacer.

20

Sugar Land – tak chciał nazwać swoje nowe ranczo. Albo Sugarland, pisane razem. Nie, żeby chciał uprawiać trzcinę cukrową. To była kraina stworzona do hodowli bydła. A on będzie miał największe stado na świecie. I najlepsze. Ale musi zacząć od tablicy z nazwą na bramie wjazdowej. Koniecznie z elegancko kutego żelaza. Może pomaluje ją farbą gruntową i tak zostawi? Hm, SUGAR LAND wyglądałoby chyba najlepiej. Wielkimi literami. Albo pisane razem: SUGARLAND. Będzie to hołd złożony jego dawnym aspiracjom. Kiedyś próbował zrobić tam karierę. Ale Sugar Land było starym, niedzisiejszym miastem. A teraz kupował ranczo większe niż ta dziura wraz z okolicznymi przystawkami.

I bardzo dobrze.

To było jak spadanie, długie, bardzo długie swobodne opadanie. Początkowo z tym walczył, potem przestał. I zaczął spadać jeszcze szybciej. A wraz z nim spadało wszystko dookoła. Dlatego był gotowy dużo wcześniej, niż przewidywał. Na spotkanie. Czuł, że musi. Zwłaszcza teraz. Wiedział, że końcówka będzie szybka. Jak zawsze.

• • •

W obecności Sinclair zadzwonił do Griezmana z przełączonego na głośnik telefonu, podał mu nazwisko Wileya, powiedział, że o ile mu wiadomo, posłaniec już przyjechał, następnie omówił niezbędne procedury dotyczące sposobów kontaktowania się i wzajemnego ostrzegania, a przede wszystkim zachowania środków ostrożności w okolicach dziupli. Tak, mieli być ostrożni, ale nie do tego stopnia, żeby coś przegapić. Trudne zadanie. Ale wydawało się, że Griezman ma wszystko pod kontrolą. Przystał na jego warunki. Mówił przekonującym językiem i Reacher zauważył, że Sinclair trochę się odprężyła. Nagle spojrzała mu prosto w oczy – nie wiedział dlaczego. Albo z aprobatą, bo ich szalony plan mógł jednak wypalić, albo z naganą, bo ją w to wciągnął.

Potem Bishop wrócił do konsulatu, a Reacher przeszedł z Neagley do swojego pokoju, żeby dokładnie przewertować teczkę Wileya. Od razu nasunęło im się pytanie, dlaczego facet czekał do trzydziestego drugiego roku życia, aby wstąpić do wojska. Nietypowe. Ale nie znaleźli notki z biura werbunkowego ani niczego, co by to wyjaśniło. Neagley zadzwoniła do Landry'ego w McLean i zasugerowała, żeby natychmiast zaczął prześwietlać jego przeszłość. Trzydzieści dwa lata – od dnia urodzin do dnia, w którym włożył zielony mundur. Musiał istnieć jakiś powód.

Nawet jeśli nie najmłodszy, to na pierwszy rzut oka Wiley robił nieodbiegające od normy postępy. Bez trudu ukończył szkolenie podstawowe, co wskazywało, że miał do tego smykałkę i był sprawny fizycznie. Awansował na starszego szeregowego, co znaczyło, że wciąż żył i służył. Wysłano go do Fort Sill, do szkoły artyleryjskiej, na egzaminy kwalifikacyjne. Został przeszkolony i wraz z jednostką obrony przeciwlotniczej przerzucony do Niemiec.

– Wszystko pasuje – powiedziała Neagley.

Reacher kiwnął głową, bo według niego też pasowało.

Suche notatki w aktach były czymś więcej niż znakami na papierze. Były jak statystyczne podsumowanie osiągnięć baseballisty, na podstawie których można napisać bardzo ciekawą historię. Najpierw wydarzyło się to, potem to. Punktem zwrotnym była bez wątpienia szkoła artyleryjska. Miejsce nie dla głupków i wymoczków. Wiley musiał okazać się niezłym żołnierzem. Ukończył ją pewnie jako jeden z najlepszych w roczniku. Nie należał do kursanckiej elity, ale może jego dowódca dostrzegł w nim ukryte talenty. Albo je zmyślił. Niektórzy kwalifikowali podwładnych na podstawie bzdurnych uprzedzeń. Jak na przykład, że leworęczny nie może być snajperem, a niski i chudy powinien zostać artylerzystą. I tak dalej. W każdym razie oceniono go właściwie. Wiley się nadawał, i to do niełatwej służby. Chaparral jest dziwaczną machiną. Żeby odpalić rakietę, trzeba zatrzymać i rozłożyć wyrzutnię, może nie do końca, ale prawie. Potem składa się ją, jedzie dalej i znowu rozkłada. Obsługująca ją załoga jest jak ekipa mechaników w pit-stopie na wyścigach Nascar. Żołnierze za każdym razem wykonują skomplikowany balet wyliczony do jednej dziesiątej sekundy, bo nadlatujący samolot może przez ten czas pokonać spory dystans. Tworzą idealnie zgrany zespół, są niemal jak gimnastycy. A Wiley się do nich załapał. Może rzeczywiście pomógł mu niski wzrost i szczupła sylwetka. Tak, był dobrym żołnierzem, bez dwóch zdań. Ale służba w tej jednostce zamykała drogę do dalszej kariery. Po trzech latach wciąż był starszym szeregowym. A dywizje pancerne już nie werbowały. Pierwsza linia frontu odeszła w siną dal.

Czy to go zaskoczyło?

– Czy żandarmi, którzy go poszukiwali, kiedy poszedł na samowolkę, rozmawiali z jego kolegami? – spytał Reacher.

Neagley kiwnęła głową.

– Już poprosiłam o stenogramy.

– Co on, do cholery, sprzedaje?

Puściła to pytanie mimo uszu.

– Sinclair się wściekła?

– Mniej, niżby mogła – odparł. – Spaliłem dziuplę.

– Jakim cudem? Griezman nie zawali.

– Moje słowa. Ale nie dała się przekonać. Wtedy coś do mnie dotarło. Dziupla Saudyjczyków spaliła się w chwili, kiedy Griezman o niej usłyszał. Proste. Przestała być tajemnicą. O to jej chodziło. I dobrze ją rozumiem. Prędzej czy później pan naczelnik zawiadomi służby wywiadowcze. Tak pracuje, zresztą taki ma obowiązek. A wtedy Niemcy zechcą coś z tego mieć. To ich teren. A gdzie kucharek sześć... Zanim się spostrzeżemy, ich samochody będą parkowały przed dziuplą podwójnym szpalerem. Moja wina.

– Chyba że dorwiemy Wileya.

– Tak, wspomniałem i o tym. Ale to nie rozwiązuje jej problemu. Złapiemy go czy nie, Niemcy już o tej dziupli nie zapomną.

– I tak byśmy im powiedzieli. Prędzej czy później. Za rok czy za dwa. Zrobi się z tego międzynarodowa chryja. Zobaczysz. Będziemy tak współpracowali, że tyłki nam spuchną. Ty zacząłeś, to wszystko.

– Powiedziała, że najgorszy jest ten odcisk palca. Popełniłem przestępstwo federalne.

Neagley machnęła ręką.

– Bez znaczenia. Jeśli go dopadniemy.

– Albo jeśli zrobię kuku Griezmanowi. Ukradnę wyniki jego pracy, nie dając mu nic w zamian.

– Prosiła cię o to?

– Sam z tym wyszedłem. Obiecałem, że wrzucę ten odcisk na bęben, nic więcej. Ciekawe, dlaczego wybrałem akurat te słowa?

– Że tylko wrzucisz? Chciałeś się podświadomie wykręcić. Jakby co.

– Fatalne uczucie.

Uniosła brew.

– W więzieniu czułbyś się lepiej?

– Gliniarz z wydziału zabójstw natrafia na odcisk palca mordercy. I co ja mam robić?

– A co chciałeś?

– Pomyślałem, że jeśli nasi nic nie znajdą, powiem mu, że spudłował, a jeśli znajdą, zagram na czas. Że załatwię to bezpośrednio. Wtedy nikt nie dałby ciała, a ja nie złamałbym prawa. Z czego bym się ucieszył, bo szanuję prawo. I lubię mieć wpływ na to, czy nasi stają przed obcym sądem, czy nie. Dlatego dwa razy błędnie oceniłem sytuację.

– Dlaczego?

– Cena – odparł Reacher. – Te sto milionów. Ciągle stoi mi przed oczami. To mnóstwo pieniędzy. Priorytet. Tak, na pewno, ale ja ciągle to wyolbrzymiam, nie mogę myśleć o niczym innym.

– Widzę.

– Co widzisz?

– Jak myślisz, dlaczego Sinclair się nie wściekła? – spytała Neagley.

– Może w duchu się ze mną zgadza.

– Nie. Bo się jej podobasz.

– Wracamy do ogólniaka czy co?

– Mniej więcej.

– Aha.

– Wiem, co mówię – ciągnęła Neagley. – Ona była tam, ty tutaj. I nagle ona też jest tutaj. Nie trzeba do tego geniusza. Małe to małe, a żadne to żadne. Jest samotna. Mieszka w wielkim, pustym domu na przedmieściach.

– Skąd wiesz?

– Nie wiem, zgaduję.

– Nie sądzę, żebym się jej podobał. Przeciwnie.

– A ona ci się podoba?

– A ty kto? Moja mama?

– Powinieneś był jej słuchać.

– Kogo?

– Mamy. Była Francuzką. Francuzki to damy, znają życie.

– O czym my właściwie gadamy?

Ale Neagley nie odpowiedziała, bo zadzwonił telefon. Griezman. Reacher przełączył się na głośnik. Niemiec zameldował, że jego ludzie są już na pozycjach i że od tej chwili można oficjalnie uznać obserwację za rozpoczętą. W klatce schodowej mieściło się sześć niezależnych lokali, po jednym z każdej strony schodów na pierwszym, drugim i trzecim piętrze. Według listy lokatorów, mieszkała tam również rodzina turecka i włoska – dyplomaci – oraz trzy rodziny niemieckie z zamożnej klasy średniej. Z tyłu było wyjście ewakuacyjne, które na wszelki wypadek obstawiali detektywi w dodatkowym samochodzie, ale z którego nikt nie będzie prawdopodobnie korzystał. Nie leżało to w miejscowym zwyczaju i ci z dziupli musieli o tym wiedzieć. Chcieli się dostosować, a nie odstawać.

– Dziękuję – powiedział Reacher. – Udanych łowów.

– Długo będzie pan nas potrzebował? – spytał Griezman.

– Najwyżej czterdzieści osiem godzin.

– Wiadomo już coś o tym odcisku?

Reacher lekko się zawahał.

– Nie, jeszcze nie.

– Dlaczego to tak długo trwa?

– Wkrótce coś dostaniemy.

– Wiem – powiedział Niemiec. – Ufam panu.

21

W McLean w Wirginii był ranek, sześć godzin wcześniej, i Waterman sprawdzał już z Landrym przeszłość Wileya. Mieli jego numer służbowy, który – zgodnie z wymogami nowoczesności – był dokładnie taki sam jak numer ubezpieczenia społecznego, co z kolei umożliwiało dotarcie do wielu rejestrów. Rzeczą najbardziej oczywistą i sugestywną okazały się cztery aresztowania, jakich w latach osiemdziesiątych dokonano w Sugar Land w Teksasie, na południowy zachód od Houston. Najwyraźniej żadne z nich nie doprowadziło jednak do skazania. Ktoś, kto skutecznie wpadł za pierwszym razem, nie grasowałby na wolności, popełniając kolejne trzy przestępstwa. Ale nie ma dymu bez ognia. Landry wgryzł się w szczegóły. Powodem wszystkich czterech aresztowań było paserstwo. Domniemane, bo wszystkie sprawy umorzono z braku dowodów. Prokuratura nie chciała wnieść oskarżenia. Świadkowie złożyli mętne zeznania. Możliwe, że nie kłamali. Nie było dowodów na mataczenie czy zastraszanie. Wiley miał fart. Albo był cholernie ostrożnym paserem. Po ostatnim aresztowaniu przez pięć lat nie dopuścił się żadnych zabronionych czynów. Potem wstąpił do wojska.

– Trzeba zawiadomić Sinclair – powiedział Landry. –

Mamy potwierdzenie. Ten facet jest paserem, kradnie i sprzedaje. To jego sposób na życie.

– Tylko że Reacher twierdzi, że nie da się ukraść czegoś, co jest warte sto milionów dolarów, bo czegoś takiego po prostu nie ma – zauważył Waterman.

– Musi być.

– Może, ale jedna osoba z tym sobie nie poradzi. Sprzęt wojskowy? Wszystko jest za duże. Poza tym jaskiniowcy nie umieliby tego obsługiwać.

– No to informacje wywiadowcze.

– Do których dostęp ma zwykły trep?

– Aha, więc wstąpił do wojska, bo jest patriotą, tak?

– Może za radą sędziego. Albo będziesz służył ojczyźnie...

– Albo?

– Albo czeka cię piąta runda z prokuraturą. Wiley mógł dojść do wniosku, że szczęście musi go kiedyś opuścić.

– W aktach nic o tym nie ma – zauważył Landry.

– Pewnie, że nie ma. Sędzia powiedział mu to na ucho. Tak wtedy było.

– To są lata dziewięćdziesiąte.

– Może nie w Sugar Land.

– Ten facet spotkał się z Saudyjczykiem. A teraz spotyka się z nim znowu. Musi być jakiś powód.

• • •

Neagley poszła do siebie, ale Reacher został, wiedząc, że Griezman zadzwoni najpierw do niego. Na sto procent. Z czystej uprzejmości. Ty mi oddasz przysługę, ja ci oddam przysługę, jesteśmy tylko zwykłymi detektywami. Sinclair będzie druga. Ale telefon nie dzwonił.

Reachera swędziała szyja, jak to po strzyżeniu. Zdjął i wytrzepał nowy podkoszulek. Potem rozebrał się do naga i wziął prysznic, nie zamykając drzwi, wystawiając z wody to jedno

194

ucho, to drugie. Telefon wciąż nie dzwonił. Reacher wytarł się, ubrał i wyjrzał przez okno. Potem usiadł w zielonym fotelu. Telefon milczał.

Ktoś zapukał do drzwi.

Sinclair.

Wyższa od przeciętnej, lecz nie szersza. Czarna sukienka, perły, nylony i eleganckie szpilki. Twarz i przeczesane ręką włosy.

– Pomyślałam, że to najlepsze miejsce – powiedziała. – Griezman najpierw zadzwoni do pana.

W dodatku niegłupia.

– Chcę panią przeprosić. Dwa razy błędnie oceniłem sytuację. Nie chciałem być nieuprzejmy.

– Mogę wejść? – spytała.

– Oczywiście.

Stanął z boku, minęła go i poczuł zapach jej perfum. Spojrzała na telefon i usiadła w jego fotelu.

– Nie uraził mnie pan. Miał pan coś załatwić i pan to załatwił, po to pana zwerbowaliśmy. Niczego nie żałuję. Ale martwię się o pana.

– O mnie? Dlaczego?

– Ma pan rację. Każemy wam coś zrobić i jeśli wszystko idzie dobrze, przypisujemy sobie zasługę, ale jeśli jest źle, zostajecie sami. To musi być stresujące. Tak jak to, co robił pan w Bośni. Wątpię, żeby miał pan miłe wspomnienia.

– Nie, przeciwnie.

– Formalnie rzecz biorąc, popełnił pan podwójne zabójstwo.

– Ten pierwszy był dowódcą jakiejś bandy – powiedział Reacher. – Ten drugi jego zastępcą. Dla przykładu aresztowali znanego piłkarza, ulubieńca swoich wrogów, gwiazdora miejscowej społeczności. Przykuli go do kaloryfera i pogruchotali mu nogi młotem kowalskim. Szczególną uwagę zwracali na kolana i kostki u nóg. Potem zostawili go na godzinę, żeby pomyśleć. Jeszcze potem przywlekli do pokoju dwa materace. A potem jego żonę i córkę. Za drzwiami stanął w kolejce cały batalion. Zgwałcili je na śmierć, na jego oczach. A on przez cały czas walił głową w kaloryfer. Chciał się zabić. Na próżno. Żona wytrzymała prawie dwadzieścia cztery godziny. Córka zmarła po sześciu. Wykrwawiła się. Miała osiem lat. Przez dwa tygodnie szukałem potwierdzenia faktów, widziałem te materace. Dlatego pociągając za spust, czułem się bardzo dobrze. Jak ktoś, kto wyrzuca śmieci do kubła. Zabawne to może nie jest, ale potem ma się przynajmniej czysty i schludny garaż. To daje satysfakcję.

– Przepraszam – powiedziała. – Przykro mi.

– Przykro?

– Że na świecie dochodzi do takich rzeczy.

– Trzeba przywyknąć. Może być tylko gorzej.

Sinclair poprawiła się w fotelu.

– Dostałam wiadomość od Watermana. Wiley ma na koncie cztery aresztowania za paserstwo. Wywinął się, ale wie pan, czym skorupka...

– Super – mruknął Reacher. – A teraz jest w wojsku.

– A wojsko ściąga do magazynów sprzęt, ponieważ linia frontu nagle zniknęła. Środki bezpieczeństwa też nie są już takie jak kiedyś. Stare nawyki trudno wykorzenić.

– Ale co? Co takiego ukradł i co chce sprzedać?

Nie odpowiedziała.

Telefon wciąż nie dzwonił.

Ktoś zapukał do drzwi. Znowu.

Boy hotelowy.

A raczej girl. W zgrabnym mundurku i czapeczce. Przyniosła przesyłkę. Białą kopertę. Dużą. Nieoznakowaną. Było w niej co najmniej ćwierć ryzy papieru. Taką miała grubość. I sztywność.

– Dla pana – powiedziała.

– Od kogo? – spytał.

– Nie wiem, nie podał nazwiska.

– Jak wyglądał?

– Nie przyglądałam się. Chyba zwyczajnie, jak Amerykanin.

Ktoś od Orozco, pomyślał Reacher. Bo na pewno nie sam Orozco. Za bardzo rzucałby się w oczy. Może jego sierżant. Ten, który siedział za kierownicą opla. Zaprzeczać od samego początku. Na wszelki wypadek. Wziął kopertę.

– Dziękuję.

Dziewczyna odeszła w stronę schodów. Reacher otworzył kopertę i zajrzał do środka. U jego boku stanęła Sinclair. Znowu poczuł zapach jej perfum. Rozsunął kciukiem leżące na wierzchu kartki. Przeczytał kilka pierwszych linijek. Dobrze je znał. Była to kopia kopii akt Wileya. Pod każdym względem identyczna, z wyjątkiem tego, że zrobiono ją na kopiarce, w której brakowało tonera. Bladym drukiem. Horace-bez drugiego imienia-Wiley nieco wypłowiał.

– Od kogo? – spytała Sinclair.

– Od Orozco. Tylko on wie, że tu jestem.

– Ale po co przysłał drugą kopię?

– Pani dostała swoją z Kolegium Połączonych Szefów Sztabów?

– Tak.

– Może Orozco coś o tym słyszał. I pomyślał, że to duża sprawa. Piknik generałów, którzy ni z tego, ni z owego biorą pod lupę starszego szeregowego. Kazała pani przysłać akta do Hamburga. Może chciał mnie ostrzec. Albo dać mi fory. Bo wie, że tu jestem. Ale nie wie, że już te akta widziałem.

– Przeciek w Kolegium Połączonych Szefów Sztabów? Niemożliwe.

– To może w Stuttgarcie – myślał na głos Reacher. – Albo w wydziale kadr w Stanach. Orozco ma przyjaciół w wielu miejscach. I wesołe usposobienie. Jest lubiany.

Rzucił kopertę na łóżko. Sinclair wciąż stała tuż obok niego. Bardzo blisko. Czuł zapach jej perfum. Czarna sukienka, perły, nylony i eleganckie szpilki. Twarz i włosy.

Telefon nie dzwonił.

– Denerwuję się – powiedziała. – Tym czekaniem.

On się nie odezwał.

– Nie mogę się odprężyć.

Reacher milczał.

– Pan też się denerwuje?

Tak, pomyślał, jak cholera.

– Nie – odparł. – To nie pomaga.

– Był pan u fryzjera.

– Tam wpadłem na pomysł z Wileyem. Na lustrze wisiał szkic jego fryzury.

– Ładnie pana ostrzygł.

– Mam nadzieję. Zapłaciłem pięć dolarów.

– Tanio.

– Tanio?

– Niech pan wpadnie kiedyś do mojego salonu w Waszyngtonie.

– Pani fryzura jest bardziej skomplikowana.

Sinclair umilkła.

Patrzyła na niego bez słowa.

– Mogę? – spytał.

Nie odpowiedziała. Podniósł rękę i ledwie musnąwszy jej czoło, wsunął palce we włosy i delikatnie je przeczesał. Gęste i miękkie, unosiły się falami i opadały, lecz odgarnął je do tyłu, część zakładając za ucho, część zostawiając.

Wyglądały dobrze.

Zabrał rękę.

Spytał:

– Tak się pani czesze, prawda?

– Została jeszcze druga strona.

Zrobił to drugą ręką, tak samo, ledwo muskając czoło, głęboko wsuwając palce i delikatnie przeczesując nimi włosy. Tym razem zostawił dłoń tam, gdzie dotarła, na smukłym, ciepłym karku. Położyła mu rękę na piersi. W pierwszej chwili pomyślał, że w geście ostrzeżenia. Zakazu. Że to coś w rodzaju znaku stop. Ale potem jej dłoń drgnęła. Zaczęła poruszać się badawczo, najpierw z boku na bok, potem w górę i w dół, by w końcu spocząć na jego karku, w miejscu, gdzie swędziała go skóra pod świeżo ściętymi włosami. Ona podniosła głowę, on się pochylił i pocałowali się, najpierw ostrożnie, potem mocniej. Miała chłodny, niespieszny język. I otwarte oczy. Wymacał zamek błyskawiczny na jej plecach. Malutką metalową łezkę. Przesunął ją między łopatkami aż za krzyż, poniżej talii.

– Czy to dobry pomysł? – spytała z ustami na jego ustach.

– Myślę, że bardzo – odparł. – Wyraźnie to czuję.

– Na pewno?

– Mam zasadę, że na tego rodzaju pytania lepiej jest odpowiadać później. Doświadczenie bije na głowę wszelkie domysły. Zawsze.

Uśmiechnęła się, lekko pochyliła i sukienka zsunęła jej się z ramion. Miała na sobie czarny koronkowy stanik i czarne rajstopy. No i była w eleganckich szpilkach. Ujęła brzeg jego podkoszulka i stając na palcach, zdjęła go przez głowę. Upadł tuż za nim. Rozpięła mu pasek, a on zrzucił buty. Ona też. Potem powoli zdjęła rajstopy. Pod spodem miała czarne koronkowe majteczki. Cieniutkie, prawie niematerialne. Zsunęła mu spodnie, a on z nich wyszedł. Pocałowali się znowu i niczym czworonożny stwór chwiejnie dotarli do łóżka. Pchnęła go na kopertę od Orozco, położyła się na nim, a gdy rozpiął jej stanik, przetoczyła się na bok i zdjęła majtki. On też, unosząc i przekrzywiając biodra. Wtedy wróciła na poprzednią pozycję i zaczęła go ujeżdżać jak kowbojka, z wypchniętymi do przodu biodrami, odchylonymi ramionami i zamkniętymi oczami. On oczu nie zamknął, bo było na co popatrzeć. Miała jasną skórę, tu i ówdzie kilka pieprzyków i piegów, małe piersi, twardy, płaski brzuch i ładnie umięśnione uda. I sznur pereł na szyi, który kołysał się i podskakiwał. Zagłębienie między obojczykami błyszczało od potu. Ręce trzymała z tyłu, z dala od ciała. Zgięte nadgarstki, otwarte dłonie unoszące się tuż nad łóżkiem jak na niewidzialnej poduszce powietrznej – wyglądała tak, jakby próbowała utrzymać równowagę. Bo rzeczywiście próbowała. Balansowała na pojedynczym punkcie podparcia, nabijając się na niego całym ciężarem ciała, kołysząc się do przodu, do tyłu i na boki, jakby chciała doścignąć doznanie doskonałe, jakby je znajdowała, traciła, ponownie znajdowała i trzymała się go aż do zapierającego dech w piersi końca. Dokąd zmierzał i on. Na sto procent. Nie mógł się teraz zatrzymać, za nic. Odpowiadał dźgnięciem na dźgnięcie, gwałtownie unosząc biodra, a wraz z biodrami i ją, podrywając ją z łóżka. Zaciśnięte jak klamry kolana, pchnięcie za pchnięcie, wszystko w pełnej harmonii.

Potem został na plecach, a ona wtuliła się w jego bok. Czubkiem palca rysował wzory na jej biodrze.

– A teraz odpowiedz na pytanie – poprosiła.

– Tak, to był dobry pomysł. I tak, jestem tego pewny.

– Żadnych wątpliwości w kwestii zwierzchnictwa?

– Nie, ale na wierzchu też bardzo lubię.

– Przestań. Formalnie rzecz biorąc, jesteś moim podwładnym.

– Wszystko się zgadza, miałaś nade mną pełną władzę.

– Tak?

– I bardzo się z tego cieszę.

Wciąż kreślił palcem wzory na jej biodrze.

Czubkiem palca.

– Opowiedz mi o sierżant Neagley.

– Ale co?

– Dlaczego nie jest oficerem? Talentu ma aż nadto.

– Nie jest, bo nie chce.

– Szaleje za tobą, ale z tobą nie sypia?

– Po to są przyjaciele.

– Wszystko z nią w porządku?

– Ma hafefobię.

– Hafe... co?

– Lęk przed dotykiem. Wojsko kazało jej się leczyć.

– Ale jak to się stało? Ktoś ją napastował?

– Mówi, że nie. Taka się urodziła.

– Szkoda. – Sinclair wtuliła się w niego jeszcze bardziej.

– Wielka – przyznał jej rację Reacher.

Wciąż kreśląc wzory na jej biodrze.

Czubkiem palca.

I nagle...

– Cholera. Zaczekaj.

Włożył pod nią rękę, znalazł kopertę i tym razem wysunął z niej kartki na całą długość. Do pierwszej przyklejono taśmą małą kopertę. Od Griezmana. Tę z odciskiem palca zdjętego z klamki w samochodzie prostytutki.

– Nie wierzę w przypadki – powiedziała Sinclair.

Reacher zerknął na kopertę i szybko przejrzał akta. Żadnych notatek, żadnych zapisków. Niczego od Orozco. Tylko mocno przyklejona taśma. Jak przesłanie.

Konkretne, lecz dające się zakwestionować.

– Czasem trzeba w nie wierzyć – powiedział. – Zwłaszcza w te subtelne. To nie są liczne grupy. Ludzie skłonni zdradzić swój kraj za pieniądze, mężczyźni korzystający z usług prostytutek, ci, którzy potrafią je zabić. Jak zachodzące na siebie elipsy w diagramie Venna. Ich części wspólne nie zawierają zbyt wielu elementów. Myślę, że Wiley świętował. Prawie dobił targu. Już widział te sto milionów. Ale coś wymknęło się spod kontroli. Co jest bardzo korzystne. Dla nas. Teraz. Jest dzisiaj i będzie jutro. Bo od tej chwili mamy do czynienia z zabójstwem. Oficjalnie. Griezman może wyjść z cienia i wykorzystać wszystkie środki. Rozdać ten portret wszystkim policjantom w mieście.

Sinclair milczała przez chwilę, w końcu pokręciła głową.

– Nie, nie możemy się przyznać, że sprawdziliśmy ten odcisk. To by jeszcze bardziej zagmatwało sprawę. Wszystko po kolei. Ścigamy Wileya za te sto milionów. To nasz priorytet. Reszta jest mniej ważna.

– Ta prostytutka by z tym polemizowała.

– Nie powiesimy go dwa razy. I nie możemy dopuścić do tego, żeby aresztowali go Niemcy. Bo to Amerykanin, jeden z naszych. Ale sprawiedliwość go nie minie. Tym razem to rozkaz, majorze.

– Tak jest – mruknął Reacher.

Włożył kartki do koperty i cofnął się myślą w czasie. Mieszkanie prostytutki, tylko pięć ulic stąd. Wiley był tam, kiedy on jadł z Neagley kolację w McLean. *Jest tyle miast i tyle knajp. Jakie było prawdopodobieństwo, że się tu spotkamy?* Położył się na boku, przewrócił ją na plecy i dotknął wnętrza jej uda.

– Już? – spytała.

– Jestem młodszy.

Zadzwonił telefon.

Griezman. Reacher przełączył go na głośnik. Niemiec znowu spytał o odcisk palca. Reacher odparł, że jeszcze nic nie wiadomo. Sinclair uciekła wzrokiem w bok. Naczelnik zameldował, że w sumie nie ma nic do zameldowania. Wiley nie pokazał się w barze – jak dotąd. Listonosz przyniósł paczkę, którą zostawił na stole w holu u Saudyjczyków i która wciąż tam leży. Oprócz listonosza nikt tam nie wchodził ani nie wychodził, nie licząc jakiejś dziewczyny, prawdopodobnie córki tureckich lub włoskich dyplomatów. Pewnie szła się zabawić, gdzieś potańczyć. Miała dwadzieścia kilka lat, kruczoczarne włosy i oliwkową cerę. Według obserwatorów, była bardzo ładna. Poprawiła im humor, bo oprócz tego nie działo się zupełnie nic. Ale nie, pełni zaangażowania wciąż kontynuują obserwację. Na razie zostaną na dotychczasowych pozycjach, ale wieczorem się rozproszą. Muszą, bo okoliczni mieszkańcy wrócą z pracy i będzie trudniej o miejsce do parkowania.

– Poprzednio spotkali się późnym popołudniem – powiedziała Sinclair. – Czyli o tej porze.

– Cholera jasna – zaklął Reacher. – Zaraz, chwila. A lampa w oknie? Coś się zmieniło, jest niby tak samo, ale inaczej. Posłaniec, ale nie posłaniec. To nie mężczyzna. To kobieta. Daliśmy ciała. Przegapiliśmy spotkanie. Które właśnie trwa.

22

Reacher kazał Griezmanowi natychmiast ruszyć wszystkie jednostki i ścigać tę ładną dziewczynę, ale Sinclair powiedziała nie, na razie zostańcie tam, gdzie jesteście. Spojrzała na Reachera i dodała:

– Strzelasz. To może być Turczynka albo Włoszka. Czy ci ludzie wykorzystaliby kobietę?

– Byłem w Izraelu – odparł. – Oni to robią.

– To czysty hazard.

– Ale jak dotąd wygrywam. Choćby teraz. Spójrz na mnie. Nie widać?

Sinclair wciąż się wahała. W końcu podjęła decyzję.

– Dobrze. Panie naczelniku? Niech jeden samochód zostanie przed blokiem, a resztę proszę wysłać w teren.

• • •

Nowa wysłanniczka szła najpierw na południe, potem skręciła na zachód, aby obejść jezioro Aussenalster i z St. Georg trafić do dzielnicy St Pauli, do klubu przy ulicy Reeperbahn. W wyobraźni pokonywała tę trasę dziesiątki razy, miała w głowie wszystkie szczegóły, które wpojono jej podczas wielogodzinnego szkolenia. Widoki, dźwięki i zapachy opisywano jej tak często i dokładnie, że rzeczywistość, blada i nijaka, nie dorastała do jej wyobrażeń. Ostrzeżono ją, że Wiley zechce spotkać się w miejscu, w którym muzułmanin czułby się skrępowany. Muzułmanin, nie muzułmanka, bo nie spodziewał się kobiety. Alkohol, dziewczęta i nienawiść – złośliwy i ambitny, zechce ją poniżyć na dwa z tych trzech sposobów. Z tego, co wiedziała o Reeperbahn, prawdopodobnie na pierwszy i drugi, alkohol i dziewczęta. Ale ona sobie poradzi. Wielkie czyny wymagają wielkich poświęceń. Pochodziła z terenów plemiennych. Widywała gorsze rzeczy.

• • •

Reacher zadzwonił do Griezmana i spytał, czy dziewczynę widziano w pobliżu baru. Ale nie, nie widziano ani jej, ani Wileya. Jak kamień w wodę.

– Dobra – rzucił. – Spotykają się gdzie indziej. Niech pan zabierze stamtąd ludzi i wyśle ich na miasto.

Tym razem Sinclair kiwnęła głową.

– Przecież jej nie widzieli – zaprotestował Niemiec.

– Nie szkodzi, mają portret pamięciowy Wileya. Znajdziemy jego, znajdziemy i ją.

• • •

Wysłanniczka skręciła w Reeperbahn i tak, jak się spodziewała, uderzył ją hałas i morze świateł. Nieustanne oślepiające rozbłyski, mruganie i migotanie, dezorientujące dudnienie i huczenie. Tym razem rzeczywistość przerosła wyobraźnię, nie była już blada i nijaka. Wysłanniczka wzięła głęboki oddech i poszła dalej. Znała nazwę klubu, którego szukała. Tak jakby. Znała jedynie kształt tworzących ją liter. Wiedziała, że w oknie jest zdjęcie nagiej kobiety z owczarkiem niemieckim i że owczarek to rasa psa. Że w środku będzie pachniało piwem. I że zobaczy tam rzeczy, których wolałaby nie widzieć.

W oddali zawyła syrena policyjna. Wysłanniczka zawahała się i zwolniła kroku. Wiele miejsc miało w nazwie takie same litery. Tego samego kształtu. Głównie na końcu słów, jak powiedzieliby mieszkańcy Zachodu. Coś w rodzaju przyrostka, który wszędzie się powtarzał. I nagle zrozumiała. We wszystkich tych miejscach były schody. Prowadziły w dół, do podziemi. Jak do groty. Końcówka *keller* znaczyła „podziemna grota". Poszła dalej i wreszcie znalazła właściwy klub. Był oświetlony na czerwono. Wciśnięty między dwa sąsiednie lokale, miał wąskie drzwi i wąskie okno. Sień i schody. W oknie było zdjęcie, którego wypatrywała. Przedstawiało leżącą na plecach nagą kobietę i dużego psa, który kucał z brzuchem nad jej twarzą. W ustach miała jego członek. Nic wielkiego. Nie dla kogoś z terenów plemiennych. Widziała nie takie rzeczy. Głównie młodych chłopców z mężczyznami, na rozkaz, czasem z kozami.

Pchnęła drzwi i weszła do środka. Poczuła ostry chemiczny zapach. Cierpki, szczypiący. Taki jak w ubikacji na lotnisku. Na stołku siedział potężnie zbudowany strażnik. Mężczyźni mu płacili, kobiety nie. Myto za wstęp. Dobrze ją wyszkolono. Uśmiechnęła się do niego nieśmiało i weszła na schody. Były wąskie. Na dole paliło się niebieskie światło i rozbrzmiewał głośny hałas. Muzyka, gwar rozmów, stukanie szklanych dzbanów o drewniane stoły.

Poszła dalej. Na końcu izby była oświetlona scena, na której zgięta wpół naga kobieta uprawiała seks z osłem. Zwierzę wisiało na czymś w rodzaju hamaka, inaczej by ją przygniotło. W izbie roiło się od mężczyzn, którzy wstawali z miejsc i wyciągali szyje. Coś krzyczeli, stękali do rytmu dzikich pchnięć zdezorientowanego osła. Wiley siedział prawie na samym końcu. Sam, przy stoliku. Pamiętała jego twarz. Stała przed nim wysoka szklanka ze złocistym płynem, w połowie pusta. Pewnie z piwem.

Wysłanniczka przystanęła i znieruchomiała. Patrzyli na nią. Była w czarnych spodniach i koszuli podróżnej z dwoma rozpiętymi guzikami. Zignorowała ich spojrzenia i zaczęła przesuwać się między stolikami. Zastukotały kopyta. Osioł skończył i z trudem wygrzebał się z hamaka. Mężczyźni zaczęli klaskać, krzyczeć i wiwatować. Naga kobieta wyprostowała się i pomachała do nich w podzięce.

* * *

Przez ścianę usłyszeli, że w pokoju Sinclair dzwoni telefon. Po chwili przestał i zadzwonił telefon Reachera. Bishop z konsulatu, szef hamburskiej placówki CIA. Chciał rozmawiać z Sinclair. Ta przełączyła go na głośnik.

– Dzwonił przed chwilą Irańczyk. Chodzi o tę lampę w oknie. Posłańcem jest kobieta, która niedawno wyszła z domu.

– Tak, wiemy, trzymamy rękę na pulsie – odrzekła Sinclair.

– Niezupełnie – wtrącił się Reacher. – To beznadziejne, nic z tego nie będzie. Ludzie Griezmana mają najwyżej godzinę. Dwanaście samochodów i duże miasto. Są bez szans. Proponuję uruchomić plan B. Natychmiast.

– To znaczy? – nie zrozumiał Bishop.

– Ściągnąć ludzi Griezmana pod dom, w którym mieszkają Saudyjczycy, i zgarnąć wysłanniczkę, kiedy będzie wracała. Uderzyć szybko i mocno, jak tylko się upewnią, że to ona. Może powie nam, gdzie była. Wiley mógł tam zostać. Ostatnim razem został. Według Kloppa, jeszcze pół godziny. Pewnie myśli, że tak jest bezpieczniej.

– Ona nic nie powie.

– Ładnie ją poprosimy.

– Ale w ten sposób spalimy Irańczyka.

– Możecie go stamtąd wydostać?

– Teraz? – spytał Bishop.

– Teraz. Na pewno to ćwiczyliście.

– Musiałbym porozmawiać z Ratcliffe'em...

– Co pan powie! – odparła Sinclair. – My też.

– Decyzja – ponaglił ich Reacher. – Musimy podjąć jakąś decyzję.

– W pół godziny nie damy rady – powiedziała Sinclair. – Ale wciąż mamy samochód pod dziuplą. Będziemy wiedzieli, kiedy dziewczyna wróci. Zyskamy kilka godzin.

– To tylko połowa działki. Nie dopadniemy Wileya.

– Fakt, nie tym razem. Ale musieli umówić się na kolejne spotkanie. To są negocjacje, posłańcy będą jeździli tam i z powrotem. Dziewczyna powie nam, kiedy i dokąd.

– Lepiej zgarnąć ją teraz. Załatwiła sprawę. Spuściła parę. Ma niski poziom adrenaliny. Rano będzie odważniejsza.

– Zadzwonię do Ratcliffe'a – powiedział Bishop i rozłączył się z suchym, odległym trzaskiem.

• • •

Jeden dotknął jej nogi, drugi pośladków, ale zignorowała ich i szła dalej. Pewnie myśleli, że tu pracuje. Wyjaśniono jej zachowania mieszkańców Zachodu. Widziała, że Wiley przygląda się jej ze szczerym zaciekawieniem. Może też myślał, że jest pracownicą klubu. Podeszła bliżej i nachyliła się do jego ucha, żeby usłyszał ją w hałasie.

– Przywożę pozdrowienia od pańskich przyjaciół ze Wschodu – powiedziała dobrze wyćwiczoną angielszczyzną. – Lotnisko regionalne Sugar Land leży na wysokości dwudziestu pięciu metrów nad poziomem morza.

– Niesamowite – wykrztusił.

– Naprawdę? – spytała niepewnie.

– Przysłali dziewczynę.

– Tak, mnie.

– I mówisz po angielsku – nie dowierzał Wiley.

– Tak.

I nagle spytał:

– Ale dlaczego? Dlaczego przysłali dziewczynę? Mówią „nie"?

– Nie, proszę pana, wiadomość brzmi inaczej.

– Jak?

– Godzimy się na pańską cenę.

– Powtórz.

– Godzimy się na pańską cenę.

– Więc płacicie... całość?

– Mam tylko przekazać, że godzimy się na cenę, nic więcej nie wiem, proszę pana.

Wiley zamknął oczy. Większe niż Rhode Island. Widoczne z kosmosu. Jego nowi szwajcarscy przyjaciele będą zachwyceni. Miał dostać dwa razy więcej, niż im zapowiedział. Nie spodziewał się, że dostanie wszystko. Zostanie mu masa pieniędzy. Potężna fortuna. Zafunduje sobie portfel papierów wartościowych. Będą do niego wydzwaniali wpływowi notable w garniturach.

Otworzył oczy.

– Kiedy? – spytał.

– Termin dostawy został już uzgodniony – odparła dziewczyna. – Pańscy przyjaciele ze Wschodu oczekują, że go pan dotrzyma.

– Nie ma sprawy. A więc zgodnie z ustalonym terminem.

– Zatem taką zawiozę im odpowiedź.

– Przekaż swoim szefom, że interesy z nimi to czysta przyjemność. I podziękuj za podarunek. To miło z ich strony.

Wysłanniczka zawahała się.

– Przecież nic panu nie przywiozłam.

– Przywiozłaś siebie – powiedział Wiley. – To ty jesteś podarunkiem, prawda? Bądźmy postępowi. Po co innego mieliby przysyłać tu dziewczynę? Jesteś wisienką na torcie.

Butelką szkockiej, którą dają ci w salonie, kiedy kupujesz dobry samochód.

– Nie rozumiem.

– Podoba ci się tu?

Na plastikowej folii na scenie leżała naga kobieta. Trzech mężczyzn oddawało mocz na jej twarz.

– Widać, że ludzie lubią tu przychodzić.

– Moglibyśmy pójść do hotelu.

Dobrze ją wyszkolono.

– Tu chodzi o interesy – powiedziała. – Dopóki nie wrócę bezpiecznie do domu, dalsze kroki nie zostaną podjęte.

– Dobra, rozumiem. Ale musisz dać mi jakiś drobiazg. Jesteśmy przyjaciółmi. Ja daję wam coś, czego nigdy dotąd nie mieliście. A ty rozepnij dla mnie jeszcze jeden guziczek.

– Słucham? – nie zrozumiała.

– Koszuli. O ten, ten trzeci. Na znak przypieczętowania umowy.

Wielkie czyny wymagają wielkich poświęceń. Zresztą, pomyślała, to niewielka cena. W izbie było mroczno. Nikt nie patrzył. Wszyscy gapili się na scenę. Rozpięła trzeci guzik. Rozchyliła bluzkę. Wiley przyglądał się jej z uśmiechem.

– Wiedziałem, że cię namówię – powiedział.

Odwróciła się i ruszyła przez tłum, nie zwracając uwagi na natrętne ręce. Schody, potężnie zbudowany strażnik na stołku, wreszcie ulica – przeszła dwadzieścia kroków i zatrzymała taksówkę. Usiadła z tyłu i starannie wyćwiczoną niemczyzną powiedziała:

– Na lotnisko poproszę. Hala odlotów międzynarodowych.

23

W innym klubie, trzy kilometry dalej, dwaj mężczyźni jedli kolację. Klub był mały, lecz miał wyłożone dębiną ściany. Stoliki stały jeden obok drugiego, ale przykryto je lnianymi obrusami. Podawano tu więcej wina niż piwa. W menu figurowały kotlety jagnięce. Jeden z mężczyzn zajmował się importem butów z Brazylii. Masywnie zbudowany, miał czterdzieści pięć lat, jasne, choć siwiejące już włosy i rumianą, choć szarzejącą już twarz. Nazywał się Dremmler. Był w garniturze z zamkniętymi klapami.

Ten drugi wyglądał podobnie. Czterdzieści kilka lat, masywnej budowy ciała, rudawy i trochę mniej szary, też był w garniturze, co prawda z naszywką jakiejś sieciówki, lecz bynajmniej nie tanim. Nazywał się Müller. Był policjantem.

– Jeden z naszych członków – mówił Dremmler – niejaki Klopp, widział Araba rozmawiającego z Amerykaninem i zadzwonił na policję. Niech pan zgadnie, co się stało.

– Pewnie nic – odparł Müller.

– Z Ameryki przyleciało dwóch tajniaków. Błyskawicznie. Szef waszych detektywów lizał im tyłki.

– Griezman?

– Co dowodzi, że Klopp musiał być świadkiem ważnego

211

spotkania. Przesłuchiwali go godzinami. Mówi, że pokazali mu dwieście zdjęć, ale nikogo nie rozpoznał. Więc zrobili portret pamięciowy na podstawie rysopisu.

– Sporo roboty – stwierdził Müller.

– Właśnie – ciągnął Dremmler. – Coś się dzieje. Coś bardzo ważnego dla Amerykanów. Ich rodak rozmawia z Arabem. Chcielibyśmy wiedzieć o czym. Jeden coś sprzedaje, drugi kupuje? Trzeba sprawdzić, czy Griezman nie sporządził notatki.

– Po co? Po co mamy pomagać jemu albo Amerykanom?

– Pomagamy sobie. Nie rozumie pan? Możemy w to wejść. Popłyną duże pieniądze. W jedną stronę czy drugą, możemy na tym skorzystać. Kto wie, czy nie skorzystamy z obydwu naraz. I moglibyśmy spożytkować te pieniądze lepiej niż oni. Nawet tylko część pozwoliłaby nam na mocny przekaz. Oni walczą o swoją sprawę, my o swoją. Niech wygra lepszy.

– Chcemy je przejąć? – spytał Müller.

– Powinniśmy przynajmniej rozważyć taką ewentualność.

Kelner w krótkiej marynarce zabrał talerze.

– Jeszcze jedno – dodał Dremmler.

– Tak?

– Pobito czterech członków naszej młodzieżówki. Przed jakimś barem. Mocno ich poturbowano. Mówią, że zaatakował ich rosły, dobrze zbudowany mężczyzna. Amerykanin, zwolennik polityki prookupacyjnej. Towarzyszyła mu ciemnowłosa kobieta.

– I?

– Według Kloppa, byli to ci tajniacy z Ameryki. Rysopisy pasują.

– Aha.

– Takie rzeczy nie mogą ujść nikomu bezkarnie. Klopp mówi, że mężczyzna nazywa się Reacher, a kobieta Neagley.

Chcę ich znaleźć. Griezman na pewno wie, gdzie się zatrzymali. Niech pan sprawdzi, czy zapisał adres.

– Dobrze – powiedział Müller. – Zobaczę, co da się zrobić.

• • •

O dziesiątej wieczorem czasu hamburskiego Ratcliffe wydał zgodę na plan B. O jedenastej Reacher z niego zrezygnował. Wysłanniczka nie wróciła. Bo wcale nie zamierzała. Teraz było to oczywiste. Griezman twierdził, że w ciągu ostatnich kilku godzin mogła wsiąść do ponad dwudziestu samolotów lecących za granicę. Albo polecieć do Berlina, gdzie na wyciągnięcie ręki miała cały świat. Albo pojechać do Amsterdamu. Albo wsiąść do pociągu do Paryża. Albo zaszyć się w innej dziupli w Hamburgu. I każda z tych opcji byłaby koszmarna.

Reacher i Sinclair czekali, już dawno umyci i ubrani. Wróciła Neagley. Zapoznali ją z tą żałosną sytuacją. Z przegapionymi sygnałami, złymi założeniami i spóźnionymi skojarzeniami. Co nieuchronnie sprowokowało dyskusję na temat dalszych kroków. A to z kolei, też nieuchronnie, doprowadziło do wymiany zdań na temat odcisku palca.

– Zgodnie z Szóstą Poprawką – mówiła Sinclair – Wiley ma prawo do szybkiego procesu za zabójstwo, do którego nie dojdzie, bo usadzimy go na lata za to, co teraz robi. Poza tym nie możemy pozwolić, żeby Niemcy dopadli go pierwsi, bo nigdy go nam nie wydadzą.

– Moglibyśmy ponegocjować – zasugerowała Neagley. – Umówić się z nimi przed.

– I doprowadzić do sytuacji, w której musielibyśmy prosić ich o pozwolenie na egzekwowanie zasad bezpieczeństwa narodowego w wybrany przez nas sposób? Wykluczone.

– Musielibyśmy zrezygnować z wszelkiego rodzaju prerogatyw.

– Co ty na to, Reacher? – spytała Sinclair.

– Jestem rozdarty. Przeczesywanie miasta byłoby stratą czasu. Nawet gdyby ludzie Griezmana dali radę zerknąć na tysiąc twarzy dziennie, obejrzenie wszystkich trwałoby pięć lat. Ale mogłyby się nam przydać ich rejestry. Wiley przyjechał tu ponad cztery miesiące temu. To potwierdzony fakt. Dlatego wiemy, od kiedy zacząć. Musiał wynająć mieszkanie, bo zabił tę prostytutkę u niej w domu, a nie w hotelu. Więc musi coś wynajmować. Dalej: nazwisko. Prawdopodobnie ma teraz niemieckie, takie jak w lewym paszporcie. Musi płacić rachunki, choćby za telefon. Nie mamy dostępu do tych informacji i tu Griezman mógłby nam pomóc.

– Więc tak, czy nie? – drążyła Sinclair.

– Będę stronniczy, jestem mu coś winien.

– Nic dla ciebie nie zrobił. Nie znalazł Wileya ani tej dziewczyny.

– Ale próbował.

– Co sądzisz o Bishopie? – spytała.

– Szefie tutejszej placówki CIA?

– To weteran.

– Jak na staruszka, nie jest zły – przyznał Reacher.

Sinclair zmrużyła oczy.

– Naszych starszych niemieckich przyjaciół wyszkolono w poprzednim systemie, to oczywiste – powiedziała. – Do służby w Niemczech Wschodnich, a nie na cywilizowanym Zachodzie. Lubią wiedzieć wszystko o wszystkich. Wtedy informacje te przydawały im się do werbunku, teraz są przydatne do szantażu i lepszego zrozumienia wewnętrznych machinacji. Dysponują kilometrami akt. I nie wszystkie stoją na widoku w przeszklonych szafkach.

– No i?

– Cztery lata temu Herr Griezman był klientem zamordowanej prostytutki. Spotkał się z nią cztery razy. To sprawdzona informacja. Wydał na nią oszczędności przeznaczone na studia dzieci. Dlatego myślę, że chce jak najszybciej zamknąć sprawę, żeby nikt za głęboko w niej nie grzebał. Jego szlachetne poszukiwanie sprawiedliwości nie jest aż tak szlachetne.

Reacher podrapał się w głowę.

– Dobra.

– Więc tak czy nie? – powtórzyła Sinclair.

– Wiley wywinie się z morderstwa.

– Dwa razy go nie powiesimy.

Znowu się zawahał.

– Griezman był głupi.

– Uległ pokusie – powiedziała Sinclair. – To się zdarza.

– Nie, za pięć sekund zrozumiesz dlaczego. Nie załapałaś od razu, bo jesteś milsza i subtelniejsza ode mnie.

Zmarszczyła brwi.

– Już wiem – rzuciła po chwili.

Reacher kiwnął głową.

– Możemy darować sobie ten odcisk palca. Nie musimy się targować. Możemy dostać wszystko, co chcemy. Wystarczy go zaszantażować.

– Mam nadzieję.

– Tylko że ja nie chcę tego robić – powiedział Reacher. – Dlatego jeszcze nie, zgoda? Wiley, żołnierz na samowolce, jest w Hamburgu, tu, gdzie ja. Wystarczy pójść do okienka po kasę.

– Ile czasu Griezman by wam zaoszczędził?

– Tak czy siak, jest ostatnią deską ratunku. Nie mam ochoty grzebać w rejestrach. Są inne sposoby. Mnie też wyszkolono w poprzednim systemie. Dlatego jego rozporkowy problem nie ma na razie znaczenia. Nie może nic dla nas zrobić.

– Mówisz tak, bo jesteś mu coś winien?

– Mówię tak, bo to prawda.

– A te inne sposoby?

– Trzeba faceta poznać. Od środka.

• • •

Neagley dostała już akta z żandarmerii, szczegółowe protokoły ze śledztwa w sprawie samowolnego oddalenia się Wileya z jednostki, więc poszli do jej pokoju, żeby je przeczytać, Reacher i ona. Chronologia wydarzeń była oczywista. Starszy szeregowy Wiley nie wrócił z rutynowej dziewięćdziesięciosześciogodzinnej przepustki. Proste. I już nigdy go nie widziano. Kolegom z załogi nie wspomniał, dokąd się wybiera. Domyślano się, że najpewniej do Frankfurtu, który w związku z organizowanymi tam zjazdami i konferencjami słynął z licznych i bardzo pomysłowych prostytutek. Lubił prostytutki? W aktach zapisano odpowiedź: nie bardziej niż inni.

Były tam również pytania o przeszłość, które miały stworzyć portret psychologiczny Wileya. O jego hobby, zainteresowania, pasje, rzeczy, o których lubił rozmawiać. Pochodził z Teksasu i mówił czasem o bydle. Był dumny ze swojego rodzinnego miasta. Bywało, że za bardzo się ekscytował i wyskakiwał z czymś, czego potem żałował. Ale zwykle milczał. Raz powiedział, że wstąpił do wojska tylko dlatego, że wujek opowiadał mu o Davym Crocketcie. Wolał piwo niż wódkę i nie palił. Nie miał żony i nigdy nie wspominał, że w domu czeka na niego partnerka. Był bardzo zadowolony, że jest tam, gdzie jest. Cieszył się, że stacjonuje w Niemczech, i wydawało się, że od początku tego chciał.

– Dziwne – zauważyła Neagley. – Większość tych na samowolce nie cieszy się z przydziału. Dlatego uciekają.

– Poza tym kto chciałby służyć w załodze Chaparrala na nieistniejącym froncie? On wciąż jest szeregowcem. Nigdy nie awansuje. Musiał o tym wiedzieć.

– Czy Davy Crockett w ogóle był w wojsku?

– Służył w milicji hrabstwa Lawrence w Tennessee. Owszem, potem bronił Alamo jak prawdziwy bohater, ale śmierć podczas oblężenia z rąk przeważającego liczebnie wroga nie pasuje do obrazu sławy i chwały, jaki wpajamy rekrutom.

– Trzeba znaleźć tego wujka – powiedziała Neagley. – Może są sobie bliscy.

– Myślisz, że Wiley przysyła mu pocztówki?

– Mógł mu coś powiedzieć. Z akt widać, że czasami kłapie za dużo dziobem i potem tego żałuje. Może dlatego zabił tę prostytutkę. Takie rzeczy się podobno zdarzają. Faceci chwalą się tym, co robią, bo im dobrze.

– Okay – rzucił Reacher. – Znajdź tego wujka. I skontaktuj się z dowódcami Wileya sprzed trzech lat. Tymi, którzy szkolili go na kursie podstawowym i w Fort Sill. Czy on naprawdę chciał służyć w Niemczech? Taki postawił sobie cel? Bo jeśli tak, to musiałbym zmienić sposób myślenia, ponieważ wtedy to, że tu trafił, mogło nie być czystym przypadkiem.

– I bawi się tak od trzech lat?

– Za sto milionów? Warto.

– Ale sto milionów za co?

– Siadaj do telefonu – polecił Reacher. – Niedługo wrócę.

– Gdzie idziesz?

– Na spacer.

– Doktor Sinclair była dzisiaj bardziej odprężona – zauważyła Neagley.

– Naprawdę?

– Dosłownie promieniała.

– Może ćwiczy jogę.

– Albo głębokie oddychanie.

Reacher tego nie skomentował.

• • •

Mężczyzna nazwiskiem Müller wpadł do komendy. Tam pracował. Był zastępcą naczelnika wydziału ruchu drogowego. Stanowisko nie upoważniało go do wstępu na teren Griezmana, ale wieczorem w komendzie panował spokój. Biura na piętrze szefa detektywów, przestronne i zaopatrzone w stanowiska dla sekretarek, już dawno opustoszały. Wszyscy naczelnicy zajmowali się głównie przekładaniem papierów. Pisali notatki, sekretarki przepisywały je i wkładały do akt, przed lunchem i z samego rana.

Na tacce z dokumentami przychodzącymi sekretarki Griezmana piętrzył się pokaźny stos.

Müller nie należał do odważnych, lecz był wiernym towarzyszem broni. Zawarł ze sobą umowę. Przejrzy dokumenty na biurku sekretarki, lecz nie przeszuka biurka Griezmana. Sensowny kompromis. Zgodziliby się z nim chyba wszyscy rozsądni członkowie ruchu. Informacje były ważne, jednak ważne było również utrzymanie ludzi na najwyższych stanowiskach. Albo co najmniej na wysokich.

Obiema rękami chwycił plik kartek, wyszedł na korytarz, otworzył drzwi ewakuacyjne i zbiegł schodami na dół do swojego biura.

• • •

Neagley zadzwoniła do Landry'ego i spytała o rodzinę Wileya, konkretnie o wuja. Możliwe, że jedynego człowieka, który mieszkał kiedyś gdzieś niedaleko i miał wpływ na dorastającego chłopaka.

– Wiley nie ma wujków – odparł Landry.

– Na pewno?

– Jego matka i ojciec byli jedynakami.

– Stryjecznych albo ciotecznych dziadków też nie ma?

– Sprawdzę.

– Jego rodzice są nadal razem?

– Nie. Ojciec dał nogę lata temu i przepadł. Matka wychowywała Wileya sama. Bez braci czy sióstr. Byli tylko we dwoje.

– A potem? – drążyła Neagley. – Matka nie miała żadnego przyjaciela? Może w obecności dziecka nazywała go wujkiem?

– Diabli wiedzą, mogła mieć jednego za drugim, łańcuszek wujków.

– Możesz to sprawdzić?

– Musielibyśmy ją znaleźć i kogoś do niej wysłać. Takie rzeczy załatwia się twarzą w twarz. To trwa. Wujków się nie rejestruje. Zresztą niektórzy nie przywołują miłych wspomnień.

– Warto spróbować – nie ustępowała Neagley. – Jeśli stryjeczni i cioteczni nie wypalą.

– To może potrwać kilka dni. Prawie go mieliście.

– Wciąż jest w Hamburgu.

Neagley odłożyła słuchawkę i znalazła w aktach nazwisko kolegi Wileya, który wspomniał o wujku. Zadzwoniła do frankfurckiej żandarmerii wojskowej i kazała im wypytać go o szczegóły. Potem zajrzała do teczki osobowej Wileya i odszukała nazwiska dowódców, którzy sporządzili raport oceniający jego przydatność do dalszej służby, tego z Fort Benning i tego z Fort Sill. Potem zadzwoniła do znajomego w wydziale kadr wojskowych i okazało się, że dowódcę z Fort Benning przeniesiono do Fort Bragg, a ten z Sill wciąż służy w Oklahomie. Zapisała ich numery i zaczęła wydzwaniać.

• • •

Müller przeglądał kartkę za kartką. Okazało się, że Griezman jest niezwykle płodnym biurokratą. Przeważały bzdurne dupokryjki, przysyłane z dołu idiotyzmy, które on wysyłał tym z góry. Typowe. Wszyscy się jakoś asekurowali. Nikt nie chciał, żeby spadła na niego cała odpowiedzialność. Bo kto marzyłby o tym, żeby podczas oficjalnego śledztwa powiedzieć: „Tak, to ja zdecydowałem, że sprawa nie jest warta dalszego rozpatrywania. To wyłącznie moja wina"?

W pliku były rutynowe meldunki wszelkiego rodzaju. Nic istotnego – aż do pięciu spiętych zszywką kartek z raportami na temat Helmuta Kloppa. Przesłuchanie. Zdjęcia. Kłopoty z tłumaczem. Nie, nie wiadomo, o czym rozmawiano w barze, Klopp nie zdołał nikogo podsłuchać. Reacher i Neagley, tak nazywali się amerykańscy śledczy, ale to wszystko. Ani słowa o tym, gdzie się zatrzymali. Może w konsulacie. A może nie. Byli wojskowymi, a nie agentami CIA. Więc w hotelu? Brakowało danych.

Müller mozolnie czytał dalej. Przy małej lampce i za zamkniętymi drzwiami nic mu nie groziło. Liczył na to, że niespodziewany gość zapuka. Albo przynajmniej zawoła. Ale tak naprawdę nikogo się nie spodziewał. Było późno, w komendzie panowała cisza. W końcu dotarł do wstępnego sprawozdania z operacji inwigilacyjnej. Niedawnej. Bardzo niedawnej, bo z tego wieczoru – przeglądał raporty chronologicznie, od najwcześniejszych do najpóźniejszych. Obserwacja zakończyła się niepowodzeniem. Wyniki przekazano Reacherowi do hotelu. A więc niemiecka policja przeprowadziła operację dla Amerykanów.

Ciekawe.

Nazwy hotelu nie wymieniono, ale zapisano numer centrali, pod który dzwonił Griezman. Wydział ruchu drogowego miał możliwość sprawdzenia abonenta po numerach telefonów, więc Müller włączył komputer i szybko go znalazł.

Na ekranie pojawiła się nazwa hotelu.

Znał go bardzo dobrze. Był to mały, wytworny hotelik w bocznej ulicy, w dobrej, choć nie najlepszej dzielnicy. Kierownik dzwonił do nich czasem, skarżąc się na kierowców parkujących przed drzwiami. To psuło wizerunek. Dyżurował tam odźwierny w cylindrze, więc gdzie miał stać? Müller był tam dwa razy, ale nic nie mógł zrobić. Trzeba by wymienić krawężnik, co trwałoby ze dwa lata i na co nigdy nie zgodziliby się prawnicy, ci z ratusza. Bo co by było, gdyby takiego samego traktowania zażądały wszystkie hotele w Hamburgu? Wybuchłby chaos. I bez tego mieli dość kłopotów z rynkowymi gigantami.

Podniósł słuchawkę i wybrał domowy numer Dremmlera.

24

Reacher ominął odźwiernego i ruszył przed siebie. Dochodziła północ. Ulicę rozświetlały palące się latarnie, przygaszone na noc miękkie światło z witryn sklepowych i mrugające na niebiesko ekrany telewizorów w pozbawionych zasłon oknach mieszkań, gdzie oglądano pewnie jakieś późne programy. Zrobił ósemkę wokół dwóch na chybił trafił wybranych kwartałów i stwierdził, że nikt za nim nie idzie. Ani przed nim. W mroku też nikt się nie czaił. Ot, nawyk. Rutynowe środki bezpieczeństwa. Głupota? Miał trzydzieści pięć lat i wciąż żył. Więc chyba nie był taki głupi.

Znalazł ulicę z barem. Tym, w którym Klopp widział Wileya. W którym Billy Bob i Jimmy Lee sprzedawali zezłomowane beretty. Gdzie można było kupić fałszywe dowody osobiste. Przystanął czterdzieści metrów od wejścia i przyjrzał się kamienicy. Parter, centralnie wbudowane drzwi, wyłożona drewnem fasada, polakierowana i błyszcząca. Małe okna z koronkowymi firankami i papierowymi chorągiewkami. W środku paliło się światło, w nocy ciepłe i zapraszające.

Przeciął ulicę i pchnął drzwi. Powitały go kłęby papierosowego dymu i głośny rozgwar. Mimo późnej pory w barze było około sześćdziesięciu gości, głównie mężczyzn w zwartych grupkach po trzech albo czterech. Jedni siedzieli przy stolikach, inni tłoczyli się odwróceni plecami do sąsiadów. Pod oknami stały tapicerowane ławy, wszystkie zajęte, jak w metrze w godzinie szczytu. Reacher przebijał się przez tłum łagodnie, lecz zdecydowanie, jak policyjny koń podczas zamieszek. Większość stojących szybko schodziła mu z drogi. Wyglądali na biznesmenów albo urzędników. Dostrzegł wśród nich kilku starszych, a wśród starszych paru nawet w niezłej formie. Wileya nie widział. Zresztą nie spodziewał się go zobaczyć. Miał szczęście, ale nie aż takie. Czuł na plecach spojrzenia. Spóźniona reakcja. Czy nie ostrzegano nas przed takimi typami?

Okrężną drogą dotarł do lady, wcisnął się między dwóch gości i zaczekał, aż go obsłużą. Obaj barmani byli przepasani ciężkimi płóciennymi fartuchami. Jeden zerknął w jego stronę. Reacher poprosił o czarną kawę. Barman nastawił ekspres i wrócił po pieniądze. Reacher o nic nie zapytał. Życie to nie serial telewizyjny. Barmani nie puszczali farby. Bo niby po co? Kto był ważniejszy: sześćdziesięciu tych, którzy przychodzili tu co wieczór, czy samotny facet, którego widzieli pierwszy raz w życiu?

Przebił się z kawą przez tłum i usiadł na wolnym krześle przy czteroosobowym stoliku zajętym przez trzech mężczyzn. Spojrzeli na niego, jakby popełnił straszne *faux pas*, odwrócili wzrok i znacząco zakasłali, zmieniając temat rozmowy. I komentując sytuację. Padło słowo *Arschloch*, które Reacher znał z licznych kłótni w Niemczech. Nazwali go dupkiem, ale nie zareagował. Wypił kawę, podszedł do telefonu na ścianie, wrzucił monetę i wybrał numer.

– Mam kłopoty? – spytał Orozco.

– Ależ skąd! Chyba że go nie złapię.

– Przecież prawie go mieliście.

– Dałem ciała. Nie spodziewałem się, że przyślą kobietę. Człowiek uczy się całe życie.

– Co teraz?

– Czy Billy i Jimmy powiedzieli, kto im sprzedał dowody?

– Nie, są przerażeni – odparł Orozco. – To coś w rodzaju mafii. Ale nie włoskiej. Raczej organizacji skupiającej nostalgicznych Niemców. Mają statut, członków, zasady, przepisy i tak dalej. Ci dwaj boją się ich bardziej niż mnie.

– A ten bar?

– To ich nieoficjalna kwatera główna.

– Kim oni właściwie są?

– Największą z najbardziej prawicowych frakcji. Jak dotąd tylko gadają, ale kiedyś...

– Dobra. Powiedz tym chłopakom, że nie obchodzi nas, od kogo kupili dowody. I nie będziemy więcej zawracać im głowy, pod warunkiem że odpowiedzą na jedno proste pytanie. Twierdzą, że sami wybrali nowe nazwiska. Któryś powiedział, że akurat te im się podobały. Spytaj ich, czy to prawda. Czy rzeczywiście mogli wybierać.

– Dobra, spytam – obiecał Orozco. – Coś jeszcze?

– Na razie nie.

– Mamy kłopoty?

– Spokojnie, jesteśmy cacy.

– Tylko musisz go złapać, tak?

– Hej, to takie trudne?

Reacher odwiesił słuchawkę i odwrócił się twarzą do sali. Patrzyło na niego mnóstwo osób. Wieść się rozeszła. Jedna grupa stała w drzwiach na ulicę, druga w drzwiach na zaplecze. Obserwowali. Czekali na niego. Co znaczyło, że do bójki dojdzie na zewnątrz. On wyjdzie, oni ruszą za nim. Jeśli w ogóle zechcą się bić. Co nie było pewne. Zakwalifikował ich do kategorii wyższej niż średnia, niemal wszystkich. Byli za starzy, by powiedzieć, że są w średnim wieku, i za tędzy jak na średnią wagę ciała. Atak serca w zasięgu ręki. Strzeżonego pan Bóg strzeże. Wyjątkami się nie przejmował.

Ci byli młodsi i trochę bardziej sprawni fizycznie, ale jako urzędnicy całymi dniami siedzieli za biurkiem. Nie musiał się nimi martwić. Był mistrzem ulicznych nawalanek. Głównie dlatego, że lubił się bić.

Odepchnął się od ściany, wypiął pierś i noga za nogą, jak w kondukcie pogrzebowym, ruszył przez tłum. Nikt nie zaszedł mu drogi. Dotarł do wyjścia. Stała tam zwarta grupa sześciu mężczyzn, spaślaków w wieku trzydziestu kilku lat. Błyszczące na tyłkach spodnie, błyszczące łokcie marynarek – urzędasy. Ustawili się tak, żeby go przepuścić, odwrócić się i wyjść za nim na wilgotny chodnik.

– Mówicie po angielsku? – spytał.

– Tak – odparł któryś.

– Zastanawialiście się dlaczego? Dlaczego znacie mój język, a ja nie znam waszego?

– Co? – nie zrozumiał tamten.

– Nieważne. Jakie macie rozkazy?

– Rozkazy?

– Gdybym chciał kupić papugę, poszedłbym do sklepu zoologicznego. Ktoś kazał wam coś zrobić. Więc pytam co.

– Nikt nam nic nie kazał – zaprzeczył Niemiec.

– W takim razie będę musiał rozważyć szereg teoretycznych opcji, z których jedna zakłada, że chcecie wywołać burdę na ulicy. Może to nieprawda. Może mylnie was oceniłem. Ale ostrożność nie zawadzi. Rozumiecie mnie, prawda? To jedyna rozsądna taktyka. Dlatego nie idźcie za mną. Być może chcecie się tylko przewietrzyć, ale ponieważ ostrożność nie zawadzi, zinterpretuję to jako zaczepkę, wrogi akt. Aktualna doktryna NATO nakazuje natychmiastową odpowiedź przeważającymi siłami. Wiem, że mieszkacie w państwie opiekuńczym, ale szpital to szpital, nieważne, kto płaci rachunek. Żadna przyjemność. Dlatego stanowczo radzę sobie odpuścić.

– Boisz się nas.

– Ze smutkiem donoszę, że nie – odparł Reacher. – Próbuję rozegrać to uczciwie, tylko tyle. Jeśli wasz szef ma do mnie jakieś anse, niech wyjdzie na ulicę sam. Pójdziemy na spacer. Wymienimy poglądy. Dzięki temu nie będzie przegranych.

Nikt mu nie odpowiedział.

Reacher przepchnął się między dwoma stojącymi najbliżej mężczyznami i otworzył drzwi. Wyślizgnął się na chodnik, zrobił dwa szybkie kroki i przystanął na krawężniku.

Nikt za nim nie wyszedł.

Odczekał całą minutę, ale nic, wciąż nikogo. Noc była wilgotna, więc postawił kołnierz i wrócił do hotelu. Z rogu ulicy zobaczył, że przed drzwiami nie ma odźwiernego w cylindrze. Skończyła się wieczorna zmiana i zaczęła nocna. Reacher zwolnił kroku i zlustrował okolicę. Z nawyku.

W bramie po drugiej stronie ulicy ktoś stał. Ledwo widoczny. Oświetlał go na zielonkawo neon apteki dwa okna dalej. Był w ciemnej parce i bawarskim kapelusiku. Pewnie z piórkiem zatkniętym za taśmę. Obserwował hotel. Na sto procent. Wciśnięty w kąt, przyczaił się, stojąc twarzą do wejścia. Biały, trochę tęgawy. Na oko metr osiemdziesiąt wzrostu, dziewięćdziesiąt pięć kilo wagi. Wiek? Trudno powiedzieć.

Reacher poszedł dalej. Może ktoś dowiedział się o przyjeździe Sinclair i dzięki uprzejmości niemieckiego rządu dostali ochronę dyplomatyczną. A może Bishop kogoś wysłał. Z konsulatu. Trzeciego zastępcę attaché od kultury, z mosiężnym kastetem w kieszeni. Wyszkolonego w poprzednim systemie.

Reacher szedł przed siebie, nie patrząc na nic konkretnego i obserwując go kątem oka. Nagle zza rogu najbliższej ulicy wyjechał samochód i oślepiło go jaskrawe światło reflektorów. Wóz, szeroki i długi, pędził brukowaną jezdnią, głucho dudniąc kołami.

Zatrzymał się tuż przy nim. Mercedes. Służbowy wóz Griezmana, który otworzył okno i rzucił:

– Niech pan wsiada. Dzwoniłem do pana. Myślałem, że wyłączył pan telefon i poszedł spać. Chciałem pana obudzić.

– Co się stało?

– Widzieliśmy Wileya.

Reacher podniósł wzrok.

Mężczyzna w bawarskim kapelusiku zniknął.

– Niech pan wsiada.

Reacher wsiadł.

25

Griezman ruszył tak gwałtownie, że pod wpływem nagłego przyspieszenia jego fotel stęknął i odchylił się do tyłu. Okazało się, że jeden z jego ludzi, którzy w nieoznakowanym radiowozie czuwali za dnia przed barem, musiał wyrobić nadgodziny na nocnej zmianie, dlatego wciąż był na służbie, wciąż obserwował. Wciąż miał przy sobie portret pamięciowy Wileya. I przysięgał, że widział go, jadąc zachodnim obrzeżem St. Pauli. Mężczyzna o identycznym wyglądzie szedł na południe, w stronę portu. Z butelką alkoholu w reklamówce z nocnego sklepu monopolowego.

– Kiedy? – spytał Reacher.

– Dwadzieścia minut temu – odparł Griezman.

– Jest tego pewny?

– Ja mu wierzę. To dobry policjant.

Ruch był mały, lecz jezdnia śliska, a większość kierowców wracała do domu po drinku w barze, więc Griezman nie jechał tak szybko, jak by mógł. Mimo to dotarli na miejsce w dziesięć minut i zatrzymali się za rzędem wieżowców, dwadzieścia metrów przed skrzyżowaniem. Griezman powiedział, że domniemany Wiley przechodził tu przez ulicę, z prawej strony na lewą. Teraz już pół godziny temu. Po lewej stronie stały duże bloki mieszkalne, nowe osiedle. Olbrzymie. Zbudowane na terenie dawnego portu po tym, jak w poszukiwaniu przestrzeni dźwigi powędrowały w dół rzeki. Tysiące mieszkań, tysiące adresów.

– Pod wynajem, tak? – spytał Reacher.

– Myśli pan, że on tu mieszka?

– W reklamówce miał alkohol. Być może szedł na jakąś imprezę, ale sądzę, że wracał do domu. To bardziej prawdopodobne, zważywszy godzinę. – Reacher spojrzał w prawo. – Chyba już wiem, co kupił. Poszukajmy tego sklepu.

• • •

Winiarnia, czyściutka i jasno oświetlona, oferowała szeroką gamę przednich win – czerwonych, białych, różowych i z bąbelkami – oraz szereg dużo tańszych dla klientów spoza nowych dzielnic mieszkaniowych. Sprzedawca był miłym starszym panem po sześćdziesiątce. Spojrzawszy na portret pamięciowy Wileya, który pokazał mu Reacher, natychmiast potwierdził, że tak, ten mężczyzna był w sklepie mniej więcej przed czterdziestoma minutami. Kupił butelkę schłodzonego szampana.

– Świętuje – rzucił Reacher.

– Zapłacił kartą? – spytał Griezman.

– Nie, gotówką – odparł sprzedawca.

Reacher spojrzał na plastikową bańkę na suficie nad jego głową.

– To kamera bezpieczeństwa?

Okazało się, że tak, sprzężona z magnetowidem VHS na zapleczu. Griezman umiał go obsługiwać. Kamera przekazywała całkiem porządny czarno-biały obraz znad ramienia sprzedawcy, w dodatku szerokokątny. Zainstalowano ją w dwojakim celu: żeby widać było nie tylko klientów, ale i kasę. Na wypadek, gdyby sprzedawca oszukiwał.

Griezman przewinął taśmę czterdzieści minut wstecz i zobaczyli Wileya. Jak na zawołanie. Nie ulegało wątpliwości, że to on. Włosy, czoło, kości policzkowe. Głęboko osadzone oczy, średni wzrost. Był jakby wychudzony. Poruszał się energicznie, z rozmysłem i dużą pewnością siebie. Niemal zawadiacko. Robił wrażenie wysportowanego. Nie skocznego jak młody chłopak, lecz dojrzałego i wytrenowanego. Miał trzydzieści pięć lat, tak jak Reacher. Zdecydowanie dojrzały.

Przystanął przed chłodziarką, otworzył przeszklone drzwi i wyjął ciemną butelkę z cienką szyjką.

– Dom Pérignon – powiedział Griezman. – Sporo kosztuje.

Wiley podszedł z butelką do lady i wyjął z kieszeni garść zmiętych banknotów. Odliczył kilka i sprzedawca wydał mu resztę monetami. Włożył butelkę do reklamówki i Wiley wyszedł. Trzydzieści siedem sekund od początku do końca.

Obejrzeli nagranie jeszcze raz.

Wszystko było tak samo.

– Dobra – powiedział Reacher. – Teraz niech pan mi pokaże to osiedle.

Wsiedli do samochodu i ruszyli na południe, cicho dudniąc kołami po bruku i jadąc domniemaną trasą Wileya, przez skrzyżowanie, na którym widział go niemiecki tajniak, między obdrapanymi ceglanymi magazynami aż do nowo zbudowanego ronda z ulicami prowadzącymi w lewo, prawo i prosto – do plątaniny dróg dojazdowych gigantycznego osiedla.

Griezman zatrzymał samochód. Silnik mruczał na wolnych obrotach, wycieraczki przesuwały się tam i z powrotem mniej więcej raz na minutę. Reacher spojrzał przed siebie. I zobaczył sto tysięcy okien. Głównie ciemnych, choć w kilku paliło się światło.

– To drogie mieszkania? – spytał.

– W Hamburgu wszystko jest drogie – odparł Griezman.

– Zastanawiam się, jak on opłaca czynsz.

– Nie opłaca. Nikt o tym nazwisku nie jest tu zameldowany. Już sprawdziliśmy.

– Używa niemieckiego.

– To by wiele tłumaczyło.

– Prawdopodobnie sam je sobie wybrał.

– Czy to pana obraża? – spytał Griezman.

– Zdradził swój kraj. Tak się przypadkiem składa, że mój też.

– Kocha pan swoją ojczyznę, panie Reacher?

– Majorze Reacher.

– Zdaje się, że znam już odpowiedź.

– Wolę myśleć o swoim kraju ze zdrowym, lecz sceptycznym szacunkiem.

– To niezbyt patriotyczne.

– Przeciwnie. To mój kraj, na dobre i na złe. Co nic nie znaczy, chyba że kraj ten czasem błądzi. Kochanie ojczyzny, która ma zawsze rację, byłoby przejawem zdrowego rozsądku, a nie patriotyzmu.

– Przykro mi, że macie te wszystkie kłopoty.

– A pan? – spytał Reacher. – Kocha pan swoją ojczyznę?

– Jest za wcześnie, by o tym mówić. Minęło dopiero pięćdziesiąt lat. Przez ten czas zmieniliśmy więcej niż jakikolwiek inny kraj. Chyba nieźle sobie radzimy. Ale ci ze Wschodu nas hamują. Oczywiście ekonomicznie. I politycznie. Widujemy rzeczy, jakich przedtem tu nie było.

– Jak bar, z którego zadzwonił do was Helmut Klopp?

– Musimy zaczekać na właściwy moment. Nie możemy ich aresztować za zbrodnię myśli. Zbrodnia musi być prawdziwa.

– Ktoś obserwował mój hotel, jakiś mężczyzna. Zniknął, kiedy pan przyjechał.

– Na pewno nikt od nas.

– Służby bezpieczeństwa?

– Nie ma powodu. Nie zameldowałem o wizycie doktor Sinclair. Na razie. Przyjechała pod innym nazwiskiem.

Reacher umilkł.

– Sprawdził pan ten odcisk palca? – zapytał Griezman.

– Tak, sprawdziłem.

– No i?

– Może pan umorzyć śledztwo. Sprawa jest nierozwiązana i taka pozostanie.

– To znaczy? – nie zrozumiał Griezman.

– To znaczy, że wiem, kto to jest, i nikomu nie powiem.

– Przecież panu pomogłem.

– I bardzo panu dziękuję.

– Nie dostanę nic w zamian?

– Ta dziewczyna była bardzo drogą prostytutką – odparł Reacher. – Dlatego zaciekawiła nas lista jej klientów. Ale o liście też nikomu nie powiem.

Griezman milczał przez chwilę. W końcu spytał:

– CIA? Interesowali się mną?

Reacher kiwnął głową.

– Zwłaszcza tym, że wyszkolono pana w poprzednim systemie.

– Będziecie mnie szantażować.

– To nie w moim stylu. Już mówiłem, nikomu nie powiem. Bez żadnych zobowiązań. To, czy zechce mi pan dalej pomagać, zależy wyłącznie od pana. Jeśli tak, przyjmę, że dogadujemy się ze sobą jak dwaj zwykli detektywi, nic więcej.

Griezman znowu umilkł.

– Chcę pana przeprosić – powiedział po chwili. – Nie jestem tym, za kogo mnie pan uważał.

– To dla mnie bez znaczenia.

– Nie wiem, dlaczego to zrobiłem.

– Nie jestem pana psychoterapeutą.

– Ale chciałbym wiedzieć.

– Miła była?

– Niesamowicie.

– No to już pan wie.

– Myśli pan, że to takie proste?

– Jestem żandarmem wojskowym.

Griezman westchnął.

– Pomogę panu, jeśli będę mógł.

– Dziękuję.

– Czego pan potrzebuje?

– Mógłby pan kazać temu z nocnej zmiany zostać tu do końca służby. To wąskie gardło. Może Wiley znowu będzie tędy przechodził. Jeśli tak, niech aresztuje go pod byle pozorem. I przetrzyma w samochodzie, dopóki nie przyjadę.

– Tu jest wiele innych dróg. Z drugiej strony osiedla są ścieżki rowerowe i kładki dla pieszych. I duży most prowadzący na przystanek autobusowy przy głównej ulicy.

Reacher przetarł oczy.

– Może będziemy mieli szczęście. Może Wiley wypije szampana i pójdzie po drugą butelkę.

– Chciałbym spytać pana o człowieka, którego tożsamość pan ukrywa. Tylko jedno pytanie. Czy zostanie ukarany?

– Tak. Na sto procent.

– To dobrze.

– Podobała się panu, co?

– Odwiozę pana do hotelu – powiedział Griezman.

● ● ●

Wiley dał szampanowi pół godziny w lodówce, potem odwinął folię i kciukami, powoli i delikatnie, wysunął korek, aż rozległo się ciche, eleganckie „puf!" i korek spadł na podłogę.

Napełnił sobie kieliszek, który też przeleżał pół godziny w lodówce, i podszedł do stołu, gdzie leżała mapa Argentyny. Zarys rancza był tłusty od palców. Ranczo. Teraz naprawdę należało do niego. Albo wkrótce będzie, kiedy tylko pieniądze wpłyną i wypłyną z Zurychu. A raczej część pieniędzy. Bo nie wszystkie wypłyną. Podobała mu się ta ich wysłanniczka. *Mam tylko przekazać, że godzimy się na cenę, nic więcej nie wiem, proszę pana.* Jaka grzeczna. Grzeczna i pełna szacunku. Jak wtedy, kiedy rozpięła trzeci guziczek. W Argentynie też takie będą. Ciemnowłose jak ona. Nieśmiałe, lecz bez żadnego wyboru.

Wstał i dolał sobie szampana. Podniósł kieliszek, jakby pozdrawiał wiwatujący tłum. Horace Wiley z Sugar Land w Teksasie. Król świata!

• • •

Reacher przystanął pod drzwiami Sinclair, usłyszał dobiegające z pokoju głosy, więc zapukał, a ona powiedziała „Proszę". Byli tam Neagley i Bishop z konsulatu. Szef placówki CIA. Sinclair siedziała na łóżku, a oni w zielonych aksamitnych fotelach. Neagley miała notatnik na kolanach.

– Jakieś postępy? – spytał.

– A u pana?

– Wiley mieszka w osiedlu niedaleko portu. Widział go jeden z ludzi Griezmana. Wracał do domu z szampanem.

– Świętuje – rzucił Bishop.

Reacher kiwnął głową.

– Trzeba założyć, że negocjacje się skończyły. I że tamci zgodzili się na cenę. Machina ruszyła.

– To duże osiedle?

– Ogromne.

– Są jakieś ślady na papierze?

– Nic z jego nazwiskiem.

– On tam teraz jest?

– Niemal na pewno.

– Trzeba by otoczyć całe osiedle.

– Przed głównym wjazdem stoi nieoznakowany radiowóz. Griezman nic więcej nie może. Zbankrutuje na tych nadliczbówkach.

– Wiley nie ma wujków – odezwała się Neagley. – Wezwaliśmy już świadka, który o tym wspomniał. Landry sprawdza stryjecznych i ciotecznych dziadków i przyjaciół matki. Z przyjaciółmi może być gorzej, to potrwa.

– Dobra – powiedział Reacher.

– Poza tym rozmawiałam z jego dowódcami z Benning i Sill. Ten z Benning go nie pamięta. Ten z Sill tak. Mówi, że było oczywiste, że Wiley chciał dostać przydział do Niemiec. Miał na tym punkcie obsesję. Bardzo się o to starał. Każdy następny egzamin specjalizacyjny zawężał jego szanse na inny przydział.

– Facet pamięta to wszystko po trzech latach?

– Prowadzili wtedy długie rozmowy. Dowódca uświadomił mu konsekwencje likwidacji wschodniego frontu. Ślepy zaułek, czarna dziura i tak dalej. Ale Wiley chciał jechać mimo to. Chciał służyć w Niemczech.

– A więc gra w to od lat – podsumowała Sinclair. – Musimy się tylko dowiedzieć konkretnie w co.

– Ktoś obserwował nasz hotel – powiedział Reacher. – Godzinę temu. Zniknął, kiedy przyjechał Griezman.

– To nie my – zapewnił ich Bishop.

● ● ●

Müller znowu zadzwonił do Dremmlera i go obudził. Było bardzo późno. Albo bardzo wcześnie, zależnie od tego, jak spojrzeć. Müller zaczekał, aż Dremmler się uspokoi, i złożył meldunek.

– Reacher wrócił do hotelu przed pierwszą w nocy. Ale zanim wszedł do środka, przyjechał Griezman. Musiałem się szybko wycofać, żeby mnie nie rozpoznał. Reacher wsiadł i odjechali.

– Czego Griezman chciał? – spytał Dremmler.

– Moi byli na patrolu i słyszeli przez radio. Tego poszukiwanego Amerykanina widziano na St. Pauli. Nazywa się Wiley. Ludzie Griezmana mają jego portret pamięciowy w samochodach, ten sporządzony na podstawie rysopisu Kloppa.

– Coś jeszcze?

– Chłopak z drogówki zauważył samochód na zakazie parkowania. Parę kroków od portu, niedaleko nowego osiedla. Za kierownicą siedział tajniak Griezmana, wypatrywał Wileya. Chłopak spytał go po co, i trochę pogadali, jak gliniarz z gliniarzem. Tajniak nie znał szczegółów, ale powiedział, że musi chodzić o coś ważnego. Rozkaz opatrzono czerwoną flagą.

– Flagą?

– Kiedyś sygnowano tak przestępczość zorganizowaną, teraz działalność terrorystyczną. Tajniak nie wiedział, czy chodzi o nową flagę, czy starą. Na razie panuje małe zamieszanie. Ale myślę, że o nową, bo obserwowali również blok mieszkalny w pobliżu hotelu Reachera. Też wczoraj, tylko wcześniej. Miał stamtąd wyjść jakiś Saudyjczyk. Ale nie wyszedł. Sprawdziłem w ratuszu i rzeczywiście, wynajmuje tam mieszkanie trzech Saudyjczyków i Irańczyk. Wszyscy młodzi. Zalatuje mi to Bliskim Wschodem.

– A ten Wiley? Figuruje w miejskich rejestrach?

– Nie, ani śladu.

– Klopp widział go w barze parę razy – powiedział Dremmler. – Może ktoś go tam zna.

– Może.

– Musi pan zdobyć dla nas ten portret.

• • •

Najpierw wyszła Neagley, potem Bishop. Reacher usiadł w fotelu. Sinclair została na łóżku.

– Jutro rano będą tu Waterman i White – oznajmiła. –

Z Landrym i Vanderbiltem. Przeniosłam całą operację. Wszystko dzieje się tutaj, nie tam. Zainstalujemy się w konsulacie.

– Dobra – powiedział Reacher.

– O czym myślisz?

– Teraz?

– Tak.

– Pytasz o myśli zawodowe czy osobiste?

– Potrafisz myśleć tak i tak? Jednocześnie?

– Jasne.

– Dobrze, to najpierw zdradź mi zawodowe.

– O włosach Wileya.

– O włosach?

– To trop. Być może. Nie ściął ich. Tylko zapuścił.

– Może się bał, że fryzjer go zapamięta – zgadywała Sinclair.

– Mógł je obciąć sam. Codziennie podgalał boki. Co za problem ogolić całą głowę i zacząć od zera? Ale nie zaczął.

– Bo?

– Bo moim zdaniem jest próżny. I trochę ekstrawagancki. Podoba mu się Davy Crockett. Może zapuszcza włosy, żeby kupić sobie zamszową kurtkę i zostać królem Dzikiego Zachodu? Ciekawe jest to, jak porusza się na tej taśmie z winiarni. Jest niski, ale chodzi jak pewny siebie kowboj. Wszystko załatwił, jest podniecony. Kupił drogiego szampana. Lubi podniosłe gesty. Co w połączeniu ze stoma milionami dolarów nie poprawia mi humoru. Czuję, że kroi się coś wielkiego.

Sinclair milczała.

– A myśli osobiste? – spytała po chwili.

Reacher uśmiechnął się.

– Są podobne.

– Podobne?

– Tak. Czuję, że kroi się coś... wielkiego.

– Bardzo na to liczę.

26

Obudził się, wstał, wrócił do swojego pokoju, wziął prysznic i ubrał się. Potem zszedł na śniadanie, sam. Ci z McLean już tam byli, prosto z lotniska po nocnym locie. Waterman, White, Landry i Vanderbilt. Towarzyszyła im Neagley. Oni robili wrażenie zmęczonych, ona nie. Landry powiedział, że wytropili dziadków Wileya, stryjecznych i ciotecznych. Lecz wiadomości nie były dobre. Większość już dawno nie żyła, poza tym kiedy Wiley dorastał, żaden nie mieszkał w jego sąsiedztwie. Nie znaleziono dowodów, że utrzymywali ze sobą kontakt, nawet przypadkowy. Nie należeli do tych, którzy lubią kogoś odwiedzać. Dwóch siedziało w więzieniu. Mało prawdopodobne, żeby mieli na niego wpływ.

Ale Waterman przywiózł lepsze wiadomości. Namierzono matkę Wileya, która zgodziła się porozmawiać o swoich byłych przyjaciołach. Mieszkała w Nowym Orleanie i utrzymywała się z zasiłku. Powiadomiono już miejscową placówkę, wyślą do niej agentów. Pierwsze informacje dotrą za siedem, osiem godzin. Z powodu różnicy czasu.

White, ten z CIA, nie sprawiał wrażenia zadowolonego. Włosy miał dłuższe niż ostatnim razem. I był jeszcze bardziej wychudzony. Wiercił się i wił, wykręcał sobie ręce i mrużył oczy.

– Co jest? – spytał Reacher.

– Trzeba wyciągnąć z dziupli tego Irańczyka.

– Przecież wysłanniczka nic nie powiedziała. Przeszła nam koło nosa.

– Ratcliffe ma klapki na oczach – narzekał White. – Jeśli tym Saudyjczykom coś się stanie tutaj, w Hamburgu, zaczną wszędzie sprawdzać. Wszędzie, każdy będzie podejrzany. Oni nie są głupi. Potrafią kojarzyć fakty. Bo ile jest tu zmiennych? Dwoje wysłanników i tylko jedna dziupla. Irańczyk nie utrzyma się pięciu minut.

– Musi pan pogadać z Bishopem – doradził mu Reacher.

– Bishop go prowadzi, ale nie ma prawa go ewakuować.

– Musi mieć.

– Tylko w przypadku bezpośredniego zagrożenia.

– Czyli, według pana, właśnie teraz.

– Wszystko zacznie się w chwili, kiedy złapiecie Wileya. Kiedy szlag trafi te ich umowy. Czyli kiedy?

– Mam nadzieję, że niebawem.

– Właśnie!

– Niech pan pogada z Bishopem – powtórzył Reacher.

Przyszła Sinclair. Czarna sukienka, perły, nylony i eleganckie szpilki. I wilgotne włosy. Landry i Vanderbilt zrobili jej miejsce i usiadła.

– Rozmawiałam z Ratcliffe'em – powiedziała. – Zakładamy, że faza negocjacji dobiegła końca i zaczyna się faza dostawy. Dlatego musimy wiedzieć czego, gdzie i kiedy.

– Wysłanniczka jest już pewnie w domu – odezwała się Neagley. – Mogła złapać bezpośrednie połączenie. Albo prawie bezpośrednie. Teraz wyślą kogoś do Szwajcarii, bo nie mają zaufania do telefonów. Kogoś z numerem rachunku i hasłami. Transakcja zajmie parę godzin. Może dojść do niej już jutro.

– Albo za rok – mruknął Vanderbilt. – Pytanie, czy są gotowi... czy mają pieniądze.

— Wiley nie będzie czekał kolejnego roku – odparł Waterman. – Ucieka od czterech miesięcy. To niełatwe. Duży stres i duże ryzyko. Musi to załatwić teraz, jak najszybciej. Jutro, pojutrze albo popojutrze. Daję głowę, że pieniądze już czekają, prawdopodobnie w tym samym banku, w którym on ma konto. Dwa różne punkciki na tym samym monitorze.

— Dobrze – ucięła Sinclair. – Wiemy już, że wkrótce. Zostaje co i gdzie.

— „Gdzie" zależy od „co" – odparł Reacher. – Jeśli Wiley sprzedaje informacje albo dokumenty, mogą to załatwić choćby w banku. Jeśli coś dużego, musi to składować gdzieś w Niemczech, więc będą musieli przysłać tu ludzi do transportu.

— Trzeba obserwować bank – zasugerował Waterman.

— Nie wiemy który. W Szwajcarii są setki.

— No to lotniska. Tu i w Zurychu.

— Najłatwiejszy sposób to dowiedzieć się, co Wiley sprzedaje – stwierdził Landry.

— Poważnie? – rzuciła szyderczo Neagley.

— Musi coś sprzedawać.

— Ale co? Nie może teraz po to pójść. Od razu by go aresztowano. Dlatego musiał to ukraść albo dostać co najmniej cztery miesiące temu. Sęk w tym, że nic nie zginęło.

— Trzeba ewakuować Irańczyka – powtórzył White.

— Jeszcze nie teraz – powiedziała Sinclair.

— A kiedy?

— Niech pan porozmawia z Bishopem. Jedziemy do konsulatu, ma nas tam urządzić. Czekam w holu za dziesięć minut.

• • •

Müller wszedł schodami ewakuacyjnymi na piętro Griezmana. Było wcześnie, przed ósmą. Wcześnie i pusto. Sekretarki jeszcze nie przyszły. Tacka w sekretariacie Griezmana wyglądała tak jak przedtem, starannie ułożone dokumenty też. Tylko gdzie jest ten portret? Amerykanie wzięli pewnie tyle kopii, ile chcieli. Griezman też, choćby do teczki dupokryjki. A oryginał schował w sejfie. Albo w specjalnej szufladzie. Może mieć dziesiątki portretów, cały segregator. Ostatecznie podlegały mu dziesiątki detektywów.

Ale gdzie? Za ergonomicznym krzesłem sekretarki ciągnął się rząd szuflad. Tworzyły podstawę, na której ustawiono półki. Müller wślizgnął się za biurko i pochylił. Szuflady były nieoznakowane. Cofnął się i zajrzał do gabinetu Griezmana. Do jego sanktuarium. Były tam identyczne szuflady, tyle że bez półek. Coś w rodzaju kredensu z oprawionymi w ramkę zdjęciami kobiety i dwojga dzieci. Pewnie jego. Stała tam również statuetka, jakieś trofeum. Zważywszy na tuszę Griezmana, raczej nie sportowe. Pod ścianą naprzeciwko stały szafki na akta. W sumie dwadzieścia cztery szuflady, dwadzieścia w gabinecie i cztery w sekretariacie.

Niewygodna proporcja.

Müller zawarł ze sobą układ. Prawdopodobieństwo sukcesu wynosiło jeden do pięciu, a ryzyko, że wyrzucą go z roboty – cztery do pięciu. Na dłuższą metę był przecież pożyteczny tam, gdzie pracował. Musiał brać ten fakt pod uwagę. Dlatego postanowił przeszukać tylko sekretariat. Pójść na rozsądny kompromis. Znowu wślizgnął się za biurko. Postanowił szukać od lewej do prawej. Wystarczy szybkie zerknięcie. Portret pamięciowy będzie rzucał się w oczy. Pewnie zrobiono go na grubym papierze ze sklepu z artykułami artystycznymi. Na kartce nietypowych wymiarów. I schowano do plastikowej koszulki.

Pochylił się.

– Halo? – Kobiecy głos.

Zaskoczony i jakby pytający.

Müller wyprostował się i odwrócił.

Sekretarka Griezmana.

Milczał.

Kobieta rzuciła torebkę na biurko i zdjęła płaszcz. Powiesiła go na haczyku, energicznym krokiem wróciła i spytała:

– Mogę w czymś pomóc, panie naczelniku?

Naczelnik Müller nie odpowiedział.

– Szuka pan czegoś?

– Tak, portretu – wypalił.

– Portretu?

Müller zwlekał z odpowiedzią.

Gorączkowo myślał.

W końcu wymyślił.

– W nocy doszło do wypadku drogowego. Co podpada pod mój wydział oczywiście. Potrącono rowerzystę. Kierowca samochodu zbiegł. Ale kolega rowerzysty podał nam bardzo dobry rysopis. Wyrazista twarz i niezwykła fryzura.

– I jak mogłabym panu pomóc? – spytała sekretarka.

– Godzinę przed wypadkiem jeden z moich ludzi spotkał się przypadkowo z podwładnym naczelnika Griezmana. Chciał ukarać kierowcę źle zaparkowanego samochodu, ale okazało się, że to nieoznakowany wóz patrolowy. Podwładny naczelnika miał w samochodzie portret pamięciowy Amerykanina, niejakiego Wileya. Po powrocie do domu mój człowiek zdał sobie sprawę, że jest to ta sama twarz, którą opisał kolega potrąconego rowerzysty.

– Rozumiem...

– Dlatego chcę pokazać ten portret świadkowi. Dla potwierdzenia.

– Oczywiście, chętnie dam panu kopię.

– Jeśli to nie kłopot.

– Ależ skąd.

– Bardzo dziękuję.

Sekretarka weszła do gabinetu Griezmana i Müller usłyszał cichy turkot wysuwanej na rolkach szuflady. Po chwili kobieta wróciła z kartką papieru w plastikowej koszulce. Włączyła kserokopiarkę. Maszyna tyknęła, kliknęła i rozszedł się zapach gorącego tonera. Z głuchym stukotem otworzyły się drzwi windy. Wysiadły dwie sekretarki. Torebki, płaszcze, energiczne poranne ruchy. Gotowe do pracy, minęły ich z miłym uśmiechem.

Sekretarka Griezmana podniosła pokrywę i ułożyła portret na tacy skanera, rysunkiem do dołu. Nacisnęła guzik. Maszyna zaszumiała i wypluła pojedynczą kartkę papieru.

Znowu ta winda. Ale nie, to nie Griezman. Jakiś urzędnik w garniturze. Müller skądś go znał. Mężczyzna skinął mu głową na dzień dobry i poszedł dalej.

Sekretarka podała mu kopię. Kolorową. Przedstawiała chudego mężczyznę o wysokim czole i wystających kościach policzkowych, głęboko osadzonych oczach i długich słomkowych włosach.

Podziękował i wyszedł. Korytarz, drzwi, schody ewakuacyjne, kolejne drzwi, kolejny korytarz, wreszcie jego gabinet: usiadł i natychmiast zaczął sporządzać fikcyjny raport o rannym rowerzyście i zbiegłym kierowcy. Na wypadek, gdyby Griezman chciał to sprawdzić.

• • •

Schodzili do holu.

– Musimy mieć jego rozkazy wyjazdu – mówiła Neagley. – Wszystkie. To klucz. Wiley stacjonuje w Niemczech od ponad dwóch lat i od czterech miesięcy jest na samowolce. Co daje nam krytyczny okres niecałych dwóch lat czynnej służby. W tym czasie coś widział. Ułożył plan i coś ukradł. Dlatego musimy wiedzieć, gdzie dokładnie był. Każdego dnia, od pierwszego do ostatniego. Bo co najmniej raz był tuż przy tym czymś. Może nawet tego dotykał. Miał z tym fizyczny kontakt.

– Potrzebował minimum jednego dnia – powiedział Reacher. – Tego, kiedy dokonał kradzieży.

– Moim zdaniem dwóch. Najpierw to coś zobaczył, potem ułożył plan, a jeszcze potem wrócił, żeby...

– Nie – przerwał jej Reacher. – On tego nie zobaczył. Niezupełnie. On to odszukał. Namierzył. Gra w tę grę bardzo długo. Przyjechał po to do Niemiec. Dowiedział się o tym z dużym wyprzedzeniem.

– Wszystko jedno. Musiało w każdym razie dojść do kontaktu fizycznego.

– Z czego on płaci czynsz? – zastanawiał się Reacher. – Jest starszym szeregowcem. Nie ma inwestycyjnego planu oszczędzania... Sprawdź, czy jego rozkazy wyjazdu nie pokrywają się z umorzonymi sprawami o kradzież. Musiał mieć skądś pieniądze na rozruch.

Hol. Zadzwonił telefon. Recepcjonistka podniosła słuchawkę, przycisnęła ją do obfitych piersi i zawołała:

– Do pana, panie majorze!

Orozco. Sądząc po dziwnym echu, z jakiejś piwnicy.

– Mamy kłopoty? – spytał.

– A skąd! – odparł Reacher. – Ratujemy świat.

– Aż przestaniemy.

– Wtedy nie będzie to miało żadnego znaczenia.

– Rozmawiałem przed chwilą z Billym Bobem i Jimmym Lee. Potwierdzają, że mogli wybrać dowolne nazwisko, pod warunkiem że będzie niemieckie. Na wypadek niezapowiedzianej kontroli wewnętrznej. Uważano, że obce będą kłuły w oczy. Ale niemieckie, proszę bardzo. Jakie tylko chcą. Ładnie brzmiące czy takie, które coś dla nich znaczą.

– Dobra, dzięki – rzucił Reacher. – Muszę kończyć.

Stał plecami do kontuaru recepcji i przez przeszkloną część drzwi widział ulicę.

I jakiegoś mężczyznę.

W bramie naprzeciwko.

Odłożył słuchawkę. Spojrzał na Neagley i wskazał go ruchem głowy. Neagley dyskretnie zerknęła.

– Widzę – powiedziała. – Trudno go nie zobaczyć.

– Chodźmy się przewietrzyć.

Ona wyszła pierwsza, on za nią. Zaskoczony mężczyzna drgnął, teatralnie się przeciągnął, ziewnął i ruszył spacerkiem przed siebie, leniwie, jakby miał mnóstwo czasu.

– Sprawdzimy, dokąd idzie? – spytała Neagley.

Dotrzymując mu kroku, szli trzy metry za nim, po drugiej stronie ulicy, którą sunął poranny ruch. Mężczyzna był w wełnianej kurtce i nie miał czapki. Nieźle zbudowany, wyższy od Neagley i niższy od Reachera. Na najbliższym skrzyżowaniu skręcił w prawo. Zaczekali na zielone światło i dogonili go, wciąż utrzymując trzymetrowy dystans.

Mężczyzna znowu skręcił w prawo.

W wąski przesmyk między budynkami.

– To pułapka – rzuciła Neagley. – Zamknięte podwórko. Nic dziwnego, że tak łatwo go namierzyliśmy. Miał cię tu przyprowadzić.

– Mnie?

– Nie przysłał go Griezman ani Bishop. Więc kto? Orozco mówi, że rządzi tu mafia. A Klopp jest pewnie członkiem założycielem. Wie, jak wyglądamy, i zna nasze nazwiska. Spuściłeś manto ich czterem żołnierzom. Wtedy, za pierwszym razem. Więc chcą ci dokopać.

– Myślisz, że wciąż się na mnie gniewają? – spytał.

– Prawdopodobnie.

– To podwórko... duże jest?

– Nie jestem architektem, ale pewnie dziewięć na dziewięć, jak spory salon.

– Ilu ich tam może czekać?

– Minimum sześciu – odparła. – Siedmiu, jeśli liczyć tego, który cię tu przyprowadził.

– Nas – poprawił ją Reacher.

– A raczej który cię prowadził, dopóki nie zainterweniowałam. Pierwszym obowiązkiem sierżanta jest chronić swojego bezpośredniego przełożonego.

– Tego was dzisiaj uczą?

– Między wierszami.

– Czemu nie, mnie to pasuje.

– Wracamy – zdecydowała Neagley.

– A jeśli się mylisz?

– Wątpię.

– Może to zwykłe podwórko. Z domami dla lokatorów o niskich dochodach. Takie miasto w mieście. Wiesz, pokoje z oknami, z których nic nie widać. Mieszkania dla bezrobotnych. Ale bezrobotny może przynajmniej stać cały ranek w bramie naprzeciwko hotelu.

– Twoim zdaniem on idzie do domu?

– Moim zdaniem trzeba to sprawdzić.

– Reacher, to pułapka.

– Wiem. Ale zaleźmy im trochę za skórę. Przyciśnijmy ich. Może zdradzą nam nazwisko tego od paszportów. To jeden z nich. Musimy poznać nowe nazwisko Wileya. To chyba jedyny sposób. Daj mi dokładnie dwie minuty. Jeśli po tym czasie nie wrócę, możesz przyjść i mi pomóc.

27

Skręcił w przejście, które miało niecały metr szerokości i było jak paskudny korytarz w tanim mieszkaniu. Kilka kroków dalej jaśniał prostokąt światła, porannych cieni i piaskowca. I ani żywego ducha. Pewnie czekali rozpłaszczeni na ścianie po obu stronach wyjścia.

Reacher szedł w półmroku, sunąc czubkami palców po murze, żeby nie znaleźć się za bardzo w lewo czy w prawo. Jego kroki rozbrzmiewały głośnym echem odbitym od ścian i stropu. Z przodu nic się nie zmieniało. Poranne światło i pomalowany piaskowiec. Soczyste kolory, jasne i czyste. Pod stopami kostka, coś w rodzaju chodnika. Żadnych przeszkód fizycznych. Ani studzienek, ani hydrantów. Modernizm z lat pięćdziesiątych.

Szedł dalej.

Trzy kroki przed końcem przesmyku puścił się biegiem, wpadł na podwórko, zatrzymał się na środku i odwrócił.

Ośmiu.

Wciąż przyklejonych do ściany. Najwyraźniej spodziewali się bardziej ostrożnego wyjścia na scenę. Ośmiu, w tym czterech z baru, tego „Niemcy są dla Niemców". Chyba doszli już do siebie, przynajmniej częściowo. Trzech pozostałych wyglądało podobnie, choć byli jeszcze cali, nieuszkodzeni. I trochę starsi. Pewnie wybrano ich za zasługi. Jeden miał puste ręce. Drugi ściskał kij baseballowy. Trzeci szyjkę rozbitej butelki, kawał brązowego szkła wystrzępionego jak tulipan. Ten zaatakuje pierwszy, pomyślał Reacher. Ten z kijem zaczeka. W zamieszaniu kij baseballowy jest bezużyteczny. Tych czterech z baru będzie zwlekało. Kto raz się sparzył, na zimne dmucha. Przynęta, cwaniak, który go tu przyprowadził, w ogóle nie weźmie udziału w bójce. Nie jego broszka. Czyli trzech na jednego, początkowo. Betka. Potem się zobaczy.

Kij ruszył jako pierwszy. Zagrywka głupia, lecz przewidywalna. To była ich najpotężniejsza broń, miała nadawać ton walce. Sęk w tym, że w biegu była zupełnie nieprzydatna. Trafić w piłkę, pędząc sprintem po bieżni? Nikt tego nie potrafi. Ani Babe Ruth, ani Joe DiMaggio, ani Mickey Mantle. Nie potrafił tego nawet Ted Williams w latach świetności. Zmarnowany wysiłek i taktyka. Założyli, że gdy powalą go pałką, do akcji włączy się ten z tulipanem, że podbiegnie, pochyli się i zacznie go dźgać, chlastać i rżnąć. Co znaczyło, że tulipan ruszy zaraz za kijem, dwa metry za nim, czekając na chwilę sławy i chwały, z każdym krokiem nabierając większego rozpędu.

Rzecz w tym, że rozpęd działa w dwie strony.

Reacher zrobił unik, zszedł z drogi temu z kijem i skoczył w stronę tulipana, z rozpędu, jak pędzący na zderzenie czołowe samochód. Obserwował tylko butelkę, którą tamten – ogarnięty paniką – właśnie podnosił, mierząc w jego twarz. Pozostawało tylko wyczuć odpowiedni moment, nic więcej. A to było dużo łatwiejsze niż trafienie w piłkę. Reacher machnął lewą ręką, jakby opędzał się od osy na pikniku, grzmotnął atakującego w zgięcie łokcia i kiedy nie robiąc mu krzywdy, butelka przeleciała nad jego ramieniem, zyskał trochę czasu i miejsca, by uderzyć przeciwnika prawym łokciem w twarz, z haka, który dzięki energii kinetycznej nabrał siły laski dynamitu eksplodującej w ustach tamtego. Gość runął na ziemię tak szybko, jakby przyciągała go ze zdwojoną siłą. Reacher zmiażdżył nogą butelkę, żeby nikt nie mógł jej wykorzystać w dalszej walce, i ruszył na tego z kijem, który właśnie się odwracał.

Kij. Postanowił mu go odebrać.

Facet rozstawił nogi, lekko je ugiął i zaczął odciągać kij, brać zamach, bardzo niski i ostrożny, jak rakietą tenisową, jakby szykował się do odebrania serwu bekhendem albo celował w piłeczkę golfową na podstawce. Żeby nadać pałce jak największą energię, cofał ją coraz dalej i dalej, hen za siebie, do punktu, w którym mógłby zwolnić spust, gdy Reacher znajdzie się w jego zasięgu. Tak więc znowu pozostawało tylko wyczuć odpowiedni moment. Obronić się przed uderzeniem tego rodzaju narzędziem można tylko w jeden sposób: trzeba uprzedzić cios, dotrzeć do przeciwnika, zanim ten zrobi wymach – tak jest idealnie. Jeśli natomiast pałka jest już w ruchu, nie można dopuścić do tego, żeby pokonała pierwsze trzydzieści centymetrów trajektorii, kiedy jest najpowolniejsza i ma energię płotu, na który wpada się po ciemku z miękkim, łagodnym „łup!". Dotarcie do przeciwnika wymagało gwałtownego przyspieszenia, co w przypadku mężczyzny postury Reachera nie było łatwe, ale co teraz przyszło mu bez najmniejszego trudu. Za sprawą motywacji: różnicy między miękkim „łup!" i złamaną kością udową. Albo ręką czy paroma żebrami. Runął na tamtego i dopadł go w chwili, gdy kij pokonał ledwie osiem centymetrów trajektorii, co dało Reacherowi czas, by zablokować go dłonią w połowie „beczki", tej grubszej części, wyrwać go, chwycić wolną ręką i grzmotnąć faceta trzonkiem w prawą skroń, znokautować go jak kastetem albo kolbą karabinu.

Gość upadł na bok i Reacher odwrócił się na pięcie w poszukiwaniu następnego celu. Ten zmaterializował się natychmiast w postaci trzeciego napastnika, który pędził ku niemu z pustymi rękami, podniesionymi i szeroko rozłożonymi, jakby chciał się z nim siłować. Reacher machnął pałką z drugiej strony, z lewej do prawej, jak oburęczny baseballista, który próbuje trafić wysoką piłkę. Trudne uderzenie, fakt, ale tamten był dużo większy niż piłka, więc idealne trafienie w punkt nie należało do absolutnych wymogów. Wystarczyło huknąć gdzieś między piersią i głową, w łokieć, przedramię, szyję lub czaszkę. Albo we wszystkie te miejsca naraz, jak w tym przypadku. Napastnik chciał się zasłonić i kij trafił w łokieć, a potem w triceps, gruchocząc grubą kość przedramienia i zatrzymując się tuż pod szczęką, tam, gdzie szyja spotyka się z głową. Niedoszły zapaśnik upadł na kolana, ale ponieważ nie stracił przytomności, Reacher zrobił poprawkę, tym razem taką jak trzeba, z prawej do lewej. Uderzenie posłałoby piłkę wysokim łukiem i wystarczyło pewnie na mecz podczas pikniku z okazji Dnia Niepodległości, było jednak aż nadto skuteczne jako broń przeciwko ludzkiej anatomii. Facet zakołysał się i padł na twarz.

Wewnętrzny zegar podpowiadał Reacherowi, że walka trwa mniej więcej od czterech sekund. Przynęta, cwaniaczek, który go tu przyprowadził, wciąż tulił się do ściany. Nie jego broszka. Do boju ruszyły cztery półtusze wołowe, chłopcy z baru. Przegrupowali się i rozstawili jak popadło. Bez ładu i składu, na chybił trafił. Co stanowiło pewien problem. Reacher wiedział, że z pierwszymi dwoma pójdzie mu łatwo. Z trzecim – trudniej. Problemem był czwarty. Chodziło o czas, przestrzeń i ruch. Jak w astronomii. Planety znalazły się na kursie kolizyjnym. Pędziły z odpowiednią prędkością, po odpowiednich orbitach i pod odpowiednim kątem. Czwarta uderzy, zanim polegnie trzecia. Nie było innej opcji, tak nakazywały prawa fizyki. Jedyna logiczna sekwencja? Najpierw dojdzie do zderzenia z pierwszą, potem z drugą, na końcu z trzecią. A czwarta roztrzaska go na kawałki, bez względu na obraną taktykę.

Smutne. Reacher pożałował, że kazał Neagley czekać dokładnie dwie minuty. Została jeszcze minuta i pięćdziesiąt sekund, a jemu nie przychodził do głowy żaden rozsądny sposób na przetrwanie. Na walkę z mściwymi przeciwnikami. Powinien był dać Neagley wolną rękę. Kiedy tylko skupiłby uwagę na tym, co czekało go na podwórzu, ruszyłaby za nim i stałaby już w cieniu u wyjścia z przesmyku, obserwując i kalkulując tak jak teraz on, gotowa w każdej chwili wkroczyć do akcji i pokrzyżować plany temu czwartemu.

Pierwszym obowiązkiem sierżanta jest chronić swojego bezpośredniego przełożonego.

Może go nie posłucha.

I oczywiście nie posłuchała. Runął na pierwszych dwóch, używając pałki jak pięści – raz, dwa, czoło, bekhend – wybiegając myślą do przodu, ustawiając się tak, żeby dać odpór temu trzeciemu, wykonując szybki obrót, oszczędnie i z wdziękiem, mimo to – zgodnie z przewidywaniami – ten czwarty nadbiegł za wcześnie, tuż za kumplami, i ślepym zrządzeniem losu dopadł go, zanim pałka zdążyła ponownie powędrować do góry.

I nagle zniknął. Jakby pełnym pędem wpadł na sznur z rozwieszoną bielizną. Jak w triku filmowym. W jednej klatce był, w drugiej już go nie było. Ten trzeci upadł i wtedy Reacher zobaczył Neagley w końcówce czegoś, co wyglądało na szybki cios w gardło.

Cwaniaczek z bramy podniósł ręce.

– Dziękuję, pani sierżant – rzucił Reacher.

– Trzeba było wziąć tulipana – powiedziała Neagley. – Jest lepszy niż pałka.

Reacher podszedł do cwaniaczka.

– Powiedz swojemu szefowi, żeby przestał marnować mój czas. Niech przyjdzie sam. Będzie jeden na jednego. Pójdziemy na spacer. Wymienimy poglądy.

Wyszli przesmykiem na ulicę, najpierw ona, potem on. Przystanęli na słońcu, otrząsnęli się, wyprostowali i szybko wrócili do hotelu.

28

Ale się spóźnili. Tamci czekali. Bishop wysłał po nich mały bus, podobny do tych, jakie kursują na lotnisko. Pozostali już w nim siedzieli, wyglądając przez okna. Waterman, Landry, White i Vanderbilt. I Sinclair. Reacher i Neagley wsiedli, syknęły zamykające się drzwi i bus ruszył. Mieli niedaleko, dookoła jeziora Aussenalster, do dużego, imponującego, chociaż trochę dziwnego budynku. Wyglądał jak kopia Białego Domu odtworzona z pamięci przez budowniczego, który był tam tylko raz, jako dziecko. Bishop powitał ich i zaprowadził do sali, gdzie stały głównie biurka, telefony, faksy, kserokopiarki, drukarki i komputery z brudnymi beżowymi klawiaturami. Powiedział, że telefony podłączono dokładnie tak samo jak w McLean. I że z miejscowych tylko Griezmanowi podano numer centrali, ale bez adresu.

I to właśnie on zadzwonił jako pierwszy.

Z problemem.

Odebrał Reacher.

– Proszę nie przełączać rozmowy na głośnik – zaczął naczelnik.

– Dlaczego?

– Dałem ciała. Ja albo mój wydział, na jedno wychodzi.

– Co się stało?

– Chyba straciliśmy Wileya. Dwie godziny po naszym spotkaniu miał wypadek. Jechał samochodem i potrącił rowerzystę. Pewnie po tym szampanie. Kobieta, która była świadkiem zdarzenia, dokładnie go opisała. Pokazano jej portret pamięciowy Wileya i od razu go rozpoznała. Wszystko jest w protokołach drogówki.

– A więc wasz człowiek go przegapił.

– Rozmawiał z kimś z patrolu drogowego, może wtedy...

– W każdym razie nie wiecie, gdzie Wiley teraz jest.

– Nie z akceptowalną dozą pewności – odparł Griezman.

– Uczą was tak mówić?

– Tak jest poważnie i dojrzale. Sugeruje obfitość szczegółów technicznych.

– Cóż – westchnął Reacher. – Zdarza się. Niech się pan nie przejmuje.

– Przykro mi.

– Spokojnie, jakoś sobie poradzimy.

– Utrzymam obserwację, dopóki będę mógł.

– Dziękuję.

Gdy odłożywszy słuchawkę, Reacher przekazał im nowiny, Sinclair zadała pytanie, które cisnęło się na usta wszystkim zebranym.

– Dostawa? Przegapiliśmy dostawę? Był tak zestresowany, że kogoś potrącił?

– Nie, za wcześnie – odparł Vanderbilt. – Do wypadku doszło o pierwszej w nocy, nie mogli mu jeszcze zapłacić. A skoro nie zapłacili, nie dostarczył im towaru. Chyba że jest kompletnym idiotą.

– W najgorszym wypadku jechał na lotnisko – powiedział Landry. – Na pierwszy samolot do Zurychu. Może woli zaczekać parę dni tam, a nie tutaj. Jeśli tak, wziął towar ze sobą. Coś małego. Żeby dokonać wymiany w banku, tak jak mówi Reacher.

– Trzeba obserwować lotniska – zasugerował Waterman.

– Już obserwujemy – rzuciła Sinclair. – Na obydwu są kamery bezpieczeństwa. CIA się do nich podłączyła. Tymczasowo, nieoficjalnie, więc nie na długo, ale jak dotąd Wiley się nie pokazał.

– Do domu też nie wrócił – zauważył Reacher. – Chyba że ludzie Griezmana przeoczyli go dwa razy. Więc gdzie teraz jest?

– Kręci się – odparła Neagley. – Gdzieś w Niemczech. Trwa faza przed dostawą. Jak oglądanie nowego samochodu w salonie. Tuż przed wielką odsłoną.

● ● ●

Wiley właśnie otwierał oczy w swojej sypialni, w pokoju, w którym budził się od trzech miesięcy. W wynajętym mieszkaniu niedaleko portu. W nowym osiedlu wielkości miasta. Miasto w mieście. Choć niezupełnie. Raczej gigantyczna sypialnia pełna pozbawionych ciekawości ludzi, którzy wpadali tu po ciemku i po kilku godzinach snu wypadali. Ani razu nie widział swoich sąsiadów i na ile się orientował, oni nie widzieli jego. Doskonale.

Wstał i włączył ekspres do kawy. Wypłukał butelkę po szampanie i włożył ją do kosza na śmieci. Kieliszek umieścił w zmywarce.

Podniósł słuchawkę i zadzwonił do wypożyczalni samochodów, z której usług już kiedyś korzystał. Odebrał jakiś mężczyzna, bardzo szybko, po pierwszym sygnale. Sądząc po głosie, młody i kompetentny.

– Czy mówi pan po angielsku? – spytał Wiley.

– Oczywiście, proszę pana.

– Chciałbym wynająć krytą ciężarówkę.

– Jakiej wielkości?

– Długą i wysoką. Z dużą przestrzenią ładunkową.

– Mamy mercedesa i volkswagena. Mercedes jest dłuższy, przestrzeń ładunkowa ma ponad cztery metry długości.

Wiley szybko to przeliczył. Cztery metry to trzynaście stóp. Potrzebował dwunastu.

– Jaką wysokość ma platforma załadunkowa? – spytał.

– Licząc od ziemi? Nie jestem pewien, ale chyba standardową.

– Czy ten wóz ma podnoszone tylne drzwi?

– Nie, proszę pana, drzwi są na zawiasach. Czy to problem?

– Muszę podjechać do innej ciężarówki i przenieść ładunek. Z drzwiami na zawiasach blisko nie podjadę.

– Boję się, że opcja z podnoszonymi drzwiami należy do zupełnie innej klasy pojazdów. Chodzi głównie o ciężar całkowity. Do prowadzenia tych cięższych wymagane jest prawo jazdy kategorii C. Ma pan takie?

– Gwarantuję, że mam uprawnienia do prowadzenia wszystkich pojazdów, jakie macie – odparł Wiley. – Jest ich tyle, że wyglądają jak talia kart.

– Świetnie. W takim razie na kiedy potrzebuje pan ciężarówki?

– Na teraz. Natychmiast.

• • •

Znowu zaterkotał telefon i Landry podał słuchawkę Reacherowi. Dzwonił Bishop, pewnie zza ściany.

– Przyszedł amerykański żołnierz, który twierdzi, że polecono mu się u pana zameldować.

– Dobrze, proszę go tu przysłać. Czy mam do niego zejść?

– Ktoś go do was przyprowadzi – odparł Bishop.

Tym kimś okazała się dziewczyna w wieku dwudziestu paru lat, pewnie świeża absolwentka bez doświadczenia, ale już dyplomatka pełną gębą. Żołnierzem zaś chłopak z irokezem z załogi Wileya, towarzysz broni. Świadek w sprawie jego samowolnego oddalenia się z jednostki. Żołnierz zawodowy, ale tylko specjalista, a nie pełny kapral. Półka wyżej niż starszy szeregowy, lecz jeszcze nie podoficer. Był w mundurze polowym z leśnym kamuflażem. Czyściutki i schludny, mógł mieć najwyżej dwadzieścia lat i wyglądał na dobrego żołnierza. Na oznace identyfikacyjnej nad kieszenią na piersi widniało jego nazwisko. Coleman.

Neagley ustawiła trzy krzesła w cichym kącie sali i usiedli.

– Dziękuję, że pan wpadł – zaczął Reacher. – Bardzo to doceniamy. Powiedziano panu, o co chodzi?

– Powiedziano mi, że o starszego szeregowego Wileya, panie majorze.

Mówił z południowym akcentem. Może z gór Georgii. Przycupnął sztywno na brzeżku krzesła, jakby stał na baczność na siedząco.

– Według meldunków sprzed czterech miesięcy, Wiley czuł się u was bardzo dobrze – ciągnął Reacher. – Czy to prawda?

– Tak, panie majorze – dopart Coleman.

– Był szczęśliwy i spełniony?

– Tak jest, myślę, że tak.

– Nikt go w żaden sposób nie dręczył ani nie prześladował?

– Nie, panie majorze, a przynajmniej nic mi o tym nie wiadomo.

– Więc mamy do czynienia z niezwykłym przypadkiem samowolki. Za co nie można winić ani pana, ani pana jednostki. To nie wasza wina. Nie sposób jej wam przypisać. Stu biurokratów mogłoby stukać na maszynie przez sto lat i by temu nie podołali. Rozumiemy się? Zdajemy sobie sprawę, że Wiley uciekł z powodów zewnętrznych.

– Tak jest, panie majorze – powiedział Coleman. – Wyciągnęliśmy identyczny wniosek.

– Więc niech pan się odpręży, dobrze? Nikt pana o nic nie oskarża. I proszę pamiętać: nie ma złych odpowiedzi. Ani

głupich. Każda jest jednakowo ważna. Także wrażenia osobiste. Bez względu na to, jak głupie się wydają. Dlatego
niech się pan nie cenzuruje. I mówi absolutnie wszystko.
Resztę dnia może pan spędzić w Hamburgu. Pójść do klubu
i zabawić się.

Coleman lekko skinął głową.

– Jak długo zna pan Wileya?

– Służył u nas prawie dwa lata.

– Staruszek z niego, co?

– Jest dużo starszy od mojego najstarszego brata.

– Nie uważa pan, że to dziwne? – spytał Reacher.

– Tak. Trochę.

– Zastanawiał się pan, dlaczego tak długo zwlekał?

– Myślę, że robił coś przedtem.

– Mówił o tym?

– Nie, panie majorze, nigdy – odparł Coleman. – Był
bardzo skryty. Miał jakieś tajemnice. Wszyscy wiedzieli, że
coś ukrywa. Ciągle uśmiechał się do siebie i milczał. Ale
miał już swoje lata, więc pomyśleliśmy, w porządku, jego
prawo. Mimo to był bardzo lubiany. Popularny.

– Nie obijał się?

Coleman zaczął coś mówić, lecz urwał.

– Co się stało? – spytał Reacher.

– Panie majorze, wspomniał pan o głupich wrażeniach
osobistych...

– Głupota jest cenna. Czasem nic oprócz niej nie mamy.

– Więc... według mnie nie chodziło tylko o tajemnice.
Chodziło o jakiś tajny plan. Taki na całe życie. Na każdy
dzień. Nie, Wiley się nie obijał. Bez szemrania robił to, co
mu kazano. Nie narzekał nawet na najgorszą robotę, a takiej
jest teraz najwięcej. Zawsze miał pogodną twarz. Był szczęśliwy, jakby każdy dzień przybliżał go do celu.

– Jakiego?

– Nie wiem.

– Cztery miesiące temu wspomniał pan o jego wujku.

– Tak – odparł Coleman. – Pytano nas, czy Wiley jest gadatliwy i o czym mówił. Tylko że on rzadko się odzywał. Kiedyś powiedział, że jest z Sugar Land w Teksasie. I zna się na bydle. Innym razem, że chce być farmerem. To wszystko. Nie należał do rozmownych. Ale pewnego wieczoru wróciliśmy z ćwiczeń. Strzelaliśmy do śmigłowców i dobrze nam poszło, więc wróciliśmy, otworzyliśmy kilka piw, daliśmy w gaz i każdy miał powiedzieć, dlaczego wstąpił do wojska. Tyle że nie w taki normalny sposób. Jest u nas kilku wygadanych bystrzaków. Trzeba było odpowiedzieć jednym sprytnym zdaniem. Nie jestem w tym dobry, więc kiedy przyszła moja kolej, powiedziałem, że chciałem nauczyć się fachu. Pomyślałem, że może to mieć podwójne znaczenie. Fachu jak na przykład naprawa samochodów i fachu jak zabijanie. Co mógłbym potem robić, gdybym nie dostał pracy u mechanika.

– Dobra odpowiedź – pochwalił go Reacher.

– Ale kumple nie załapali.

– A co powiedział Wiley?

– Że wstąpił do wojska, bo wujek opowiadał mu o Davym Crocketcie. Krótko i tajemniczo, tak jak trzeba. Jak w haśle do krzyżówki. A potem uśmiechnął się tym swoim uśmiechem. Łatwo mu było być tajemniczym, bo zawsze taki był.

– Domyślił się pan, o co mu chodziło?

– Pamiętam serial telewizyjny z Crockettem – odparł Coleman. – Oglądałem go co tydzień. Facet nosił kapelusz ze skóry starego szopa pracza. Mnie do wojska nie zachęcił, więc nie wiem, co Wiley miał na myśli. Pewnie tym razem to ja nie załapałem dowcipu.

– Ten wujek był tylko wujkiem, czy miał jakieś imię? – spytał Reacher.

– Wtedy jeszcze nie. Ale potem chłopaki zaczęli się z niego nabijać, że ciągle gada o farmach i bydle, a tak naprawdę, to w tym Sugar Land jest tylko duża, stara cukrownia, nic więcej. Wtedy powiedział, że przed wstąpieniem do wojska jego wujek Arnold pracował na ranczu.

– Myśli pan, że chodziło mu o tego samego wujka czy o innego?

Coleman umilkł, jakby liczył członków swojej rodziny, przypominając sobie, jak się do nich zwraca. Ten wujek, tamten wujek. Jest jakaś różnica?

– Nie wiem – powiedział w końcu. – Wiley należy chyba do tych, którzy używają imienia tam, gdzie się da. Jest z Teksasu, a tam obowiązuje staromodna kurtuazja. Ale w tym krótkim zdaniu nie mógł, bo musiało być krótkie. Więc może za każdym razem miał na myśli wujka Arnolda, a może i nie.

– Powiedział pan, że był szczęśliwy, bo każdy dzień przybliżał go do celu. Może pan to rozwinąć? W jakim Wiley był nastroju? Odniósł pan wrażenie, że ten tajny plan jest powolną, systematyczną strategią czy strategią pełną wzlotów i upadków?

– Nie był chyba ani taki, ani taki. Wszystko się w nim mieszało. Wiley był zawsze wesoły, ale potem poweselał jeszcze bardziej. Wystarczyły dwa kroki, od wesołego do radosnego.

– Kiedy tak poweselał?

– Mniej więcej w połowie służby. Rok temu.

– Co się wtedy stało?

– Nic, co dałoby się ująć w słowa.

– A pana wrażenia?

– Są głupie.

– I bardzo dobrze.

– Bo on jakby czekał na wiadomość. Jakby spodziewał się dobrej, w końcu jakąś dostał i okazało się, że rzeczywiście jest dobra.

– Jak ktoś, kto szuka czegoś, o czym wie, że na pewno gdzieś jest, i w końcu to znajduje?

– Tak! Właśnie tak!

• • •

W Dżalalabadzie było dużo później. Śniadanie już dawno zjedzono, zbliżała się pora obiadu. Do małej, gorącej izby ponownie wezwano wysłanniczkę. Po raz drugi tego dnia. Już przekazała odpowiedź Wileya. O świcie, zaraz po powrocie. Grubas w turbanie uśmiechnął się i zakołysał, ten wysoki zacisnął pięści i zawył jak wilk. Teraz czekał na nią tylko grubas. Druga poduszka była wgnieciona, lecz pusta. Chudzielec pewnie gdzieś poszedł. Był bardzo zajęty. Bardzo podekscytowany. Zdaniem wysłanniczki, bardziej zajęty i podekscytowany niż powinien, bo chodziło przecież o sprawę małej wagi.

Po cichu nadleciały muchy. Pokrążyły nad nią i szybko odleciały.

– Usiądź – rzucił grubas.

– Czy mogę stać? – spytała.

– Jak wolisz. Jestem z ciebie bardzo dumny. Wypełniłaś zadanie bezbłędnie. Ale, zważywszy twoje wyszkolenie, inaczej być nie mogło.

– Dziękuję. Czułam, że jestem dobrze przygotowana.

– Czy twój niemiecki był zadowalający?

– Mało się odzywałam. Tylko do taksówkarza.

– Byłby zadowalający, gdybyś musiała mówić więcej?

– Tak sądzę, ponieważ dobrze mnie wyszkolono.

– Chciałabyś wrócić do Hamburga?

Wysłanniczka pomyślała o zdjęciach, odciskach palców i komputerowych rejestrach.

– Pojadę tam, dokąd wyśle mnie wasza mądrość – odrzekła.

– Jak wiesz, czeka na nas przesyłka, ale potrzebujemy kogoś, kto będzie nadzorował jej odbiór.

– Byłabym zaszczycona.

– Czy języki obce to twoja najmocniejsza strona? – spytał grubas.

– Nie mnie to oceniać.

– Ci, którzy cię szkolili, mówią, że masz znakomitą pamięć do liczb.

Wysłanniczka milczała.

Nie chciała rozmawiać o liczbach.

Nie teraz.

– Czyżby mówili nieprawdę? – drążył grubas.

– Nie, są bardzo uprzejmi, lecz zbyt łaskawi. Nie mam pamięci do liczb.

– Dlaczego tak mówisz?

Wysłanniczka milczała.

– Powiedz.

– Bo zechcecie, żebym przed Hamburgiem poleciała do Zurychu, gdzie też mówią po niemiecku. Do banku. Żeby przelać pieniądze dla Wileya. Z liczbami. Numerami i hasłami. Tak miałabym nadzorować odbiór przesyłki.

– Zamierzasz odmówić?

– Musiałabym poznać cenę.

– Naturalnie. To jeden z czterech najważniejszych elementów. Numer naszego konta, hasło, kwota i numer rachunku odbiorcy. Dużo cyfr do zapamiętania, wiem, ale sama transakcja jest bardzo prosta i nieskomplikowana.

– Nie lubicie, kiedy ktoś zna cenę.

Grubas nie odpowiedział.

– Poświęcicie mnie – dodała wysłanniczka.

– Nie. Jeżeli dostaniemy to, czego chcemy, unikniesz losu swojego poprzednika. Tym razem jest inaczej. Jeśli wszystko przebiegnie zgodnie z ustaleniami, na zawsze pozostaniesz częścią naszego wielkiego dzieła. Tak jak my wszyscy. Staniemy się mitem, przejdziemy do legendy. Opowieści o nas będą przekazywane z pokolenia na pokolenie. Cena? Zostanie uznana za okazyjną. Będziesz czczona i wysławiana. Udając, że są tobą, i wiedząc, że one też mogą być takie jak ty, małe dziewczynki będą bawiły się w przelewanie pieniędzy w banku. Wysłanniczka milczała.

– Ale jeśli transakcja się nie powiedzie – ciągnął grubas – wtedy tak, zginiesz bez względu na to, czy polecisz do Zurychu, czy nie. Już w tym tkwisz. Jesteś świadkiem. A wszyscy świadkowie zostaną usunięci. Inaczej poniżenie byłoby nie do zniesienia. Sto milionów dolarów za nic? Musielibyśmy wymazać to z pamięci. Albo bylibyśmy skończeni jako przywódcy. Zjedzono by nas żywcem.

– Sto milionów dolarów? – powtórzyła wysłanniczka. – Czy taka jest cena?

– Idź i naucz się liczb – odparł grubas. – Wieczorem wyjedziesz. Módl się o zwycięstwo.

● ● ●

Wiley zjechał windą na parter i wyszedł z bloku. Rondo, sąsiedni budynek, potem między dwoma kolejnymi na drugą stronę osiedla, gdzie nowy asfalt ustępował miejsca starej kostce granitowej, brukowi i pieczołowicie zachowanym dźwigom portowym. Nad ciemną wodą przerzucono nowe kładki z drewna tekowego i stali, które wdzięcznym łukiem spinały brzegi otchłani. Wiley przeszedł jedną i wszedł na drugą. Ta była szersza i prowadziła aż do głównej ulicy, na przystanek. Usiadł pod wiatą i chwilę czekał. Najpierw nadjechał nie ten autobus, potem ten co trzeba. Zatrzymywał się dwa skrzyżowania od wypożyczalni samochodów. Wiley wsiadł. Był spokojny. Już nie spadał. Teraz musiał wykonać jedynie szereg zadań technicznych. Dostarczyć, odebrać, odlecieć. Ranczo będzie już czekało. Prawie dwieście pięćdziesiąt tysięcy hektarów. Widoczne z kosmosu.

Samotny w tłumie pasażerów uśmiechnął się do siebie. Mały Horace Wiley. Kurczę.

• • •

Niecałe dwa kilometry dalej Müller i Dremmler spotkali się w cukierni. Były tam tylko cztery małe stoliki, wszystkie zajęte przez gości ich pokroju, niby przyjaciół związanych jedynie interesami, kupnem lub sprzedażą, ubezpieczeniami albo instrumentami zabezpieczającymi przed wahaniem kursów na giełdzie, inwestycjami, leasingiem, dzierżawą czy szybką odsprzedażą dopiero co zakupionych domów.

Czy też walką o zachowanie upadającej tożsamości narodowej.

– Jeszcze raz dziękuję za pomoc w znalezieniu Reachera – powiedział Dremmler. – Podjęliśmy już stosowne działania.

– Cała przyjemność po mojej stronie – odparł Müller.

– Nie może siedzieć w hotelu przez cały dzień. Musi kiedyś wyjść. Lada chwila spodziewam się meldunku.

– Świetnie.

– A ta druga sprawa? Udało się?

Müller wyjął portret pamięciowy i rozłożył go na stoliku.

– Trudno było go zdobyć? – spytał Dremmler.

– Musiałem sprokurować mały ślad na papierze, ale wiedzie donikąd.

– Nigdy tego człowieka nie widziałem. Nie jest członkiem ruchu.

– Ale Klopp widział go kilka razy.

– W takim razie przychodzi do baru, żeby coś kupić lub sprzedać. Albo kupić i sprzedać. Pokażę ten szkic znajomym. Może zdobędziemy jego nazwisko i adres.

– Nazwisko już znamy – powiedział Müller. – Nazywa się Wiley. Ale adresu nie ma, sprawdzałem. Pamięta pan?

– Pewnie kupił nową tożsamość. Albo kilka. To pierwsza rzecz, jaką ci ludzie robią. Proszę się nie martwić. Wiem, kogo zapytać.

• • •

Neagley kazała Landry'emu zadzwonić do placówki w Nowym Orleanie i przesłać tamtejszym agentom zestaw pytań do matki Wileya o wszystkich jej dawnych przyjaciół imieniem Arnold, jak również o wszystkich dawnych przyjaciół farmerów, którzy wstąpili do wojska, oraz o wszystkich dawnych przyjaciół, którzy kiedykolwiek wspominali o Davym Crocketcie. Potem Vanderbilt zawołał ją do klekoczącego teleksu, który wypluł pokaźną harmonię papieru: odpowiedź na prośbę, którą za pośrednictwem Sinclair skierowała do Kolegium Połączonych Szefów Sztabów, listę umorzonych przestępstw przeciwko mieniu na terenie Niemiec w okresie, kiedy Wiley pozostawał w czynnej służbie.

Przestępstw było mnóstwo.

– Kiedy dostaniemy listę jego rozkazów wyjazdu? – spytał Reacher.

– Wkrótce – odparła. – Już nad tym siedzą.

Przestępstwa – wszystkie nierozwiązane – miały różnoraki charakter. Od nocnych włamań, zbrojnych wtargnięć i rabunków po uprowadzenia i napady na bogatych biznesmenów, na bary, firmy bukmacherskie i kluby ze striptizem. Ich rozkład geograficzny odpowiadał mapie wojskowej, ponieważ właśnie tam były pieniądze, tam robiono najlepsze interesy. Przestępcy ściągali w te miejsca ze wszystkich stron, z daleka i bliska, jak mewy na wysypisko śmieci. Tylko nieliczni byli żołnierzami. Ale niektórzy byli.

– Spójrz tylko na te kwoty – powiedziała Neagley.

– Bzdura – mruknął Reacher. – Zawyżyli je dla ubezpieczenia. Są o połowę niższe.

– Wszystko jedno. Dwa skoki takie jak te dałyby Wileyowi pieniądze na start. Po trzech czy czterech przeszedłby do zupełnie innej kategorii. Trzeba zmienić założenie. On może mieć kilka dziupli i sporo kasy.

– Kiedy to coś ukradł?

– Między dniem, w którym to znalazł, i końcem dziewięćdziesięciosześciogodzinnej przepustki. Co daje dziesięć miesięcy – odpowiedziała Neagley.

– Ale dlaczego nikt nie zgłosił kradzieży?

– Zależy od tego, co ukradł. I chyba od cyklu, w jakim odbywają się kontrole. Kto wie, może jakaś właśnie trwa i do wieczora coś wykryje.

– Są dokładne? – spytał Reacher.

– Nie bardzo. Najważniejsza jest ilość sztuk. Jeśli w spisie inwentaryzacyjnym figurują trzy pojemniki, liczą: raz, dwa, trzy i odhaczają na liście trzy sztuki.

– A pojemniki mogą być puste.

– Albo kontroli jeszcze nie było, albo jakoś ich oszukał. Jedno albo drugie, nie ma innego wytłumaczenia.

– Nie, jest jeszcze trzecie. Może tego czegoś w ogóle nie było w spisie. Jeśli nikt nie wiedział, że to coś istnieje, nikt się nie dowie, że zniknęło.

– To coś, czyli na przykład co? – spytała Neagley.

– Choćby moje spodnie.

– Spodnie?

– Podobają ci się?

– Spodnie jak spodnie.

– Są częścią munduru polowego Korpusu Piechoty Morskiej Stanów Zjednoczonych. Uszyto je w tysiąc dziewięćset sześćdziesiątym drugim, w sześćdziesiątym piątym przekazano wojsku i przez pomyłkę dostarczono do magazynu w Marylandzie. Przeleżały tam trzydzieści lat. Nikt ich nigdy nie policzył, nie sprawdził, czy wciąż są na stanie, nie ujął na żadnej liście.

– Myślisz, że ktoś wydał sto milionów dolarów na hałdę wojskowych portek? – spytała Neagley.

– Niekoniecznie portek.

– Koszul?

– Na coś, co zawieruszyło się w zakamarkach magazynu. To trzecia możliwość.

– Na przykład co się mogło zawieruszyć?

– Mieliśmy tu walczyć z Armią Czerwoną – odparł Reacher. – Różnymi zabawkami. I ktoś zawalił. Jeśli można wysłać transport portek do przypadkowo wybranej bazy wojskowej, można wysłać wszystko.

– Zgoda – przyznała mu rację Neagley. – To możliwe.

Zadzwonił telefon.

Griezman.

– Stało się coś dziwnego.

29

Reacher przełączył rozmowę na głośnik i wokół telefonu zgromadziło się siedem osób.

– Do jednego z komisariatów zadzwonił przed chwilą kierownik wypożyczalni samochodów – zaczął Griezman. – Żeby było zabawniej, wypożyczalnia mieści się niedaleko waszego hotelu. Powiedział, że właśnie wynajął dużą krytą ciężarówkę mężczyźnie, który mówił tylko po angielsku, z amerykańskim akcentem. Ale chociaż nie znał niemieckiego, miał niemieckie dokumenty. Umowę wynajmu podpisał obsługujący go urzędnik, lecz kierownik był w biurze i słyszał ich rozmowę. Rozpoznał głos klienta, ponieważ go znał: nie tak dawno ten sam mężczyzna wypożyczał u nich samochód. Coś go tknęło i zajrzał do komputera, żeby to sprawdzić. Okazało się, że mężczyzna miał wtedy zupełnie inne nazwisko i dokumenty.

– Kiedy to było? – spytał Reacher.

– Dwadzieścia minut temu.

– Jest rysopis?

– Niezbyt dokładny, ale tak, to mógł być Wiley. Dlatego dzwonię. Już wysłałem tam radiowóz z portretem pamięciowym. Dowiemy się za parę minut.

– Czy poprzednio też miał niemieckie nazwisko?

– Tak, ale inne – odparł Griezman. – Wtedy nazywał się Ernst, teraz Gebhardt.

– Dobra, dzięki. Niech pan zadzwoni, kiedy ci z wypożyczalni obejrzą portret.

Reacher odłożył słuchawkę.

– Końcówka gry – skonstatowała Sinclair. – Ma już ciężarówkę.

– Dostarczy towar i zwieje – prorokował Waterman. – Wykorzystuje zapasowe papiery. Najlepsze zachowa na lotnisko.

– Dwadzieścia minut – myślał na głos Landry. – Może być teraz dziesięć, piętnaście kilometrów za miastem. Griezman nie będzie mógł go zatrzymać, nie ma prawa. Trzeba skontaktować się z federalnymi.

Zadzwonił telefon.

O wilku mowa.

– Rozpoznali go – zameldował naczelnik. – To był Wiley, na sto procent. Wydałem już nakaz zatrzymania na numer rejestracyjny ciężarówki. Drogówka się tym zajmie. Mają prawo działać poza miastem. Założyliśmy piętnastokilometrowy promień poszukiwań. Mniej więcej dziesięć mil, bo tyle da się przejechać w dwadzieścia pięć minut. Niemal na pewno jedzie na południe albo na wschód. Chyba że wybiera się do Danii albo Holandii. Rozstawiliśmy radiowozy na głównych drogach i autostradach. Bądźcie spokojni, wypatruje go mnóstwo ludzi. To duża ciężarówka. I powolna.

– Jaki podał adres? – spytał Reacher.

– Zmyślony – odparł Griezman. – Znaleźliśmy tam tylko dziurę w ziemi pod nowy blok na drugim końcu miasta.

– Coś jeszcze?

– Tylko to, że Wiley wypytywał o wysokość platformy załadunkowej i zażądał podnoszonych drzwi. Nie takich na zawiasach, tylko podnoszonych, bo chciał podjechać ciężarówką do innej, żeby coś przeładować.

– Dzięki. – Reacher odłożył słuchawkę.

– Wiemy przynajmniej, jakiego rodzaju przewozi ładunek – powiedziała Sinclair. – To nie dokumenty. Nie informacje wywiadowcze. Przewozi coś dużego.

– Dużą, krytą ciężarówką z podnoszonymi drzwiami, którą chce podjechać do innej – dodała Neagley. – Tylko po co? Skoro ładunek jest już w jednej, po co mu druga?

– Może tę pierwszą ukradł – zastanawiał się Reacher. – Może boi się, że zatrzyma go policja.

Neagley szybko przewertowała złożoną w harmonijkę listę z teleksu, spis umorzonych przestępstw przeciwko mieniu na terenie Niemiec w okresie, kiedy Wiley pozostawał w czynnej służbie. Sunęła palcem po szarym papierze i nagle palec znieruchomiał.

– Siedem miesięcy temu sprzed małego sklepu meblowego na przedmieściach Frankfurtu skradziono ciężarówkę dostawczą z podnoszonymi drzwiami. Numer rejestracyjny przekazano policji miejscowej i federalnej, ale wozu nie odnaleziono.

Palec znowu powędrował w dół. Neagley pośliniła go i przewróciła kartki.

– Nic więcej. Mnóstwo samochodów, ale bez podnoszonych drzwi.

– Trzy miesiące przed samowolką – policzył Reacher.

– Gra w długą, strategiczną grę.

– Ukradł to coś tej samej nocy co ciężarówkę?

– Niemal na pewno. Możemy teraz w przybliżeniu określić, gdzie ją ukrył. Gdyby rzeczywiście bał się, że zatrzyma go policja, podprowadziłby ciężarówkę w pobliże miejsca przyszłej kradzieży, zwinąłby towar i jak najszybciej ukrył wóz. Jak najszybciej, czyli jak najbliżej, w jakiejś stodole czy czymś takim. Z towarem pod budą. Trasa w kształcie trójkąta, oszczędna i szybka. Minimalna odległość. Minimalne ryzyko. Powinniśmy szukać małego obszaru na przedmieściach Frankfurtu.

– Ale potem wrócił do jednostki. Na trzy miesiące. Po co?

– Chciał przywarować, zaczekać na reakcję. Ukrył się na widoku. Co było mądrym posunięciem. Szukalibyśmy go wśród żołnierzy na samowolce, a nie wśród tych na służbie. Tylko że nikt nic nie zauważył. Nie podniósł alarmu. Nie było żadnej reakcji. Więc kiedy poczuł się bezpiecznie, przy najbliższej okazji dał nogę i zaszył się w Hamburgu. Sprzedaż zajęła mu cztery miesiące. I teraz po to wraca.

– Wyciąga pani bardzo daleko idące wnioski – stwierdziła Sinclair. – Prawda? Tę ciężarówkę mógł skraść dosłownie każdy.

– Musimy się dowiedzieć, gdzie był siedem miesięcy temu – powiedział Reacher. – Gdzie są te rozkazy wyjazdu?

– Zaraz będą – odparła Neagley.

W tym momencie ożył teleks.

• • •

Wiley jechał w kierunku centrum. Nową, wielką ciężarówką, powoli i ostrożnie przebijając się przez korki, posłusznie czekając na światłach, co chwilę zerkając w lusterka. Objechał jezioro Aussenalster, przepełznął przez St. Georg, po czym odbił na zachód, w stronę swojego osiedla, lecz kawał drogi przed nim skręcił w lewo, przejechał z łoskotem przez kryty metalowy most i znalazł się w starym porcie, gdzie pirsy były zbyt małe dla nowoczesnych frachtowców, co znaczyło, że zbyt małe były również magazyny – małe i tanie do wynajęcia.

Zaparkował przed ciemnozielonymi podwójnymi drzwiami i wysiadł z szoferki. Drzwi były zaopatrzone w zamknięte na kłódkę rygle na górze i dole oraz zamknięty na kłódkę skobel pośrodku. A on miał wszystkie trzy klucze. Otworzył prawe skrzydło, podparł je, wszedł do środka, otworzył lewe i też je podparł.

Pomieszczenie miało dwanaście metrów długości, dziewięć szerokości i cztery i pół metra wysokości. Nieco większy od garaży na dwa samochody w domach na przedmieściach Sugar Land. Prawa część była pusta. W lewej stał stary meblowóz. Przed siedmioma miesiącami przyprowadził go z Frankfurtu, gdzie go ukradł, by jeszcze tej samej nocy przenieść do niego bezcenny ładunek. Nie musiał pędzić jak szalony, bo zmienił tablice rejestracyjne. Mógł jechać powoli. Ale chciał jak najszybciej dotrzeć na miejsce. Dotrzeć i przywarować. Mało brakowało i by nie dojechał. Meblowóz był stary i dobity. Przez całą drogę paliła się kontrolka oleju. Rzęził silnik. Gdy dziękując Bogu, że mu się udało, wjechał wreszcie do magazynu, ciężarówka nadawała się tylko na złom. Cieszył się, że nie musiał wzywać pomocy drogowej. Pewne rzeczy trudno by było wyjaśnić. Wyjął kluczyki ze stacyjki i już nigdy ich nie włożył. Nie miał po co: silnik był zatarty. Dlatego musiał wypożyczyć nowy wóz. Zaparkował go obok jego poprzednika, zamknął drzwi, pozakładał kłódki, schował klucze do kieszeni. Starym żelaznym mostem doszedł do sąsiedniego pirsu, gdzie zaczynało się królestwo nowych, stalowo-drewnianych kładek, którymi mógł przeskakiwać z pirsu na pirs aż do swojego osiedla. Tam zanurkował między dwa bloki, minął trzeci, wszedł do holu, potem do windy, wjechał na górę i wreszcie stanął przed drzwiami swojego mieszkania.

• • •

Müller zamknął drzwi i zadzwonił do Dremmlera.

– Mężczyzna z portretu pamięciowego wyjechał z miasta ciężarówką – zameldował. – Wydział Griezmana zwrócił się do nas z prośbą o pomoc, przed chwilą. Wydano nakaz zatrzymania na numer rejestracyjny. Na razie tylko w pro-

mieniu piętnastu kilometrów, ale w razie potrzeby poszukiwania mają objąć cały kraj.

– Wiezie towar – domyślił się Dremmler. – Spóźniliśmy
się.

– Nie, ciężarówka jest pusta, niedawno ją wypożyczył.

– W takim razie dopiero po coś jedzie. Co jest jeszcze
bardziej interesujące. Proszę mnie informować. Chcę się
dowiedzieć jako pierwszy.

– Dobrze.

– Niestety, ta druga sprawa nie wypaliła.

– Reacher? – spytał Müller.

– Przewidział nasz ruch. Przyszedł z obstawą. Zrobił zasadzkę na zasadzkę. Moi mówią, że przyprowadził dwunastu
ludzi z bronią wojskową. Razem z nim było trzynastu. Nie
mieliśmy szans.

• • •

Kiedy skradziono meblowóz, Wiley był na dziewięćdziesięciosześciogodzinnej przepustce. Gdzie? Nie wiadomo. Była
to pierwsza rzecz, jaką ujawniły rozkazy wyjazdu. Tuż przedtem mieszkał w swojej stałej kwaterze kilkanaście kilometrów
na północny wschód od sklepu meblowego. Ale tylko kilkanaście, zauważył Reacher. Nie kilkadziesiąt czy kilkaset.
Dobrze ten teren znał. Był tam wiele razy. Bliskie sąsiedztwo.
Coś jak odległość między Sugar Land i centrum Houston.
Przejażdżka autobusem.

Od początku do końca rozkazy pokazywały, jak Wiley przyjeżdża do Niemiec, po czym skacze tam i z powrotem między
wysuniętymi pozycjami na niedoszłym froncie wschodnim
i armijnym zapleczem na północny wschód od Frankfurtu. Na
zapleczu organizowano regularne wyprawy do wielkiego
składowiska czterdzieści osiem kilometrów na zachód od
miasta. Składowiska, a raczej złomowiska niepotrzebnego

sprzętu. Żołnierze z jednostki Wileya, tylko ochotnicy, jeździli tam, aby wymontowywać części z wycofanych maszyn. Departament Obrony nazywał to ćwiczeniami mechaniczno--konserwacyjnymi w warunkach polowych. Co brzmiało dużo lepiej niż oficjalny komunikat, że aby utrzymać sprzęt w gotowości bojowej, żołnierze muszą grzebać w śmietniku. Ale mimo licznych zachęt ze strony dowództwa wyprawy te nie cieszyły się popularnością. Były cztery. Nikt nie zgłosił się na ochotnika drugi raz.

Oprócz Wileya.

Bo Wiley był aż na trzech.

Trzech pierwszych.

Czwartą sobie odpuścił.

– Wtedy to zobaczył – powiedziała Neagley. – To coś. Na sto procent. Na pierwszym wyjeździe szukał. Na drugim znalazł. Na trzecim ułożył plan. A potem to ukradł, siedem miesięcy temu. Dlatego nie musiał jechać czwarty raz. Bo już tam tego nie było. Już to miał.

– W pobliskiej kryjówce – dodał Reacher. – Trzeba to potwierdzić. Wysłać w teren ludzi, czterech z lornetkami. Niech się gdzieś zasadzą, choćby na autostradzie pod Hanowerem. Jeszcze tam nie dojechał.

Zadzwonił do Griezmana, który obiecał, że się tym zajmie.

– Jest bardzo pomocny – zauważyła Sinclair.

– Na razie jest.

– Szantażujesz go?

– Powiedziałem, że nie będę, ale raczej mi nie uwierzył. Więc na swój sposób chyba go szantażuję. W sumie wychodzi na to samo.

– I możesz tak długo.

– Nie. Oleje nas, kiedy tylko pojawi się większy problem.

– Może być coś większego niż to?

– On jeszcze nie wie, w co tak naprawdę gramy.

– Może mu powiedzieć? – zastanawiała się Sinclair. – Wystosować oficjalną prośbę o pomoc?

– Ponieślibyśmy klęskę polityczną – wtrącił się White. – Okazalibyśmy słabość. Rosja jest tuż za drzwiami. Nie możemy prać publicznie swoich brudów.

– Zresztą już za późno – dodał Waterman. – Zanim Niemcy by odpowiedzieli, minęłoby co najmniej pół dnia. Cały dzień trwałby briefing, na którym musielibyśmy wprowadzać ich w sytuację. Może nawet dłużej, bo zaczynaliby od zera. Przez ten czas Wiley zdobyłby trzydziestoszeciogodzinną przewagę i mógłby być wszędzie. Niemcy to teraz duży kraj.

* * *

Gabinet Dremmlera mieścił się na trzecim piętrze budynku, który w całości należał wyłącznie do niego. A on jechał właśnie windą, zabytkiem z lat pięćdziesiątych, niezawodnym, lecz powolnym. Dotarcie do holu zajmowało dwadzieścia sekund i przez ten czas sprowadził i sprzedał trzydzieści trzy pary brazylijskich butów. Pocieszająca statystyka. Milion par tygodniowo. Ponad piętnaście milionów rocznie.

Hol, ulica, zamglone słońce, jedno skrzyżowanie, drugie i w końcu bar z fasadą wyłożoną lakierowanym drewnem. Kiedyś uważano by, że jest za wcześnie na lunch, ale teraz w środku panował tłok. Z powodu naprzemiennych godzin pracy przerwa na lunch trwała niemal cały dzień, jak w nieustannej sztafecie.

Co chwilę kiwając głową i wymieniając pozdrowienia, Dremmler przepychał się powoli przez tłum, aż zobaczył Wolfganga Schluppa na stołku przy ladzie. Nieciekawy osobnik. Ciemne włosy, ciemne oczy, pociągła mroczna twarz – wyglądał jak drżący z zimna pies. Ale czasem się przydawał. Jak choćby teraz. Dremmler wcisnął się obok niego i usiadł plecami do sali.

– Jak tam interesy, Herr Schlupp?

Schlupp łypnął na niego spode łba.

– Czego pan potrzebuje?

– Informacji. Dla sprawy. Zależy od nich przyszłość nowych Niemiec.

Nadszedł barman w grubym płóciennym fartuchu i Dremmler zamówił litr piwa.

– Jakich informacji? – spytał Schlupp.

– Robił pan prawo jazdy i paszport dla pewnego Amerykanina...

– Zaraz, chwila – przerwał mu Schlupp. – Ja niczego nie robię.

– Dobrze, przesłał pan zamówienie do swoich wspólników w Berlinie. Oni się tym zajęli, a pan zachował połowę honorarium.

– I co z tego?

Dremmler rozepchnął się na boki, żeby zdobyć więcej miejsca. Wyjął z kieszeni rysunek, rozłożył go na ladzie i wygładził.

– To on.

Włosy, czoło, kości policzkowe. Głęboko osadzone oczy.

– Nie pamiętam go – powiedział Schlupp.

– A ja myślę, że pan pamięta.

– I co z tego?

– To ważne dla naszej sprawy.

– Ale co?

– Jego nowe nazwisko. Jakie przybrał?

– Po co to wam?

– Chcemy go znaleźć.

– Przecież pan wie, że nie mogę powiedzieć – odrzekł Schlupp. – Byłbym spalony. Nikt by mi nie zaufał.

– Tylko ten jeden raz, Herr Schlupp. Nikt się nie dowie. Ten człowiek ma już kłopoty. Ale chcemy dopaść go jako pierwsi. Jedzie teraz pustą ciężarówką. Ma coś odebrać. Zważywszy wielkość ciężarówki, przypuszczamy, że duży ładunek. Być może broń. Albo hitlerowskie złoto z kopalni soli.

– A wy chcecie je przejąć.

– Dla dobra nas wszystkich. Dla sprawy – powtórzył Dremmler. – Bardzo by nam pan pomógł.

Schlupp milczał.

– Oczywiście przewidziane jest znaleźne – dodał Dremmler. – Albo honorarium za konsultacje. Albo zwykła prowizja, jeśli pan zechce.

– Za duże ryzyko. Jestem jak ksiądz. Wszyscy wiedzą, że nic nikomu nie wygadam.

– Wysokość honorarium uwzględniałaby stopień ryzyka.

Schlupp spojrzał na rysunek.

– Chyba go pamiętam – powiedział. – Robiłem sporo amerykańskich papierów. Jemu na trzy różne nazwiska. Dowód i prawo jazdy. Paszport chyba też.

– Pamięta pan te nazwiska?

– To było kilka miesięcy temu, musiałbym sprawdzić.

– Nie pamięta pan?

– Słyszę dziesiątki nazwisk tygodniowo.

– Kiedy mógłby pan sprawdzić?

– Jak wrócę do domu.

– Proszę do mnie natychmiast zadzwonić, dobrze? To bardzo ważne. Dla sprawy.

– Dobra – burknął Schlupp.

Zadowolony Dremmler pożegnał go skinieniem głowy i co chwilę wymieniając pozdrowienia, rozgarniając barkiem stojących, zaczął przepychać się przez tłum gości. W końcu dotarł do drzwi i wyszedł na zamglone słońce.

Barman, który podał mu piwo, podniósł słuchawkę telefonu.

• • •

W konsulacie zadzwonił telefon. Vanderbilt odebrał i podał słuchawkę Reacherowi.

– Mamy kłopoty? – zaczął Orozco.

– Jeszcze nie – odparł Reacher. – Wiley jedzie chyba do Frankfurtu. Siedem miesięcy temu ukradł coś z magazynu niedaleko swojej bazy. Ukradł i ukrył. Myślimy, że właśnie po to wraca.

– We Frankfurcie mamy sporo ludzi.

– Wiem. Jakby co, będę do nich dzwonił.

– Skończyłem przesłuchiwać Billy'ego Boba i Jimmy'ego Lee – powiedział Orozco. – Najlepsze zachowali na koniec. Sprzedali Wileyowi emdziewiątkę. Więc uważajcie. Facet jest uzbrojony.

• • •

Telefon zadzwonił także u Wileya, a ten odebrał w kuchni i po hałasie w tle od razu poznał kto to. Przyjazny barman, tym bardziej przyjacielski, że przekupiony regularnymi i szczodrymi darowiznami balansującymi między napiwkiem i łapówką. Oraz – od czasu do czasu – grubszym zwitkiem banknotów na niespodziewane wydatki. Takie jak nagłe ostrzeżenie. Albo coś, co według przyjmującego pieniądze doceni ten, kto te pieniądze daje. Świat jest wszędzie taki sam. Wszędzie istnieją rzeczy nieujęte w słowa i niewypowiedziane, lecz zrozumiałe.

– Schlupp chce sprzedać cię Dremmlerowi – powiedział barman.

– Za ile? – spytał Wiley.

– Za procent. Dremmler mówi, że szukasz hitlerowskiego złota.

– Na razie szukam tylko kibelka.

– Schlupp wraca do domu. Masz mało czasu.

• • •

W konsulacie znowu rozdzwonił się telefon. Landry odebrał, podał słuchawkę Neagley, a ona przekazała ją Reacherowi.

– Okazuje się – zaczął Griezman – że aby przeprowadzić operację o większym zasięgu, na przykład aż pod Hanowerem, nasza drogówka potrzebuje bardzo szczegółowych danych. Będzie szybciej, jeśli sam je pan przekaże. Szybciej i skuteczniej. Uprzedziłem już zastępcę naczelnika wydziału. Czeka na telefon. Podam panu jego numer. Nazywa się Müller.

– Dobra – rzucił Reacher. – Coś jeszcze?

– Nie, nic. Powodzenia.

– Dziękuję.

Reacher rozłączył się i zakręcił tarczą.

• • •

Teraz z kolei telefon zadzwonił na biurku Müllera. Naczelnik zamknął drzwi, usiadł i odebrał.

– Czy rozmawiam z naczelnikiem Müllerem? – spytał ktoś z amerykańskim akcentem.

– Tak, słucham.

– Mówi Jack Reacher. Naczelnik Griezman miał pana uprzedzić.

Müller odsunął na bok teczkę i znalazł bloczek formularzy. Podniósł ołówek. Zanotował datę, godzinę i nazwisko dzwoniącego. W końcu powiedział:

– Rozumiem, że chce pan, byśmy monitorowali ruch na południe od Hanoweru.

– Tak, macie już numer rejestracyjny. Muszę wiedzieć, czy ten człowiek jedzie w kierunku Frankfurtu.

– Konkretnie czego pan od nas oczekuje?

– Żebyście rozstawili samochody na poboczach. Albo na mostach. Cztery pary oczu. Jak na zwykłym patrolu drogowym, tylko z lornetkami zamiast radarów.

– Nie mamy doświadczenia w takich sprawach, Herr Reacher. Na autostradach nie ma ograniczenia prędkości.

– Ale kojarzy pan, o co chodzi.

– Tak, oglądałem amerykańską telewizję. – Müller zapisał na formularzu słowa: „kojarzyć = rozumieć".

– Komunikacja musi być natychmiastowa – dodał Reacher. – Muszę mieć czas przygotować wszystko po drugiej stronie, inaczej nie zdążę.

– Czy wiadomo, dokąd on jedzie? – zapytał naczelnik.

– Niezupełnie. Jeszcze nie.

– Proszę mnie zawiadomić, kiedy to ustalicie. Przerzucę sprzęt i ludzi.

– Dobrze, dziękuję.

Müller odłożył słuchawkę i wyrwał z bloczka pierwszą kartkę. Przedarł ją na pół, potem na ćwiartki, ósemki i szesnastki, jak confetti, i wrzucił do kosza. Reacher może sobie twierdzić, że ich rozmowa się odbyła, natomiast on powie, że była to rozpaczliwa próba rozwiązania problemu, z której Herr Reacher ostatecznie się wycofał, twierdząc, że sprawa nie jest aż tak ważna – stąd rezygnacja ze wszystkich podjętych przed chwilą ustaleń. Niczego mu nie udowodnią. Była to klasyczna sytuacja z cyklu „on powiedział, ona powiedziała", a takie mecze zawsze wygrywa policja.

Zadzwonił do Dremmlera.

– Pewnie pan nie uwierzy, ale właśnie dzwonił do mnie Reacher – powiedział. – Griezman ma problem i zwalił go na mnie. Herr Reacher przypuszcza, że Wiley jedzie do Frankfurtu. Obiecał podać mi dokładne miejsce, kiedy tylko się dowie.

– Znakomicie.

– Zdobył pan jego nowe nazwisko?

– Jeszcze nie, ale wkrótce będę je miał.

• • •

Uznawszy, że ma dość, Wolfgang Schlupp wyszedł z baru i dwa skrzyżowania dalej wsiadł do autobusu, z którego wysiadł niedaleko swojego domu. Mieszkał na najwyższym piętrze przedwojennej kamienicy. Kamienica była stara, bez windy. Okazała się za to świetną inwestycją. Krążyły plotki, że po wojennych bombardowaniach źle ją odremontowano. Ale inspektorzy z nadzoru budowlanego stwierdzili, że to bzdura, i w ciągu jednego dnia ceny mieszkań wzrosły dwukrotnie. On wprowadził się tuż przed tym, bo podsłuchał rozmowę w barze, stojąc plecami do dwóch plotkujących urzędników miejskich.

Wszedł na schody. Mały hol na pierwszym piętrze, mały hol na drugim, mały hol na trzecim...

• • •

Wiley słyszał jego kroki. Opierał się o ścianę w cieniu między szafką hydrantu i rurami pionu hydraulicznego. W ręce miał pistolet. Berettę M9 z demobilu, którą kupił – w tym samym barze, gdzie gadatliwy Herr Schlupp uprawiał swój powszechnie znany fach – od dwóch matołów żyjących z okradania jakiejś firmy zaopatrzeniowej.

Schlupp stanął na szczycie schodów, pochylił się i włożył klucz do zamka. Wiley wyszedł z cienia, dźgnął go w plecy lufą pistoletu, wepchnął do mieszkania, zamknął kopniakiem drzwi i poprowadził go dalej, do przestronnego salonu w bardzo industrialnym stylu – same szarości i naga cegła – gdzie Schlupp potknął się i upadł na czarną skórzaną kanapę.

Wiley stanął nad nim i wycelował w jego twarz.

– Podobno chcesz mnie sprzedać, Wolfgang.

– Nieprawda – odparł Schlupp, wciąż leżąc bezbronnie na kanapie. – Byłbym spalony.

– Dremmlerowi powiedziałeś co innego.

– Chciałem zmyślić nazwisko i go zmylić.

– Masz tu swoje rejestry? – spytał Wiley.

– Zaszyfrowane.

– Dlaczego nie zmyśliłeś nazwiska już w barze? Po co chciałeś coś sprawdzać?

– Dremmler ci powiedział?

– Nieważne. Chciałeś mnie wydać. Odszukać moje nazwisko w rejestrach. Dremmler kazał ci natychmiast zadzwonić, bo to ważne dla sprawy...

– Co ty?! – zaprzeczył Schlupp. – Bzdura. Jak bym mógł? Kto by mi potem zaufał?

– Więc dlaczego nie zmyśliłeś nazwiska w barze?

Schlupp nie odpowiedział.

– Pokaż rejestry – rzucił Wiley.

Niemiec z trudem wstał i ruszyli w stronę drzwi, tą samą drogą, którą weszli, ale tym razem dużo wolniej, bo Wiley przez cały czas przyciskał lufę pistoletu do jego pleców. Korytarz i mała sypialnia przerobiona na biuro.

Schlupp wskazał górną półkę.

– Czerwona teczka.

Teczka okazała się zwykłym segregatorem, który zamiast trzech klamer miał cztery. Na podziurkowanych kartkach widniały kolumny odręcznie napisanych nonsensownych słów-nie-słów, być może starych i nowych nazwisk, numerów paszportów, praw jazdy i dowodów osobistych.

– Który numer to ja? – spytał Wiley.

– Nie zamierzałem cię sprzedawać.

– Więc dlaczego nie zmyśliłeś nazwiska w barze?

– Dremmler to dupek. Myśli, że jedziesz teraz ciężarówką po hitlerowskie złoto. Ale jak widać, nie jedziesz, więc się mylił, a skoro mylił się co do tego, może mylić się co do wszystkiego. Logiczne, nie? Po co ty w ogóle z nim gadasz?

– Nie gadałem z Dremmlerem – odparł Wiley. – Gadałem z barmanem. Dremmler zadał ci pytanie, a ty odpowiedziałeś.

Chciałeś mnie zdradzić. Gdybyś nie chciał, zmyśliłbyś na poczekaniu jakieś nazwisko. Zgoda, może w pierwszej chwili cię zamurowało, ale zaraz potem mogłeś się pokapować i powiedzieć: tak, już pamiętam, teraz nazywa się Schmidt, czy inny Bauer. Ale tego nie zrobiłeś.

– Boję się go, może narobić kłopotów. Dobra, chciałem mu powiedzieć, ale się rozmyśliłem.

– Na mój widok?

– Nie, wcześniej.

– Nie wierzę ci.

– Przecież byłbym spalony!

– Dremmler obiecał zrekompensować ci ryzyko.

– Nieprawda, przysięgam! Po prostu się rozmyśliłem. Nigdy bym tego nie zrobił.

Jeśli powiedziało się A, trzeba powiedzieć i B.

Wszystko albo nic.

– Lepiej dmuchać na zimne, kolego.

Szybko, zręcznie i płynnie Wiley przerzucił pistolet do lewej ręki i z bekhendu uderzył Niemca rękojeścią w skroń. Nie chciał strzelać. Nie tutaj. Za dużo hałasu. Uderzył jeszcze raz, z forhendu w drugą skroń, i głowa Schluppa odskoczyła w bok jak głowa szmacianej lalki. Kiedy wróciła na miejsce, Wiley zadał potężny cios z góry, jak młotem czy toporem. Schlupp upadł na kolana. Wiley uderzył po raz kolejny, a kiedy Niemiec pochylił się i runął na twarz, przykucnął i zdzielił go po raz piąty, szósty, siódmy i ósmy.

Pękła kość, pociekła i brysnęła krew.

Wiley opuścił rękę i głęboko odetchnął.

Sprawdził Schluppowi puls na szyi.

Nic.

Na wszelki wypadek odczekał pełną minutę. Wciąż nic. Więc wytarł pistolet w koszulę Niemca, wziął czerwony segregator i wyszedł.

30

Reacher siedział spokojnie w kącie, czekając na telefon i zastanawiając się, kto zadzwoni pierwszy: chłopcy z Nowego Orleanu czy Müller, zastępca naczelnika drogówki. Przypominało to czekanie na zwycięzcę wyścigu w zwolnionym tempie. Wyobraził sobie świt wstający leniwie nad deltą Missisipi, miejscowych agentów FBI budzących się, jedzących niespiesznie śniadanie i wychodzących z domu. Tu wyścig by trochę przyspieszył. Zważywszy presję, jaką wywarli na nich Waterman i Landry, spotkanie z matką Wileya było prawdopodobnie ich pierwszym zadaniem. Matka żyła z zasiłku i ponieważ nie chciała pewnie zadzierać z władzami, możliwe, że umówili się bardzo wcześnie, na ósmą. Osiem tysięcy kilometrów od leniwej Luizjany ciężarówka Wileya jechała maksymalnie setką. Ominęła już Hanower i zostawiwszy miasto w tyle, toczyła się dalej na południe, w kierunku nieoznakowanych radiowozów Griezmana. Kto wygra?

Zadzwonił telefon.

Ani Nowy Orlean, ani Müller.

– Mam poważny problem – powiedział Griezman.

– Co się stało? – spytał Reacher.

– Zabójstwo w starej części miasta. Mężczyzna z roztrzaskaną głową. Świeża sprawa. Sąsiadka usłyszała hałas. Musiałem wysłać tam wszystkich ludzi, przynajmniej do końca dnia. Naprawdę nie miałem wyboru. Bardzo mi przykro, przyjacielu, ale jestem zmuszony zawiesić naszą tymczasową pomoc.

– I zastanawia się pan, jak to przyjmę.

Griezman lekko się zawahał.

– Nie. Wierzę panu na słowo.

– Powodzenia z tym zabójstwem.

Reacher odłożył słuchawkę. Sinclair spojrzała na niego pytająco, więc powiedział:

– Jesteśmy zdani na siebie.

– Bo taki z ciebie dżentelmen.

– Mamy czas.

– Wysłanniczka może być już w Zurychu.

– Nieważne – rzucił. – Ważne jest co innego. To, co Wiley wiezie ciężarówką, której nie da się w mgnieniu oka przelać za granicę jak pieniądze. Jest powolna, ociężała, hałaśliwa i dobrze widoczna.

– Tylko, że Müller jej nie wypatrzył – zauważyła Sinclair.

– Na razie.

– Ile dajesz mu czasu?

– Dwie godziny.

– A potem?

– Dojdę do wniosku, że Wiley nie jechał do Frankfurtu – odparł Reacher.

Znowu zaterkotał telefon.

Tym razem dzwoniło nowoorleańskie FBI, bezpośrednio z samochodu parkującego przed jednopokojową budą, w której mieszkała matka Wileya. Dwoje agentów, kobieta i mężczyzna. Natychmiastowy raport, zgodnie z rozkazem. Podczas przesłuchania wykorzystali zestaw pytań, które im przesłano, o wuja imieniem Arnold, o farmera, który wstąpił do wojska, i o miłośnika Davy'ego Crocketta. Okazało się, że to jeden i ten sam człowiek. Nazywał się Arnold Peter Mason, urodzony i wychowany w Amarillo w Teksasie. Jako młody chłopak pracował na ranczu, potem dwadzieścia lat służył w wojsku, a jeszcze potem mieszkał z matką Wileya w Sugar Land, sześć lat, od dziesiątego do szesnastego roku życia Horace'a. I tak, młody Horace nazywał go wujkiem Arnoldem. Mason był starszy niż „przyjaciele", do jakich przywykła matka. Ale choć tajemniczy, cichy i milczący, dbał o nich i zapewniał im utrzymanie, przynajmniej początkowo. Więcej szczegółów wkrótce.

Landry, Vanderbilt i Neagley wprowadzili jego nazwisko do swoich systemów. Arnold Peter Mason. Landry nie znalazł nic godnego uwagi. Vanderbilt też nie. Neagley odkryła, że przez dwadzieścia lat był podoficerem w piechocie powietrznodesantowej. Ani fajerwerków, ani tragedii. Wiele lat w Niemczech, kiedy wszystko się mogło zdarzyć.

Według komputera zakładu ubezpieczeń społecznych, wciąż żył i miał sześćdziesiąt pięć lat. Według danych urzędu skarbowego, wciąż pracował i miał skromne dochody, z roku na rok niższe. Może imał się dorywczych prac, zwalniając przed przejściem na emeryturę.

Według Departamentu Stanu, miał paszport.

Ale nie mieszkał w Stanach Zjednoczonych.

Urząd skarbowy twierdził, że zeznania podatkowe przysyłał z zagranicy.

CIA ustaliła, że przebywa na stałe w Niemczech.

A berlińska ambasada, że jako emerytowany amerykański wojskowy jest zameldowany w małej wiosce pod Bremą. Godzinę drogi od Hamburga.

– Czy oni ze sobą współpracują? – spytał Reacher. – Są wspólnikami?

– Może Wiley ten meblowóz ukrył tam – powiedziała Neagley. – U wujka Arnolda, nie we Frankfurcie.

– Więc po co mu druga ciężarówka?

– Może wujek nie dbał o tę pierwszą i z opon zeszło powietrze.

– Albo chcą się podzielić łupem. Jeśli są wspólnikami. Może Wiley dostanie tylko pięćdziesiąt baniek.

– Zaraz – odezwał się White. – Spójrzcie tylko na to. Wujek Arnold mieszka w Niemczech prawie dwadzieścia lat. Odkąd Wiley skończył szesnaście. Jeżeli są wspólnikami, to grają w tę grę kawał czasu.

– A teraz spójrzcie na to – powiedział Vanderbilt.

Według danych z ambasady, Arnold Peter Mason ma na utrzymaniu dwie osoby niebędące obywatelami amerykańskimi.

– Stawiam dychę, że to żona i dziecko – zaryzykował Landry.

Znowu telefon. Znowu agenci FBI z ważną aktualizacją. Po sześciu latach względnie szczęśliwego pożycia matka Wileya wyrzuciła Arnolda z domu, ponieważ przypadkowo odkryła, że ma żonę w Niemczech. Żonę i niepełnosprawnego syna. Pani Wiley nie miała wiele, miała jednak swoje zasady.

• • •

Jako człowiek praktyczny, Wiley umył pistolet w zmywarce do naczyń. Czemu nie? Beretta spełniała wszystkie normy bojowe. Zaprojektowano ją tak, by wytrzymała ciągłe zanurzenie w słonej wodzie. Nastawił zmywarkę na pełny cykl – garnki i patelnie – i na pełne suszenie. Potem naoliwi części, złoży je i pistolet będzie czyściutki, jak nowy.

Owinął segregator zbryzganym krwią ubraniem i wepchnął go do kosza na śmieci. Rozważna decyzja. W pierwszym odruchu chciał poszukać pojemnika na ulicy. Nie za blisko, ale i nie za daleko. Nikt nie lubi wychodzić na długi spacer z podejrzanym zawiniątkiem w ręku. Hipotetycznie rzecz biorąc, przeciwnik mógł zastosować krótkie krycie i – znowu hipotetycznie – przeszukać wszystkie pojemniki, więc po co miał się podkładać? Żeby narysowali na mapie krąg i dowiedzieli się, gdzie mieszka? Nie, lepiej zostawić wszystko tutaj. Właściciel mieszkania zajrzy do kosza najwcześniej za miesiąc. A wtedy nie będzie to mało żadnego znaczenia.

Wiley podszedł do telefonu i zadzwonił do swojej agentki z biura podróży. Tej samej dziewczyny, która rezerwowała dla niego bilet do Zurychu. Dobrze mówiła po angielsku. Wiedziała, że lubi miejsca przy oknie. I znała wszystkie dane z jego nowiutkiego, błyszczącego paszportu.

· · ·

Müller nie zadzwonił. Ale nikt nie był zaskoczony. Robocza hipoteza zmieniła się z Frankfurtu na Bremę. Na wujka Arnolda. Bishop przyniósł mapę CIA i rozłożył ją na stole. Adres? Gelb Bauernhof. Tylko tyle, żadnej nazwy ulicy, żadnego numeru domu. Co sugerowało, że to wieś. Farma. Reacher wyobraził sobie stodoły, garaże, budynki gospodarcze i stosy zużytych opon.

Dziesiątki kryjówek.

– Potrzebujemy samochodu – rzucił.

– Potrzebujemy planu – powiedział Bishop.

Zaklekotał teleks.

– Przebieg służby wojskowej wujka Arnolda.

– Plan jest taki, że sierżant Neagley i ja będziemy obserwować i zbierać informacje – oznajmił Reacher.

– Odpada – zaoponował Bishop. – Nie bez przedstawicieli CIA i RBN. Doktor Sinclair i ja pojedziemy z wami. Zasady walki są takie, że walki nie ma. Tylko obserwacja. To jedyna i podstawowa reguła. Z prawnego punktu widzenia sytuacja jest bardzo skomplikowana.

288

– Zabierzcie broń – poradził Reacher. – Wiley ma pistolet. A jeśli to farma, będzie i strzelba.

– Powiedziałem, że tylko obserwacja – powtórzył Bishop.

– Wszystko jedno.

– Trzeba ewakuować tego Irańczyka – odezwał się White. – Z tego, co mówicie, za godzinę może wybuchnąć wojna. W tym momencie ich układ szlag trafi i facet zginie. Zostawicie go tam i go zabijecie.

Bishop milczał.

Zadzwonił telefon.

Griezman.

– Wierzy pan w przypadki? – spytał.

– Czasem – odparł Reacher.

– Ten zamordowany był stałym gościem baru Helmuta Kloppa. Robił tam interesy. Oczywiście świadkowie kłamią, ale myślę, że to on sprzedał Wileyowi paszport.

– Skąd ta pewność?

– Z szeptanki. Z tego, co powiedzieli nam na ucho ci, którzy też mają coś do ukrycia.

– Ma pan podejrzanego?

– Nie, ale to ktoś, kto chciał zapobiec zdradzie lub się zemścić.

– Czy ktoś ostatnio wpadł?

– Nie.

– Pozostaje prewencja.

– W mieszkaniu ofiary nie znaleźliśmy żadnych zapisków. Ale na półce pełnej równiutko ustawionych segregatorów jest wolne miejsce.

– Misja ukończona – podsumował Reacher.

I dodał:

– Co jest trochę paradoksalne.

– Dlaczego? – nie zrozumiał Griezman.

– Kwestia zgrania w czasie. Kupuje pan nowy dowód

tożsamości i postanawia zabić dostawcę, żeby wykraść mu zapiski i zapobiec ewentualnej zdradzie. Ale kiedy pan to robi? Oto jest pytanie. Czy był to nowy klient, który zaryzykował zaraz po odbiorze dokumentów? Czy klient stary, pod dużą presją, którego plan działania zaczyna się trochę sypać?

– Nie wiem – oparł Griezman.

– Ja też nie. Chyba albo taki, albo taki, pół na pół.

– Stawia pan na Wileya.

– Nie. Starych klientów pod presją może być dużo. Zresztą Wiley jechał wtedy ciężarówką. Ale jest pan odpowiedzialnym gliniarzem i wciągnie go pan na listę. Będzie pan musiał. Co znaczy, że znowu nam pomagacie.

– Przecież zmienił pan zdanie – powiedział Griezman.

– Ja? Co do czego?

– Co do tego, że Wiley jedzie ciężarówką. Müller twierdzi, że odwołał pan swoją prośbę.

– Kiedy? – dopytywał się Reacher.

– Rozmawiałem z nim godzinę temu.

– Nie, kiedy niby odwołałem prośbę?

– Müller mówi, że przez chwilę omawialiście szczegóły i nagle pan się rozmyślił.

– Ostatnią rzeczą, jaką powiedziałem, było to, że nie wiem, dokąd Wiley jedzie, a on poprosił, żebym go powiadomił, kiedy tylko się dowiem. Może źle go zrozumiałem. Albo czekał na mój telefon. I w ogóle nie zaczął nic robić?

– Twierdzi, że pan wszystko odwołał.

– W takim razie to on źle zrozumiał, nie ja.

– Możliwe, słabo zna angielski.

– Samochód czeka! – zawołał Bishop z drugiego końca sali.

31

Samochód CIA, duży niebieski opel, wyglądał dokładnie tak samo jak służbowy wóz Orozco, tak samo, a właściwie identycznie, nie licząc tego, że nie miał kuloodpornego przepierzenia między przednimi i tylnymi siedzeniami. Bishop prowadził. Sinclair usiadła obok niego, a Reacher i Neagley z tyłu. Jej było wygodnie, jemu nie. Ruszyli. Niebo było szare.

Neagley przeczytała na głos streszczenie przebiegu służby Arnolda Masona. Wstąpił do wojska w wieku dwudziestu lat, w 1951 roku, ale wysłano go nie do Korei, tylko do Niemiec, gdzie spędził lat dwadzieścia, nie licząc przerw na wyjazdy do Stanów na szkolenia i ćwiczenia. Przez cały czas służył w piechocie powietrznodesantowej przygotowywanej do konfliktu z Sowietami, w jednostkach dobrych, choć nie elitarnych. W 1971, w wieku czterdziestu lat i stopniu sierżanta sztabowego, został zwolniony z uznaniem wszystkich zasług.

– Ale przedtem ożenił się z Niemką i miał z nią dziecko – dodała Sinclair. – Wrócił do nich dwadzieścia lat temu po sześciu latach nieobecności, mimo to Wiley czuje się z nim związany. Dziwny układ.

Do tego czasu krajobraz za oknem zmienił się w płaski i wiejski, w ten charakterystyczny, doskonały sposób, typowy dla bliskich okolic miasta. Pola wyglądały jak schludnie utrzymane ogródki i były niewiele większe. Każda droga, każda uliczka miała nazwę wypisaną starannie czarnym gotykiem na kremowej tabliczce. Wioski, które mijali, były małe i przypominały chaotycznie rozbudowane osady na skrzyżowaniu dróg. Tu i ówdzie wyrastały stodoły i budynki gospodarcze, lecz było ich znacznie mniej, niż Reacher się spodziewał. Nie tak to sobie wyobrażał. Teren robił wrażenie bardzo uporządkowanego, lecz mało prywatnego. Czystego, zadbanego i rzadko, choć jednolicie zaludnionego. Wydawało się, że wszystko sąsiaduje ze wszystkim.

– Jeszcze jedna kropeczka i będziemy na miejscu – powiedział Bishop.

Następną kropeczką na mapie okazała się wioska niewiele większa od poprzednich, może trochę gęściej zabudowana. Drogowskaz z nazwą Gelb Bauernhof wypatrzyli na głównym skrzyżowaniu. Droga do domu Arnolda Masona odbijała na północny zachód, w kierunku przeciwnym do majaczącej w oddali Bremy. Po jej lewej i prawej stronie ciągnęły się malutkie jak chusteczka farmy, a raczej małe, nienagannie zadbane domki z kilkunastoma arami nienagannie zadbanej ziemi. Z szopami, lecz bez stodół.

Każde gospodarstwo miało odpowiednio skromną nazwę. Wszystkie zostały bez wątpienia wybrane przez właścicieli, na pewno ze stosowną dumą. Reacher, który wypatrywał Gelb Bauernhof, doznał olśnienia. Gelb Bauernhof to po niemiecku „żółta farma". A „żółty" to po hiszpańsku „amarillo". Amarillo. Gdzie urodził się wujek Wileya. Arnold Mason nazwał swoje gospodarstwo od miejsca, w którym dorastał.

Gelb Bauernhof był piąty po prawej stronie. Jechali wolno, żeby nie przegapić którejś tabliczki. Dlatego zdążyli dobrze się przyjrzeć. Nie, żeby było tam coś do oglądania. Góra dwadzieścia arów idealnie prostych rzędów czegoś ciemnozielonego, chyba kapusty, mały, schludny domek, mały, schludny garaż, a trochę z tyłu – mała schludna szopa. Nic więcej. W garażu zmieściłby się mercedes kombi. W szopie mały traktor albo jakaś maszyna rolnicza. Skradziony meblowóz nie zmieściłby się nigdzie.

Bishop zatrzymał samochód półtora kilometra dalej.

– Wrócę i zapukam – powiedział Reacher.

– Trochę ryzykowne – zauważyła Sinclair.

– Wileya tam nie ma. Nie widać ciężarówki. Ani meblowozu.

– Co jeszcze nie znaczy, że wujek nie ma nic na sumieniu.

– Nie sięgnie od razu po broń. Uda głupiego. Spróbuje się wyłgać. I w razie konieczności mu pozwolę. Zgoda, z ciężarówkami byłoby inaczej.

– Wiley może tu przyjechać – nie ustępowała Sinclair.

– Tak, ale to mało prawdopodobne. Jestem pewny, że jeśli przyjedzie, sierżant Neagley coś wymyśli.

– Powinniśmy tam pójść wszyscy.

– Zapraszam.

Bishop milczał.

– Arnold Mason jest amerykańskim obywatelem – dodała Sinclair. – A pan jest pracownikiem konsulatu. Ma pan prawo nawiązać z nim kontakt.

– Nie możemy tego schrzanić – burknął Bishop.

– Wycofamy się przy pierwszych oznakach kłopotów.

– Nie stójcie za blisko siebie – poradził Reacher. – Przynajmniej początkowo. Dopóki nie będziemy mieli pewności.

Bishop zawrócił.

● ● ●

Gelb Bauernhof miał około stu metrów szerokości i dwieście długości. Jak ekskluzywna podmiejska działka w Stanach. Ale był gospodarstwem, farmą, choć w miniaturze. Szare niebo, brązowa ziemia, ciemnozielona kapusta – Reacher nie dostrzegł tam nic żółtego. Bishop skręcił w drogę dojazdową. Gruntową, lecz całkiem przyzwoitą. Wielki opel sunął przed siebie z szumem opon. Dokładnie naprzeciwko mieli garaż. Po lewej – dom. Osiemdziesiąt metrów od głównej drogi. Bishop podjechał bliżej. Żadnej reakcji. Zatrzymali się w miejscu, gdzie od podjazdu odbijała ścieżka prowadząca do domu, teraz oddalonego już tylko o dwadzieścia metrów.

Nagle z domu wyszedł mężczyzna.

Nie zamykając za sobą drzwi, zrobił dwa kroki i przystanął na ścieżce. Trzydzieści, trzydzieści pięć lat, mniej więcej w wieku Reachera, wysoki i sztywno wyprostowany, miał jasne włosy. Był w workowatym swetrze, workowatych szarych spodniach i...

Na bosaka.

– Pójdę pierwszy – rzucił Reacher.

Powoli wysiadł i zrobił krok w jego stronę. Mężczyzna wciąż patrzył przed siebie, ani drgnął. Drugi krok. Na razie wszystko dobrze. Krok po kroku, Reacher szedł w jego stronę, aż stanął z nim twarzą w twarz. Jak akwizytor. Albo potrzebujący rady sąsiad.

– Muszę porozmawiać z panem Arnoldem Peterem Masonem.

Mężczyzna nie odpowiedział. W ogóle nie zareagował. Jakby go nie słyszał. Patrzył gdzieś ponad jego ramieniem. Pewnie na kapustę.

– Herr Mason?

Wtedy na niego spojrzał. Miał niebieskie oczy. Zupełnie puste. Martwe. Światło się paliło, lecz nikogo nie było w domu. Upośledzony syn. W wieku Wileya. Z tego samego co on pokolenia. Trzydzieści pięć lat i wciąż na utrzymaniu rodziców.

Reacher wskazał ręką drzwi, a drugą wykonał gest, jakby chciał objąć go za ramię.

– Chodźmy razem.

Mężczyzna stał przez chwilę bez ruchu, potem odwrócił się i plaskając bosymi stopami, ruszył szybko do domu, przystanął w drzwiach i załomotał pięścią w ścianę.

– *Mutti!* – krzyknął.

Potem cofnął się i znowu znieruchomiał.

Z domu wyszła kobieta. Niewysoka i szczupła. Miała krótko obcięte siwiejące jasne włosy, sześćdziesiąt kilka lat i miłą twarz, zniszczoną, lecz wciąż piękną. Uśmiechnęła się dobrotliwie do Reachera, jakby prosiła go o wyrozumiałość, odwróciła się i podziękowała synowi za dobrze wykonane zadanie, ściskając go za rękę, klepiąc po ramieniu, ujmując w dłonie jego twarz i odsyłając go z powrotem do domu.

Potem podeszła do Reachera. Przyjrzała mu się i spytała:

– Pan jest z wojska?

Mówiła po angielsku, z akcentem, lecz bez wahania.

– Skąd pani wie?

– Arnold mówił, że przyjedziecie.

– Naprawdę?

– Myślał tylko, że wcześniej, ale cóż...

– Major Reacher.

– Frau Mason.

– Czy zastałem pana Arnolda?

– Oczywiście.

Pozostali wysiedli z samochodu i weszli razem do domu. Małego, lecz jasnego i wesołego, z mnóstwem białej farby i tapet w kwiatki. Frau Mason zaprowadziła ich do mieszczącego się w głębi saloniku. Weszła pierwsza, Reacher krok za nią. Kobieta przecięła pokój, nachyliła się i objęła mężczyznę drzemiącego na wózku. Pocałowała go i obudziła.

– Kochanie – powiedziała – przyjechał pan major Reacher z wojska.

Arnold Mason. Najpierw pomocnik na farmie, potem żołnierz piechoty, jeszcze potem mąż dwóch żon i głowa dwóch różnych rodzin. Teraz zapadnięty w sobie, bezwładnie pochylony w bok, z jednym okiem otwartym, drugim zamkniętym.

– Dzień dobry – przywitał się Reacher.

Mason nie odpowiedział. Miał sześćdziesiąt pięć lat, ale wyglądał na trzydzieści więcej. Był osłabiony. Nie potrafił się skupić. Reacher spojrzał na jego żonę.

– Frau Mason, czy możemy porozmawiać?

Wyszli na korytarz. Sinclair i Bishop przedstawili się jako urzędnicy państwowi.

– Co mu się stało? – spytał Reacher.

– Nie wiecie?

– Nie.

– On ma narośl w głowie.

– Guz?

– To długie słowo, którego nie rozumiem. Tak, rodzaj guza. Uciska mózg. Z każdym dniem coraz mocniej i mocniej.

– Przykro mi.

– Arnold o tym wie.

– Kiedy to się zaczęło? – spytał Reacher.

– Półtora roku temu.

– Może mówić?

– Trochę. Stracił władzę nad połową ciała i tak śmiesznie bełkocze, ale się nie denerwuje. Nigdy nie był gadułą. Zresztą i tak nic już nie pamięta.

– Więc mamy problem. Chcemy zadać mu kilka pytań.

– Myślałam, że przyjechaliście mu pomóc.

– Pomóc? – nie zrozumiał Reacher.

– Mówił, że jeśli zachoruje, na pewno przyjedzie ktoś z wojska.

– Leczył się już w wojsku?

– Nie, nigdy.

– Co z jego pamięcią?

– Jest fragmentaryczna, ogólnie bardzo zła.

– Szybko męczy się podczas rozmowy?

– Po kilku pytaniach.

– Czy zechce pani zaczekać na zewnątrz? – poprosił Reacher.

– Zrobił coś złego?

– Musimy go spytać o okres zaraz po zwolnieniu z wojska. O sześć lat, kiedy go tu nie było. Może nie chcieć, żeby słyszała pani, co mówi. Mamy obowiązek respektować jego prywatność.

– Ale ja wiem o pani Wiley z Sugar Land – powiedziała Frau Mason. – Więc o to chodzi?

– O jej syna – wyjaśnił Reacher.

Wrócili do saloniku. Mason nie spał i był trochę przytomniejszy. Kiedy przedstawiono mu Sinclair, Neagley i Bishopa, odpowiedział mętnym zerknięciem i ruchem ręki. Żona przykucnęła za wózkiem i objęła go, żeby dodać mu otuchy. Reacher przykucnął przed nim, aby znaleźć się na linii jego wzroku.

– Panie Mason, czy pamięta pan Horace'a Wileya? – spytał.

Mason zamknął zdrowe oko, przez chwilę zaciskał powieki, w końcu je rozwarł. Miał odległe, wodniste spojrzenie. Połowa twarzy, nad którą miał kontrolę, poruszyła się z wysiłkiem i powiedział:

– Proszę mówić mi Arnold.

Mówił połową ust, więc głos miał cichy i chrapliwy, lecz można go było zrozumieć.

– Arnoldzie, czy pamięta pan Horace'a Wileya? – powtórzył Reacher.

Mason znowu zamknął oko, tym razem na dłużej, jakby musiał zajrzeć do wewnętrznego źródła informacji, potem oko się otworzyło i na połowie jego ust zagościł cień uśmiechu.

– *Horse* – powiedział. – Koń. Tak go nazywałem. Horace i *horse*, w Teksasie brzmiało podobnie.

– Kiedy odzywał się do pana ostatni raz?

Pauza.

– Odkąd wyjechałem, chyba nigdy.

– Opowiadał mu pan o Davym Crocketcie?

Znowu pauza, tym razem dłuższa.

O wiele dłuższa, w końcu...

– Nie pamiętam.

– Horace mówił, że wstąpił do wojska, bo mu pan o nim opowiadał.

– Koń się zaciągnął? Kurczę.

– Więc opowiadał mu pan o Davym Crocketcie? – naciskał Reacher.

– Nie pamiętam.

– Na pewno?

– Może oglądał coś w telewizji.

– Tylko w telewizji?

– Chyba nic mu nie opowiadałem. Nie wtedy. Podobno w ogóle mało mówiłem.

Oko się zamknęło, głowa opadła na pierś. Żona Masona podparła ją wygodnie i wstała.

– Teraz będzie spał – powiedziała. – Dawno tyle nie mówił.

Wyszli na korytarz z tapetą w kwiatki.

– Pomożecie mu? – spytała.

– Skontaktuję się z Urzędem do spraw Kombatantów – obiecał Bishop.

– A pani? – spytał Reacher. – Czy mąż opowiadał pani o Davym Crocketcie?

– Nie, nigdy – odparła Frau Mason.

– Jak się miewa pani syn? – zapytała Sinclair.

– Dobrze, dziękuję. Jest trochę opóźniony. Ma umysł siedmiolatka. Ale siedmiolatka spokojnego, nie krnąbrnego. Wierzymy, że będzie lepiej, cieszymy się każdym dniem. Tylko że Arnold ma wyrzuty sumienia. Dlatego po wyjściu z wojska wrócił do Teksasu. Lata temu. Uciekł. Nie wytrzymywał tego na co dzień. Bo uważał, że to jego wina.

– Dlaczego?

– Geny – odparła Frau Mason. – Jego albo moje. Arnold twierdzi, że jego. Tak naprawdę mogą być jego i moje, ale się uparł. W końcu jednak wrócił. I wszystko się uspokoiło. Bardzo dobrze się sprawdził. Mimo to wciąż ma wyrzuty sumienia. A teraz martwi się, co z nami będzie.

• • •

Wsiedli do samochodu, zawrócili i odjechali.

– Wierzycie mu? – spytał Reacher.

– Co tu jest do wierzenia? – odparła Sinclair. – On nic nie pamięta.

– Wierzycie, że nie pamięta?

– Ty nie?

– Nie wiem. Z jednej strony, dobra, umiera na raka mózgu. Z drugiej, nie podobało mi się to: „Proszę mówić mi Arnold". Bzdura, grał na czas. Dwadzieścia lat służył w piechocie, wyczuwa żandarma na kilometr. Chciał się zastanowić.

– Nad czym?

– Nie, Wiley się z nim nie kontaktował i nie, nie było żadnych opowieści o Davym Crocketcie.

– Myślisz, że kłamał?

– Kogoś w tym stanie trudno rozgryźć – odparł Reacher. – Z Wileyem to chyba prawda. Był smutny, ale nie wrogo nastawiony. Jednak kiedy spytałem go o Crocketta, strasznie długo myślał. Może przez ten guz. A może kombinował, układał równanie. Upływ czasu plus wrodzone cechy Wileya, które obserwował kiedyś z bliska, plus to, o co tak naprawdę chodziło w historyjkach o Davym Crocketcie, plus nagłe pojawienie się śledczego, majora żandarmerii, daje w sumie nieciekawy wynik. Stąd potrzeba zaprzeczenia. Co z powodu naturalnego współczucia interpretujemy jako zanik pamięci. Może rzeczywiście nic nie pamięta, ale nigdy nie dowiemy się tego na pewno. Bo nie mamy jak. Nie możemy go, że tak powiem, zwyobracać.

– On nie bierze w tym aktywnego udziału – powiedział Bishop. – Choruje od półtora roku.

Reacher kiwnął głową.

– Pełna zgoda.

– Pozostają historyjki o Davym Crocketcie, które jako takie nic nie wnoszą. Ot, głupie bajeczki dla małych dzieci. Mimo to są na pierwszym miejscu listy sekretów Wileya. Muszą więc mieć dla niego znaczenie osobiste.

– W jakim sensie? – nie zrozumiała Sinclair.

– Nie wspominał o nich żonie – wyjaśniła Neagley. – Czyli nie były to opowieści domowe, tylko wojskowe. Których są miliony. Weźmy choćby wszystkie te legendy pułkowe. Może opowiadał je Wileyowi w cztery oczy, próbując nawiązać z nim więź. Jak na filmach. Nowy przyjaciel matki zawsze tak robi. Może Wiley je zapamiętał. Może miały na niego tak duży wpływ, że po latach postanowił sprawdzić, czy jest w nich ziarnko prawdy.

– Jakie to są legendy? – spytała Sinclair.

– Pozostaje nam tylko odmówić zdrowaśkę i zagrać w ciemno. – Neagley czytała raport o przebiegu służby Masona jak nuty, z przekrzywioną głową, uważnie wsłuchując się w melodię. – Pewnie nic z tego nie będzie, ale podporucznik mógł wtedy szybko awansować na kapitana. A nawet na majora czy podpułkownika. W piechocie powietrznodesantowej można było zrobić karierę. Jeśli taki porucznik dobrze sobie radził, niewykluczone, że wciąż jest w czynnej służbie. Jako starszy facet i wysoki oficer, ale na pewno będzie pamiętał. Pierwszej jednostki się nie zapomina.

– To było czterdzieści lat temu – zauważyła Sinclair.

– Jeśli ukończył West Point jako dwudziestodwulatek, powinien być teraz tuż przed emeryturą.

– To jest już chyba generałem.

– Prawdopodobnie.

– Ale jak go znaleźć?

– Mogłabym zadzwonić do znajomego z wydziału kadr. Ktoś by coś wymyślił.

– Proszę to zrobić – poleciła Sinclair. – Jak tylko wrócimy.

Jechali dalej. Niebo pociemniało jeszcze bardziej. Albo nadchodził deszcz, albo zbliżał się wieczór. Albo jedno i drugie.

• • •

W Dżalalabadzie zapadał zmierzch. Wysłanniczka wyszła z białej lepianki i wsiadła do pick-upa. Ten sam system co przedtem. Jechać całą noc i złapać pierwszy samolot. Była gotowa. I wciąż mniej więcej czysta. Choć Szwajcarów to nie obchodziło. Wszystkie pieniądze były dla nich takie same. Dobrze ją wyszkolono.

Znała adres. Wiedziała, że Zurych wygląda inaczej niż Hamburg. Znała wszystkie numery. Numer ich konta, hasło, sto milionów dolarów, zero centów, numer konta Wileya. W kieszeni miała szwajcarskie franki na taksówki.

Módl się o zwycięstwo, powiedział grubas. Ale nie jej zwycięstwo. Jej zadanie było łatwe. Grubas powinien modlić się za zwycięstwo Wileya. Wiley jej się nie podobał. Nie dlatego, że uraził jej skromność. Nie podobał jej się, ponieważ był słaby, płochliwy i rozkojarzony. Co ją martwiło. Miał trudne zadanie. A jej zwycięstwo zależało od jego sukcesu. *Ale jeśli transakcja się nie powiedzie, wtedy tak, zginiesz...*

Jeśli transakcja się nie powiedzie, to na pewno nie z jej winy.

Toyota kołysała się i podskakiwała na wyboistych jak tarka drogach, oddalając się od zachodzącego słońca.

• • •

Gdy wrócili do konsulatu, Neagley usiadła przy telefonie, zadzwoniła do znajomego z kadr i wytłumaczyła mu, o co chodzi. Powiedział, że to proste. Wystarczy poszukać młodszych oficerów, którzy w 1955 roku, mniej więcej, służyli w dywizjach powietrznodesantowych w Niemczech i którzy czterdzieści lat później wciąż pozostawali w czynnej służbie. Neagley postawiła pięć dolarów na to, że będzie ich niewielu. Znajomy postawił dziesięć na to, że nie będzie ich w ogóle na skutek naturalnej degradacji organizmu oraz trzech gigantycznych wstrząsów historycznych, najpierw Wietnamu, potem rozpadu Związku Radzieckiego, wreszcie gwałtownego rozwoju wysoce stechnicyzowanej i gotowej na wszystko machiny wojennej, składającej się teraz z mężczyzn, kobiet, kamizelek kuloodpornych i noktowizorów. Niemożliwe, nie przeżyłby tego żaden facet.

Zadzwonił telefon. Vanderbilt odebrał i podał słuchawkę Reacherowi. Griezman.

– Muszę z panem porozmawiać.

– Śmiało, niech pan mówi.

– Nie, twarzą w twarz, w cztery oczy. Gdzie pan jest?

– Nie mogę powiedzieć.

– To panu nie pomogę.

– Dobra, jestem w konsulacie.

– Więc za minutę przed konsulatem.

32

Czekając na chodniku, plecami do niezupełnie Białego Domu, Reacher wypatrzył Griezmana sto metrów dalej. W mercedesie, po lewej stronie. Mercedes stanął, Reacher wsiadł, Griezman zawrócił i pojechał w kierunku, z którego przyjechał. Był wielki jak szafa. I milczący. Jakby coś go dręczyło.

– Dokąd jedziemy?

– Na dworzec kolejowy.

– Po co?

– Jestem odpowiedzialnym gliniarzem, sam pan powiedział. Dlatego dodałem Wileya do listy podejrzanych. Co znaczy, że wszyscy mundurowi dostali jego portret pamięciowy. Każdy policjant. Chodzili po mieście i pokazywali go komu popadnie. Rozpoznał go pracownik kantoru wymiany walut na dworcu. Wiley był tam dwa dni temu. Czyli teraz to pana sprawa, nie moja.

– Dziękuję.

– Ale...

– Zaczynam się bać – powiedział Reacher.

– Widział pan zaplecze techniczne naszej komendy. Osiągamy nieprawdopodobne rezultaty. Uważamy, że ofiarę tego morderstwa zabito siedmioma ciosami w wierzch głowy. Jak w ataku szału. Napastnik uderzał w jedno miejsce, więc rana jest miazgą. Ciosy były bardzo skupione, wszystkie z wyjątkiem dwóch. Jeden padł trochę w lewo od głównej rany, drugi trochę w prawo. Łącząc połówki tych wyraźnych wgnieceń, otrzymaliśmy ogólny kształt narzędzia użytego podczas ataku.

– Dobra robota.

– Dysponujemy bardzo rozległą bazą danych porównawczych.

– Wierzę.

– To była rękojeść beretty M9.

– Rozumiem – powiedział Reacher.

– Standardowej broni bocznej amerykańskiego wojska.

– To nie ja.

– Wiley?

– Nie wiem.

– Jest jeszcze coś...

Ale musieli z tym poczekać, ponieważ zmieniło się światło i mercedes wtoczył się na plac przed dworcem. Niebo było szare, więc szybko zapadł zmrok. Zapaliły się latarnie. Ludzie wchodzili i wychodzili z hali, szybko i zdecydowanie omijając tych, którzy stali niemi i oszołomieni. Przed halą, mniej więcej w połowie fasady, stała oświetlona budka. Waluty obce. Jeden sprzedawca.

Griezman zaparkował i resztę drogi przeszli piechotą. Sprzedawca był drobny i ciemnowłosy. Mówił szybko nawet po angielsku. Reacher pokazał mu portret.

– Tak, dwa dni temu, wieczorem – powiedział mężczyzna. – Niemieckie marki i amerykańskie dolary na argentyńskie peso.

– Ile?

– Około czterystu dolców.

– Był zdenerwowany albo podekscytowany?

– Rozglądał się. Jakby się zastanawiał.

– Nad czym?

– Nie mam pojęcia.

Reacher wyszedł z budki i rozejrzał się. Z minuty na minutę robiło się coraz ciemniej. Widział potoki ludzi, a za nimi dworzec, rozświetlony, wielki i okazały jak muzeum albo katedra. Widział światła miasta i tłoczące się na ulicy samochody.

– Wracamy – powiedział Griezman.

* * *

Minęli dwie przecznice, skręcili i zaparkowali w cichej bocznej uliczce. Przez chwilę siedzieli bez słowa, patrząc przed siebie przez przednią szybę. Griezman chyba tak wolał. Sam na sam, lecz niezupełnie twarzą w twarz. W końcu się odezwał:

– Wspomniałem, że na półce pełnej równo ustawionych segregatorów było wolne miejsce.

– Znaleźliście brakujący?

– Nie, coś innego. Segregatory są zrobione z twardej tektury pokrytej winylem. W różnych kolorach. W każdym są cztery zaciski. Można je ustawić obok siebie jak książki. Widział pan takie?

– Tak, tylko w naszych są trzy zaciski.

– Przypuśćmy, że na wysokiej półce stoi dziesięć takich segregatorów, ponumerowanych od jednego do dziesięciu. I przypuśćmy, że poproszę pana, żeby zdjął pan szósty. Jak pan to zrobi?

– Kusi mnie, żeby powiedzieć, że nie trzeba do tego geniusza – odparł Reacher. – Ale chyba trzeba. Widziałem wasze laboratoria.

– Przeprowadziliśmy eksperyment – ciągnął Griezman. – Ustawiliśmy na półce segregatory i na chybił trafił wybraliśmy

trzydzieści cztery osoby, praktycznie wszystkich, którzy przechodzili korytarzem. Wszyscy zrobili to dokładnie w ten sam
sposób. Sto procent uczestników eksperymentu.

– W ten sam sposób, czyli jak?

– Wyciąga pan rękę i opuszką palca wskazującego dotyka
grzbietu wybranego segregatora, w naszym przypadku szós-
tego. Robi pan to tak, jakby go pan odszukał i dyskretnie
dotykając palcem, rości pan sobie do niego prawo. Teraz
należy już do pana. Psychologicznie kwestia własności jest
rozwiązana. Rzecz w tym, że segregator nie wystaje, jego
grzbiet zlewa się idealnie z grzbietami sąsiednich. Nie ma za
co chwycić. Mimo to pański palec wskazujący ani drgnie.
Podświadomie nie umie pan zrezygnować ze zdobyczy. Dlatego opiera pan kciuk o grzbiet segregatora numer pięć,
opuszkę palca środkowego o grzbiet numeru siedem, zaczyna
pan na nie napierać – ostrożnie i z szacunkiem, ponieważ
półka wygląda bardzo ładnie i schludnie – następnie wciska
pan czubek kciuka i środkowego palca w szpary powstałe
między segregatorem szóstym i siódmym oraz szóstym i piątym, chwyta pan wystający kawałek szóstki i wyciąga ją pan
powoli, wciąż z palcem wskazującym na jej grzbiecie, żeby
nie wysunęła się nagle i nie spadła.

– Dobra robota – pochwalił go Reacher.

– Leworęczni robią to oczywiście na odwrót.

– Ale domyślam się, że ten ktoś był praworęczny.

– Mamy idealny odcisk palca – kontynuował Griezman. –
Z grzbietu sąsiedniego segregatora. Opuszka środkowego palca
prawej ręki. Przyciśnięta delikatnie do winylowej okładki.

– Macie go w swoich rejestrach? – spytał Reacher.

– Tak.

– Świetnie.

– Jest identyczny jak ten, który zdjęliśmy w samochodzie
zamordowanej prostytutki. Z chromowanej klamki. Odcisk

nieznanego sprawcy. To ten sam człowiek, majorze. Ten sam odcisk, ten sam wektor nacisku, ta sama siła. Niesamowite.

Reacher milczał.

– Najpierw brutalnie zamordowana kobieta, potem mężczyzna – dodał Griezman. – Pan wie, kto to zrobił.

– Pomoże mi pan znaleźć Wileya, to panu powiem.

– Czy pomagając wam, pomogę i sobie?

– Spytamy go o to, kiedy go znajdziemy.

– Mógłby pan powiedzieć już teraz.

– Powiedzieć komu? – odparł Reacher. – Zwykłemu detektywowi czy posłusznemu aparatczykowi, który za dziesięć minut przekaże tę informację służbom wywiadowczym w Berlinie? Żebym za kolejne dziesięć minut trafił do pudła?

– A pan nie mówi swoim przełożonym tego, co powinni wiedzieć?

– Mówię jak najmniej. Krótkimi słowami, bez żadnej matematyki i diagramów.

– I tak trafi pan do więzienia. Zatajanie tego rodzaju informacji jest w Niemczech zabronione.

– Aresztuje mnie pan?

– Mógłbym powołać pana na kluczowego świadka – odparł Griezman. – I musiałby pan odpowiedzieć. Odmowa byłaby lekceważeniem sądu.

– Nie robi pan sobie jaj?

– Nie, to poważna sprawa.

– Nasza jest poważniejsza. Jestem przekonany, że prezydent Stanów Zjednoczonych chętnie wyjaśniłby to waszemu kanclerzowi. Ale nie ma na to czasu. Niech pan pomoże mi znaleźć Wileya, wtedy wykombinujemy, jak załatwić tę drugą sprawę.

– Czy on to zrobił? – spytał Griezman.

– Niech pan zapomni o tym odcisku – odparł Reacher. – Sprawca mógł go tam zostawić dużo wcześniej, każdy adwokat kręciłby na to nosem. Trzeba podejść do tego inaczej.

Beretta, tak, jak najbardziej. Sprzedają je w ulubionym barze ofiary. Wiedzieliście o tym? Kto mógłby ją kupić?

– Wiley – odparł naczelnik. – Kupił tam dowód osobisty.

– Dobra teoria. Obiecująca. Niczego nie dowodzi, ale na pewno trzeba gościa znaleźć i z nim pogadać.

– Gdzie on jest?

– Nie wiem.

• • •

W tym momencie Wiley był sto metrów dalej: przechodził na światłach przez ulicę dwa skrzyżowania na wschód od dworca. Ubrany na czarno, w czarne spodnie i czarną bluzę z kapturem, niósł małą, czarną torbę. Dość ciężką, jej zawartość przesuwała się i klekotała. Początkowo szedł znajomą trasą, od przystanku autobusowego w kierunku baru z wyłożoną lakierowanym drewnem fasadą. Ale w połowie drogi skręcił na podjazd, minął dwa wysokie pojemniki na śmieci, otworzył drzwi na klatkę schodową, oznaczone napisem TYLKO WYJŚCIE, wszedł na półpiętro i znalazł się na hotelowym parkingu. Tam gdzie spotkał prostytutkę. Wciąż pamiętał, jak się obróciła i pokiwała na niego palcem. Jakby nie mogła się już doczekać.

Pamiętał każdy szczegół.

Ani jednej kamery.

Nic, tylko zapach zimnej benzyny, ropy, gumy i zimnego pyłu cementowego – przeciął parking i przystanął przed srebrzystym bmw. Benzynówka, sześć cylindrów. Starszy model. Musiał tu dość długo stać. Przednia szyba była matowa od brudu, karoseria też. Ukucnął przed grillem chłodnicy. Wyjął śrubokręt krzyżakowy. Odkręcił tablicę rejestracyjną i schował ją do torby. Obszedł samochód i przykucnął za bagażnikiem. Odkręcił i schował tylną.

Wyjął kuchenkę turystyczną z pojedynczym palnikiem. Nową, kupioną specjalnie na tę okazję. Dwadzieścia centymetrów średnicy, prasowana stal, gumowy wężyk i moletowany mosiężny zawór. Teraz butla z propanem. Nieduża, wielkości ludzkiej głowy, jasnoniebieska, tania, wygodna i łatwo dostępna. Przytwierdził do niej palnik z zaworem. Odkręcił zawór i rozległ się syk gazu. Zakręcił zawór.

Położył się na zimnym betonie i wsunął kuchenkę sześćdziesiąt centymetrów pod tył samochodu. Wyjął z torby sześć drewnianych klocków, takich dla dzieci, prawdopodobnie szwedzkich. Miały po piętnaście centymetrów długości i dwa i pół centymetra szerokości. Każdy był polakierowany na inny jaskrawy kolor. Zbudował z nich wieżę na palniku kuchenki, tam gdzie stawia się imbryk czy kociołek. Na krzyż, dwa klocki w jedną stronę, dwa w drugą, i tak trzy warstwy. Jak małe ognisko na obozie. Wyjął aluminiową tackę wielkości i kształtu kurczaka i ustawił ją na drewnianej wieży.

Teraz pudełko amunicji Parabellum kalibru dziewięć milimetrów. Sto sztuk. Jedno z dwóch, które kupił wraz z pistoletem od tych matołów w barze. Włożył rękę pod zawieszenie samochodu i ostrożnie ustawił pudełko na srebrzystej tacce.

Koniec. Można iść. Propan, wężyk, palnik, klocki, tacka i naboje.

A kilka centymetrów wyżej zbiornik paliwa.

Rozejrzał się, żeby ustalić trasę ewakuacji. Potem wyjął z kieszeni zapalniczkę Zippo. Wymacał i otworzył zawór. Zasyczał gaz. Wiley pstryknął zapalniczką i zbliżył ją do palnika. Puf! Gaz się zapalił. Wiley zmniejszył płomień. Jedno kliknięcie poniżej średniego, kurczak na wolnym ogniu.

Potem wyczołgał się spod samochodu, wstał, wziął torbę i szybko wyszedł.

● ● ●

Niecałe dwa kilometry dalej z gabinetu na trzecim piętrze wyszedł Dremmler. Spędziwszy następne dwadzieścia sekund w windzie – i sprzedawszy przy okazji trzydzieści trzy pary brazylijskich butów – dołączył do czekającego na chodniku Müllera.

– Pewnie już pan słyszał.

– O Schluppie? – spytał Dremmler. – O niczym innym teraz nie mówią. Policja zrobiła nalot na bar. Moi ludzie są bardzo zdenerwowani. Telefon się urywa.

– To Wiley?

– Myślałem, że wyjechał.

– Wszyscy tak myśleli – powiedział Müller. – Wszyscy patrzyli w jedną stronę, nikt nie patrzył w drugą. Dlatego ja popatrzyłem, na wszelki wypadek. Dwie kamery na skrzyżowaniu. Do monitorowania ruchu, ale grunt, że nagrywają. No i go nagrały. Jechał w przeciwnym kierunku, do St. Georg. Nigdzie nie uciekł. Jest w Hamburgu.

– Gdzie?

– To duża, biała ciężarówka. Szukają jej wszyscy policjanci w mieście.

Dremmler przeszedł w milczeniu kilka kroków.

– Herr Müller, jest pan profesjonalistą. Chciałbym zasięgnąć pańskiej opinii w sprawie tego Schluppa. Czy śledztwo będzie poważne?

– Wyjątkowo. Roztrzaskano mu głowę.

– Sporządzą listę osób, z którymi ostatnio rozmawiał. Będzie na niej moje nazwisko.

– Naturalnie – potwierdził Müller. – Naczelnik Griezman uwielbia listy. Kocha biurokrację.

– Nie mogę się w tę sprawę wplątać. Byłoby to bardzo niewygodne politycznie.

– Niech pan wymyśli jakąś historyjkę. Pan jest biznesmenem, on był biznesmenem. Rozmawialiście o notowaniach giełdowych. Przecież nie zaprzeczy.

– To wystarczy?

– Ot, dziwny zbieg okoliczności, i tyle. Widział go pan kiedyś na służbowej kolacji. Znaliście się z widzenia. Tylko się sobie kłanialiście, z zawodowej uprzejmości. W ogóle go pan nie znał.

• • •

Griezman odwiózł Reachera do konsulatu i wysadził go dokładnie tam, skąd go zabrał. Potem odjechał, a Reacher wszedł do środka i stwierdził, że Neagley wygrała pięć dolarów. Na dowód pokazała mu wydruk z teleksu. Jedno nazwisko mniej, a wygrałby jej znajomy.

W tysiąc dziewięćset pięćdziesiątym piątym roku armia Stanów Zjednoczonych liczyła ponad milion żołnierzy. Jej częścią był młody podporucznik. Wilson T. Helmsworth, wówczas świeży absolwent West Point i kilku kursów specjalistycznych. Przeskakiwał z jednego stanowiska dowódczego na drugie i kilka razy był prawdopodobnie przełożonym Arnolda Masona. Możliwe nawet, że się spotkali. Na jakiejś oficjalnej uroczystości, choćby na defiladzie, bo raczej nie w barze przy kuflu piwa. Ciągle awansując i pnąc się w górę, zdobył wszelkie możliwe kwalifikacje spadochronowe. W pewnym momencie był posiadaczem wszystkich możliwych rekordów, łącznie z tym w swobodnym spadaniu. Pisał książkę za książką, wszystkie o taktyce działań wojsk powietrznodesantowych.

Potem przeżył długą wojnę w dżungli, gdzie baldachim drzew był gęsty, powietrze wilgotne i mgliste i gdzie wojsko miało gdzieś taktykę działań jednostek powietrznodesantowych. Nie tylko przeżył, ale i znowu awansował. Bardzo wcześnie wyszedł z propozycją utworzenia sił specjalnych i dwadzieścia kilka roczników później wciąż tkwił w nich po uszy, obecnie jako odpowiedzialny za szkolenie w całej armii. Stacjonował w Fort Benning w Georgii, gdzie wy-

311

myślano najgorsze tortury dla żołnierzy. Generał dywizji Wilson T. Helmsworth. Jedyny młodszy dowódca z okresu zimnej wojny, który wciąż nosił zielony mundur. Kiedyś w brązowych butach, potem w czarnych, teraz w butach armii Nowej Równowagi Sił. Nieustępliwy. Wytrwały. Jak jeden na milion.

– Służy w Fort Benning – zauważyła Neagley.

– Podejdzie do telefonu dopiero za pół godziny – powiedziała Sinclair. – Jest bardzo zajęty.

– Nie możemy gadać przez telefon – zaprotestował Reacher. – Takie sprawy załatwia się twarzą w twarz. Facet jest w wojsku od czterdziestu lat, umie wciskać kit. Musimy być w tym samym pokoju co on, musimy widzieć jego mowę ciała.

– My? Nie możemy lecieć do Stanów. Nie teraz. Ani pan, ani sierżant Neagley, ani ja.

– I nie polecimy – odrzekł Reacher. – To on przyleci do nas. Jeśli stacjonuje w Benning, może pojechać do Atlanty i złapać nocny samolot. Rano będzie już w Hamburgu. Kolegium Połączonych Szefów Sztabów powinno kazać mu zameldować się natychmiast w konsulacie.

– Tylko dlatego, że chcemy spytać go o na wpół zapomniane legendy z czyjegoś dzieciństwa?

– Ratcliffe powiedział, że dostaniemy wszystko, co zechcemy.

– To jest generał dywizji.

– Co znaczy, że z prędkością dwustu kilometrów na godzinę zwieje od wszystkiego opartego na niepewnych spekulacjach. I z prędkością czterystu na godzinę od każdej kontrowersji. Przez telefon nie da rady. Musi widzieć twarz Rady Bezpieczeństwa Narodowego, a my jego.

– Czy my nie przesadzamy?

– Jesteśmy w Niemczech – przypomniał jej Reacher. – W obcym kraju. Gdzie wciąż może czaić się wróg. Dadzą mu kolejny medal. Teoretycznie może dostać nawet Srebrną Gwiazdę.

– Za to, że tu przyleci? – rzuciła Sinclair.

– Jest generałem dywizji, nosi na ramieniu dwie gwiazdki. Tacy jak on kolekcjonują medale jak inni wylatane kilometry.

– Na pewno chcemy go tu ściągnąć?

– Trzeba zajrzeć pod każdy kamień.

Sinclair zadzwoniła.

Za oknem dał się słyszeć słaby odgłos, odległy dźwięk. Głuche „trach-trach-trach!" i przytłumiony syk powietrza. Krótka przerwa i znowu „trach-trach-trach-trach!". Część mózgu Reachera natychmiast szepnęła: pistolet, prawdopodobnie dziewiątka. Miasto, pięćset, sześćset metrów stąd. Otworzył okno. W oddali wyły syreny. Po chwili znowu padły strzały, najpierw cztery, potem pięć, wciąż przytłumione, lecz przy otwartym oknie wyraźniejsze, i znowu zawyły syreny – dwutonowo, pewnie karetki i radiowozy – jeszcze potem sucho trzasnęły kolejne strzały, „pach-pach-pach- -pach!", nieprawdopodobnie szybko, jak długi ciąg pojedynczych eksplozji, seria z karabinu maszynowego albo fajerwerki wybuchające jeden po drugim podczas najlepszego pokazu sztucznych ogni, jaki widział Hamburg. Potem było głuche „bum!", wstrząs i przytłumiony huk eksplodującego paliwa, gwałtowna palba i nagła cisza, którą burzyły jedynie syreny, przeraźliwy wrzask radiowozów, zawodzenie karetek i ogłuszające basowe pohukiwanie wozów straży pożarnej, a wszystko to zlewające się w przeciągły skowyt, który zamiast jak wołanie o pomoc, brzmiał jak krzyk rozpaczy.

Reacher wyjrzał na ulicę i zobaczył policjantów pędzących w jednym kierunku, głównie samochodami i na motocyklach, choć jeden po prostu biegł. Zobaczył karetki pogotowia i wóz strażacki. Cała okolica tonęła w czerwono-niebieskich rozbłyskach.

– Co to było? – spytała Sinclair.

– Brzmiało jak pożar domu, w którym ktoś zostawił pudełko nabojów na kuchennym blacie – odparła Neagley. – Potem wybuchła butla z gazem, tylko że wcześniej powinniśmy usłyszeć syreny. Ale może to kamienica i nikt nie zauważył ognia z ulicy. Albo za późno podniesiono alarm.

– Celowe działanie?

– Diabli wiedzą. Tak albo nie.

– Coś związanego z naszą sprawą?

– Nie wiadomo – odrzekł White. – To metropolia, dużo się tu dzieje.

Po chwili usłyszeli huk drugiej eksplozji paliwa. Słaby i odległy, lecz niebudzący wątpliwości. Głuche „łump!", cicha fala podciśnienia i wrażenie rozchodzącego się gorąca, które – o dziwo – poczuli mimo odległości.

Reacher obserwował ulicę. Wszyscy policjanci w mieście biegli w tym samym kierunku.

33

Wiley zdjął kłódkę ze skobla, potem kłódki zamykające rygle na górze i na dole, pociągnął za drzwi i wślizgnął się do środka. Był spokojny. Czekało go kilka zwykłych, czysto mechanicznych zadań. Najpierw tablice rejestracyjne. Zdjął te z ciężarówki, nowiutkie, i zastąpił je tablicami ze starego bmw. Potem wyjął puszki z farbą w spreju, które kupił w sklepie żelaznym, żółtą, krzykliwie zieloną, jaskrawoczerwoną, pomarańczową i srebrzystą. Na boku ciężarówki wymalował grube inicjały, swoje własne, tylko w odwrotnej kolejności, WH, ot tak, dla jaj, rozdęte jak balony, podobne do tych, jakie widuje się na wagonach metra. Pocieniował litery srebrzystym sprejem, w tle namalował kilka zawijasów i dodał dwie grube litery, S i L, coś jak podpis graficiarza, z tym że nie był to podpis. S jak Sugar i L jak Land: Sugar Land. Jak na dłoni, na widoku, bo czemu, kurde, nie? Stamtąd pochodził i tam wracał.

Żeby stonować i postarzyć całość, wolne miejsca wypełnił mgiełką szarej farby. Cofnął się, żeby ocenić swoje dzieło. Od oparów spreju kręciło mu się w głowie. Ale tak, wyszło całkiem nieźle. Nowa biała ciężarówka zniknęła i stał przed nim miejski wrak niewarty przelotnego zerknięcia. Choć pewnie i tak nikt nie miałby okazji zerknąć. Wszyscy popędzili do hotelu, gdzie były pewnie tłumy policjantów, barierki i ogrodzone taśmą strefy bezpieczeństwa, ale przede wszystkim strażacy i jednostki specjalne, bo padły strzały i wybuchł pożar. Oni, wszelkiego rodzaju tajniacy, gapie i pseudobohaterowie. Człowieku, byłem tam. Kule świszczały mi koło ucha!

Otworzył na oścież podwójne drzwi, wsiadł do szoferki i odpalił silnik. Wycofał, zawrócił i po kilku próbach – do przodu i z powrotem, do przodu i z powrotem – ustawił się skrzynią do wjazdu. Idealnie. Nie odrywając oczu od lusterek, ostrożnie ruszył i powoli, powolutku sunął do tyłu, aż zderzak ciężarówki musnął tylny zderzak meblowozu. Wtedy zaciągnął hamulec, zgasił silnik, z szoferki przeszedł do ładowni i otworzył podnoszone drzwi. Drzwi meblowozu były kilka centymetrów dalej. Otworzył i te.

Drewniana skrzynia.

Metr osiemdziesiąt wysokości, metr osiemdziesiąt szerokości, trzy metry sześćdziesiąt długości. Doskonała, idealna, wykonana w całości z miękkiego, lecz zwartego drewna iglastego, niegdyś jasnego, teraz w kolorze ciemnego bursztynu. Prototyp standardowego systemu pojemników modułowych, z którymi Pentagon eksperymentował w latach pięćdziesiątych. Jedyny ocalały. Kawał historii. Na ścianach widniały wyblakłe białe numery.

Skrzynia ważyła ponad dwieście siedemdziesiąt kilo. Bez wózka widłowego nie dałby rady jej przenieść. A wózka nie miał. Wyjął z torby śrubokręt. Stary, z minionej epoki, jak skrzynia, której boczną ściankę przytwierdzono śrubami wielkości guzików rozmieszczonymi co kilka centymetrów wokół całego obwodu. W sumie czterdziestoma czterema. Pewnie dlatego, że taki był wynik studiów i analiz przeprowadzonych przez korporacje badawczo-rozwojowe. Jakiś ważniak w garniturze zgarnął kupę szmalu za wiekopomne odkrycie, że im więcej, tym lepiej. Które wszystkich ucieszyło. Bo ci z Pentagonu byli teraz kryci, a producent śrub zdarł z nich jak Cygan za matkę, żądając dolara za sztukę. Nie ma to jak wojskowa specyfikacja.

Wiley zabrał się do roboty.

• • •

W konsulacie zadzwonił telefon. Griezman.

– Coś się stało na hotelowym parkingu, tam gdzie zniknęła ta prostytutka – powiedział. – Padły strzały, w powietrze wyleciał samochód, potem dwa następne. Pożar stłumiono, bo na suficie są zraszacze i pianka, ale nie możemy wejść do hotelu. Najpierw musimy sprawdzić, czy nikt się tam nie czai.

– Myśli pan, że się czai? – spytał Reacher.

– A pan nie?

– Nie podobał nam się ten odgłos. To mogła być podgrzana amunicja. Jakiś mechanizm opóźniający, zegar. Musicie wziąć to pod uwagę. Jeśli to mechanizm opóźniający albo zegar, facet już dawno zwiał. Jest gdzieś, gdzie was nie ma.

– Ale jaki facet?

– Nie wiem, może Wiley. Ma teraz napięty harmonogram i mógł uznać, że przydałaby mu się mała zmyłka. Niech pan wycofa połowę ludzi i wyśle ich z powrotem do miasta.

– Myśli pan, że wrócił?

– Zaczynam myśleć, że w ogóle nie wyjechał. Diabli wiedzą, może właśnie przerzuca ciężarówkę do nowej kryjówki. Niech pan wycofa ludzi.

– To niemożliwe – odparł Griezman. – Działamy według rządowych ustaleń. W centrum miasta doszło do wymiany strzałów i eksplozji. To nie moja decyzja, układali ten plan cały rok. Dowodzi gabinet burmistrza, musimy trzymać się przepisów.

– Jak długo zamierzacie czekać? – spytał Reacher.

– Policjanci z sił specjalnych są już w drodze. Mają kamizelki, będą za pół godziny.

– Dobra. Powodzenia.

Reacher odłożył słuchawkę. Nikt się nie odezwał.

– Idę na spacer – rzucił.

• • •

Wykręcenie czterdziestu czterech śrub kosztowało go prawie dwadzieścia minut, nie licząc bólu przedramion. Ale kiedy ścianka w końcu ustąpiła, zrobił z niej kładkę spinającą obie ciężarówki, płaski mostek z jednej do drugiej. Zaplanował to dużo wcześniej. Pomyślał o wszystkim.

Skrzynia pachniała zastałym powietrzem. Starym drewnem, starym płótnem i starym kurzem. Starym światem. Zawartość wyglądała dokładnie tak, jak przed laty opisał ją wujek Arnold. Dziesięć sztuk. Bliźniaczo podobnych. Identycznych. Każda ważyła prawie dwadzieścia trzy kilo. Każda spoczywała w okrągłym pojemniku transportowym przypominającym plecak, w czymś, co wujek nazywał H-912. Wiley wciąż pamiętał wszystkie szczegóły. Plecaki zaopatrzono w parciane pasy i paski. Łatwe do uchwycenia. Dlatego łatwo je było ciągnąć, przesuwać, popychać czy wlec. Po jednym naraz. Ze starej ciężarówki do nowej. Do końca, na sam tył.

Potem chwila przerwy na oddech i z powrotem po następny.

• • •

Reacher szedł na południe, w kierunku jeziora Aussenalster. Miasto zamilkło. Wyćwiczony odruch. W Europie coraz częściej coś wybuchało. Frakcje walczyły z frakcjami, ugrupowania z ugrupowaniami, armie ludowe z armiami. Parę dni rwetesu i znowu spokój, aż do następnego razu. Nad jeziorem skręcił na wschód, żeby je obejść. Znajdował się trzy kilometry od osiedla Wileya, gdzie nie było miejsca na dyskretne zaparkowanie dużej, krytej ciężarówki. Ale rozsądek nakazywał, żeby ukryć ją w zasięgu ręki. Co było pojęciem dość względnym. Na planie miasta pojawiłby się duży krąg, z ostrożności nawet wielki. Zahaczałby o wodę, ale jego większa część znalazłaby się na lądzie. Reacher mógł zbadać jedynie mikroskopijny skrawek, wybrany na chybił trafił i nic nieznaczący. Ale uznał, że lepsze to niż bezczynność. Wolał spacerować, niż siedzieć. Więc spacerował.

• • •

Dwadzieścia trzy kilo to sporo, zwłaszcza jeśli trzeba dziesięć razy nawracać. Dlatego zgięty wpół i zdyszany, po siódmym plecaku zrobił sobie przerwę. Zadanie było niby proste i mechaniczne, mimo to bardzo ryzykowne. Działał teraz bez żadnej osłony, na widoku. A czas płynął. Minęło już prawie pół godziny, w starym porcie zapaliły się światła, ciężarówki wciąż stały jedna za drugą, złączone kuframi i rozkołysane jak w akcie motoryzacyjnej sodomii okraszonej dochodzącymi ze skrzyń rytmicznymi stukotami i stęknięciami, na wpół w środku, na wpół na zewnątrz nieużywanego od trzydziestu lat magazynu.

Wiley był nieosłonięty i bezbronny.

Niedobrze.

Wziął głęboki oddech, rozruszał i rozprostował bolące ramiona i wrócił do pracy. Przetaszczył ósmy pojemnik przez całą długość skrzyni, potem przez próg i ostatni metr ładowni meblowozu, powoli, powolutku ustawił go dokładnie na środku drewnianej kładki, przeciągnął do nowej ciężarówki i oparł o pojemnik numer siedem.

Potem wrócił do skrzyni po numer dziewięć. Wywlókł go, przetaszczył, wtaszczył, odetchnął i poszedł po dziesiąty plecak. Ostatni. Odsunął go od ściany. I zobaczył instrukcję.

Dokładnie tam, gdzie mówił wujek Arnold. Brązową teczkę z czerwonym paskiem w eleganckiej kieszonce z cienkiej sklejki opatrzonej wycięciem na palce w kształcie półksiężyca. Pewnie robota stolarskiego czeladnika sprzed lat, pracownika wytwórni skrzyń. W teczce było trzydzieści powielonych kartek maszynopisu, spiętych zmatowiałymi ze starości mosiężnymi klamrami.

Jedną ręką wziął teczkę, drugą chwycił plecak, zatargał go do ciężarówki, ustawił obok numeru dziewiątego, po czym wetknął między nie teczkę. Wciągnął do meblowozu drewnianą kładkę i zamknął od zewnątrz drzwi ciężarówki. Między ścianą skrzyni i burtą meblowozu przecisnął się do szoferki i wysiadł. Szybko wyszedł na dwór, wskoczył do szoferki wypożyczonej ciężarówki i odpalił silnik. Podjechał kawałek do przodu, cofnął, znowu podjechał do przodu, i tak kilka razy. W końcu zawrócił, wjechał do magazynu, zaparkował po prawej stronie, zgasił silnik, wysiadł i zamknął drzwi na klucz. Spakował torbę, zatrzasnął podwójne drzwi magazynu, założył skobel i pozamykał wszystkie kłódki.

Prawie czterdzieści minut. Długo. Doszedł do rogu i zaryzykował zerknięcie w głąb brukowanej alejki. Biegła aż do metalowego mostu. Dalej była główna ulica z samochodami. Jechały z lewej do prawej i z prawej do lewej. Z normalną prędkością. Bez syren. Bez pisku opon. I bez migających świateł.

Logiczne.

Z torbą w ręce przeszedł przez kilka kładek, minął parę pirsów i wrócił do domu.

• • •

Idąc na zachód ulicami wokół jeziora, Reacher przeszedł pół dzielnicy. Nie zobaczył nic ciekawego. Widział samochody, ale żadnego nie prowadził Wiley. Widział przechodniów, samotnych i w grupach, ale żaden nie był Wileyem. W końcu przystanął na skrzyżowaniu. Główna ulica biegła aż do St. Pauli. Wąska uliczka w lewo do krytego metalowego mostu. Bruk, światło księżyca i czarna woda. Spokój. Bezruch. Zrezygnował, zawrócił i poszedł z powrotem. Ludzie oglądali telewizję w domach. Widać było setki migoczących niebieskawo okien. Pewnie wiadomości na żywo. Tak, kanonada to sprytny pomysł. Wybuch może być przypadkowy, strzały nie bardzo. Dobry sposób na odwrócenie uwagi. Podręcznikowa zagrywka. Musieli to planować od roku.

Kiedy nocny strażnik wprowadził go do konsulatu, Neagley powiedziała, że Kolegium Połączonych Szefów Sztabów wydało rozkaz generałowi Helmsworthowi. Miał już zarezerwowany bilet na nocny lot z Atlanty, Deltą. Rano odbierze go samochód z konsulatu.

– Srebrna Gwiazda jak nic – dodała. – Mieliśmy tu strzelaninę i wybuchy. Powie, że był w strefie wojennej.

Zadzwonił telefon. Znowu Griezman.

– Na parkingu nikogo nie było – zameldował. – Tylko trzy wypalone wraki samochodów, które się jeszcze kopciły. I dziury od kul, wszędzie. Czysty obłęd.

– To była zmyłka – powiedział Reacher.

– Czyja?

– Zdziwiłbym się, gdyby kogoś innego.

– Akcją kieruje burmistrz, a on nic nie wie.

– Może mi pan pożyczyć kilka nieoznakowanych samochodów?

– Obawiam się, że nie – odparł Griezman. – Czekam na odprawę. W tym tempie potrwa to co najmniej do jutra. Już teraz ktoś zauważył, że róg parkingu przylega do hotelowej kuchni, dlatego powinniśmy szukać wśród działaczy ruchu obrony zwierząt protestujących przeciwko foie gras i chowowi klatkowemu.

– To raczej nie oni.

– Ja też tak uważam, ale sam pan widzi. Czeka mnie długa noc. Ci od burmistrza to ciemna masa.

Dwanaście godzin do otwarcia banków w Szwajcarii.

Reacher milczał.

Griezman rozłączył się bez pożegnania.

• • •

Busik Bishopa odwiózł ich do hotelu i poszli do swoich pokoi. Reacher usłyszał, jak zamykają się drzwi Neagley. Potem Sinclair, która dziesięć minut później zadzwoniła do niego i spytała:

– Kiedy powinniśmy poprosić o pomoc?

– Na pewno nie dzisiaj.

– Mówisz tak codziennie.

– Żyję nadzieją.

– Myślisz, że zrobią to jutro?

– Możliwe.

– Przyjdziesz pogadać?

Czekała na środku pokoju w czarnej sukience, perłach, nylonach i eleganckich szpilkach. Nieuczesana.

– O czym myślisz? – spytała.

Całował ją długo i niespiesznie, w końcu stanął za nią. Odchyliła się do tyłu i oparła o niego.

– Pytasz o myśli zawodowe czy osobiste?

– Najpierw osobiste.

Pochylił ją lekko do przodu i wymacał zamek błyskawiczny na jej karku. Metalową łezkę, malutką, lecz doskonale odlaną. Prawdziwe cacko. Przesunął ją między łopatkami za klamerkę stanika, aż do krzyża.

– Gdzie oni chcą tego użyć? – spytał.

– Nie wiem – odparła.

– W Niemczech?

– Bez sensu. Politycznie nic by nie zyskali.

Zsunął sukienkę z jej ramion. Sukienka opadła, zatrzymała się, opadła niżej, na podłogę, i utworzyła krąg wokół jej stóp.

Sinclair odchyliła się do tyłu.

Była ciepła.

– Ale bardziej prawdopodobny jest Waszyngton albo Nowy Jork – dodała. – Niewykluczone, że i Londyn.

– W takim razie muszą to przewieźć okrętem. Zmarnowaliśmy cały dzień. Przez złe założenie. Wiley nie zamierzał nigdzie wyjeżdżać. Towar jest tak ciężki, że trzeba go przewozić dużą ciężarówką. A transport drogowy nie jest najlepszym sposobem na wywożenie takich rzeczy z Niemiec. Zresztą na pewno nie dojechaliby do Waszyngtonu, Nowego Jorku czy Londynu. Muszą skorzystać z drogi morskiej.

Znowu pochylił ją do przodu – tylko o parę centymetrów – i rozpiął stanik. Przesunął dłońmi po jej szyi i zahaczył palcami o ramiączka.

Stanik dołączył do sukienki.

Ujął w dłonie jej piersi.

Wtedy odwróciła głowę i pocałowała go w miejsce pod obojczykiem.

– Przyjechał meblowozem prosto tutaj – ciągnął – siedem miesięcy temu. Chociaż nigdy tu nie służył. Wybrał Hamburg, ponieważ jest tu port. Drugi największy w Europie. Brama na świat.

Wsunął kciuki pod gumkę rajstop.

– Przerzuci to na statek – powiedziała Sinclair.

– Tak myślę.

– Kiedy?

Zsunął rajstopy.

Majteczki też.

Niezdarne kciuki.

– Kiedy mu zapłacą – odparł.

– Czyli choćby jutro.

Reacher umilkł.

Sinclair wyszła ze szpilek i odwróciła się twarzą do niego. Naga, nie licząc pereł. Było na co popatrzeć.

– Kiedy powinniśmy prosić o pomoc? – powtórzyła.

– Na pewno nie w tej chwili.

Zdjął podkoszulek.

– Teraz spodnie – poleciła.

– Rozkaz.

Znowu ujeżdżała go jak kowbojka, ale tym razem tyłem do niego. Co z wizualnego punktu widzenia miało tyle samo plusów co minusów, więc nie narzekał. Czuł się jak obserwator czyichś intymnych przyjemności. A ona wspinała się na gigantyczny szczyt, to było jasne. I dobrze, skoro tak chciała. Byle tylko przetrwać noc.

34

W związku z przybyciem generała Helmswortha Bishop przysłał busik wcześniej. Kierowca powiedział, że samolot już wylądował, tuż przed świtem. Ktoś miał czekać na gościa na lotnisku i zawieźć go prosto do konsulatu, gdzie Helmsworth odświeży się w kwaterze gościnnej i uda do pokoju, w którym Bishop chciał zorganizować spotkanie. Wyglądało na to, że generał interpretuje swoje rozkazy bardzo wąsko. Zapowiedział, że będzie rozmawiał tylko z Sinclair, Reacherem i Neagley, którzy, w szerokim tego słowa znaczeniu, mu podlegali. Z pozostałymi nie. Co pod względem praktycznym nie stanowiło żadnego problemu. Już przedtem zdecydowano, że im ich mniej, tym lepiej. Było wątpliwe, żeby na wpół zapomniane tajemnicze legendy z czyjegoś dzieciństwa wytrzymały oficjalne przesłuchanie jeden przeciwko siedmiu, brutalne maglowanie w stylu on po jednej stronie stołu, my po drugiej. Uznano, że swobodna atmosfera będzie bardziej produktywna. Swobodna atmosfera i mała grupa rozmówców. Sinclair, Reacher i Neagley zostali wybrani z dużym wyprzedzeniem.

Dlatego Bishop zaprowadził ich do wybranego przez siebie pokoju, a Waterman, White, Landry i Vanderbilt zostali u siebie. Pokój wyglądał jak sala w Fort Belvoir, gdzie Reacher dostał medal. Podobne złocone meble, podobny czerwony aksamit, taki sam pęk flag. Może tylko to pomieszczenie było wyższe niż tamto. Starszy budynek. Neagley znalazła cztery fotele z podłokietnikami i ustawiła je w luźnym kwadracie. Żeby było mniej oficjalnie. Wszyscy równi sobie. Ot, czworo znajomych zabijających czas.

Bishop wyszedł i chwilę później zjawił się Helmsworth, krępy mężczyzna między sześćdziesiątką i siedemdziesiątką o krótkich srebrzystych włosach i jasnoszarych oczach. Był w starannie wykrochmalonym i odprasowanym mundurze polowym z dwiema czarnymi gwiazdkami na kołnierzyku. Leciał całą noc, ale nie sprawiał wrażenia zmęczonego. Przedstawili się i uścisnęli sobie ręce, wszyscy z wyjątkiem Neagley, która po wojskowemu skinęła mu głową. Potem usiedli.

– Panie generale – zaczął Reacher – w skali od jednego do dziesięciu, jak bardzo jest pan teraz poirytowany?

– Synu – odparł Helmsworth – zważywszy okoliczności, dałbym osiem, dziewięć punktów. – Powiedział to głosem sędziego odczytującego wyrok śmierci.

– Będzie jeszcze gorzej – ostrzegł go Reacher.

– Nie mam co do tego wątpliwości, żołnierzu.

– Ale nie mamy czasu na smutne duperele, więc proszę się rozchmurzyć. Będziemy rozmawiali o starych, dobrych czasach.

– Waszych czy moich?

– Arnolda P. Masona, sierżanta z Osiemdziesiątej Drugiej Dywizji Powietrznodesantowej. Wasze drogi przecięły się w tysiąc dziewięćset pięćdziesiątym piątym roku i parę razy później. Ale tylko formalnie. Robił pan karierę, nie może go pan pamiętać.

– I nie pamiętam – potwierdził Helmsworth. – Minęło czterdzieści lat.

– Ale musimy wiedzieć, czy pamięta pan jego jednostkę.

– O co tu chodzi, majorze? O jakiś projekt folklorystyczny z okazji miesiąca historii mówionej?

– Nie, o niejakiego Wileya. Kiedy dorastał, od dziesiątego do szesnastego roku życia, a więc przez sześć lat, przyjacielem jego matki był sierżant Arnold P. Mason, żołnierz Osiemdziesiątej Drugiej Dywizji Powietrznodesantowej, weteran z dwudziestoletnim stażem. Przypuszczamy, że Mason opowiadał mu różne historie. Że młody Wiley je zapamiętał i dlatego po wielu latach wstąpił do wojska.

– I tak ma być – powiedział generał. – To cieszy.

– Ale z Wileyem było inaczej. Te historie wydawały się czymś w rodzaju mapy wskazującej drogę do ukrytego skarbu, a on włożył mundur, żeby ten skarb odnaleźć.

– To absurd – mruknął Helmsworth.

– Znalazł go i zniknął – dodał Reacher. – Samowolnie oddalił się od jednostki.

– Ale znalazł co?

– Nie wiemy. Wiemy tylko, że coś bardzo cennego.

– Z jakiej jednostki się oddalił?

– Służył w obronie przeciwlotniczej dywizji pancernych w okolicach Fuldy.

– Majorze, po co mnie tu ściągnęliście? Proszę powiedzieć, że macie ku temu dobre powody.

– Chcemy, żeby opowiedział nam pan kilka historii o ukrytym skarbie. Z czasów Osiemdziesiątej Drugiej Dywizji. Na pewno pan jakieś pamięta. Każdy oficer pamięta swoją pierwszą jednostkę.

– Nie było żadnych historii.

– Wiley z kolegami bawili się kiedyś w wymyślanie krótkich, zgrabnych powiedzonek tłumaczących, dlaczego wstąpili do wojska. Kiedy przyszła jego kolej, powiedział, że zaciągnął się, ponieważ wujek opowiadał mu historie o Davym Crocketcie.

Helmsworth zamilkł.

Reacher zauważył to i dodał:

– Wujek nie był tak naprawdę wujkiem, tylko przyjacielem jego matki. Weteranem z dwudziestoletnim stażem. Wujkiem Arnoldem. Wiley tak się do niego zwracał. Określenie stosowne w ustach dziesięciolatka. Ale już trochę dziwne u szesnastoletniego chłopaka.

– Jakie to były historie? – spytał swobodnie generał.

– Nie wiemy – odparł Reacher. – Dlatego pytamy.

– W jakich latach ten wujek służył w armii?

– Od tysiąc dziewięćset pięćdziesiątego pierwszego do tysiąc dziewięćset siedemdziesiątego pierwszego.

Helmsworth długo milczał.

– Panie generale? – ponaglił go Reacher.

– Nie mogę wam pomóc. Bardzo mi przykro.

– A teraz? – spytał Reacher. – Jak bardzo jest pan poirytowany?

Generał otworzył usta, lecz się nie odezwał.

– Właśnie – rzucił Reacher. – Dałby pan sobie najwyżej jeden, dwa punkty. Bo teraz ma pan na głowie dużo większy problem.

Helmsworth nie odpowiedział.

– Panie generale?

– Nie mogę o tym mówić.

– Boję się, że będzie pan musiał.

– Nie, nie, chodzi o to, że mi nie wolno.

– Panie generale – odezwała się Sinclair. – Z całym szacunkiem, ale jestem przedstawicielką Rady Bezpieczeństwa Narodowego. Mam dostęp do najtajniejszych informacji.

– Czy można tu bezpiecznie rozmawiać?

– Jesteśmy w konsulacie Stanów Zjednoczonych, a to pomieszczenie wybrał osobiście szef naszej placówki CIA.

– Musiałbym się skontaktować z Kolegium Połączonych Szefów Sztabów...

– Powiedzą panu to, co im każemy. Po co tracić czas na pośredników, skoro może pan powiedzieć wszystko bezpośrednio nam?

– Tę sprawę utajniono lata temu...

– Jaką sprawę?

– Utajniono i zamknięto.

– Niech pan opowie nam o Crocketcie, generale – poprosił Reacher. – Wiley jest na samowolce i coś ukradł. Musimy wiedzieć co. Będziemy tu siedzieli, aż zacznie pan mówić. Chciałbym powiedzieć, że mamy cały dzień, ale tak nie jest. Chyba nie mamy.

Helmsworth wciąż się wahał.

Nagle skinął głową i przysunął się bliżej z fotelem.

– Najpierw powiem, co działo się ze mną, a potem co działo się wtedy w Europie. Był początek lat pięćdziesiątych. Znaliśmy plan bitwy. Armia Czerwona miała przeprowadzić potężne uderzenie na „przesmyk Fulda" pod Frankfurtem i rozlać się po całej Europie. Naszym głównym zadaniem było powstrzymanie jej szpicy i odcięcie wsparcia. Zamierzaliśmy to zrobić, biorąc na cel drogi i mosty na zapleczu Rosjan, żeby zatrzymać ich czołgi. Drogi i mosty, a także elektrownie i większe obiekty infrastrukturalne. Żeby osłabić ich siłę bojową. Rzecz w tym, że nie mogliśmy polegać na lotnictwie. Inteligentne bomby miały się dopiero pojawić. Most jest bardzo małym celem. Musieliśmy mieć pewność. Dlatego utworzyliśmy parę kompanii saperskich złożonych ze specjalnie przeszkolonych komandosów. Żołnierze ci, wyposażeni w ładunki wybuchowe, mieli wyskoczyć ze spadochronem na terenie wroga, dojść, a w razie konieczności przebić się do celu i dokładnie przytwierdzić ładunek do podpory mostu, ściany elektrowni czy innego obiektu. Taki był plan. W tamtych czasach komandos z ładunkiem wybuchowym na plecach był naszą najinteligentniejszą bombą.

– Dobra robota – powiedział Reacher.

– Niezupełnie – odparł generał. – Bo jaki ciężar daliby radę przenieść?

– Ze strefy lądowania do celu? Czterdzieści pięć kilo.

– Właśnie. Czterdzieści pięć kilo trotylu kontra podpora dużego mostu? To jak petarda, nie będzie nawet rysy. A elektrownie są przecież znacznie większe. Dlatego pomysł z ludzką bombą odłożyliśmy tymczasem na półkę, czekając na postępy w budowie przenośnych rodzajów broni, które w tamtych czasach były powolne i niewielkie. Szczyt marzeń leżał zupełnie gdzie indziej, na drugim końcu skali, o czym wtedy nie wiedziałem. W Los Alamos panował ruch większy niż kiedykolwiek. Naukowcy pracowali nad bombą wodorową. Przetestowano ją, tuż zanim ukończyłem West Point. Na atolu Bikini, w pięćdziesiątym czwartym. Eksplozja o sile piętnastu megaton, najpotężniejsza w znanej historii. Pięć razy silniejsza niż wszystkie bomby zrzucone podczas wojny na Niemcy i Japonię, łącznie z tymi, które wybuchły w Hiroszimie i Nagasaki. Prawdopodobnie potężniejsza niż eksplozja wszystkich pocisków w historii świata. I to w ułamku sekundy. Wybuch był naprawdę monstrualny. Tak gigantyczny, że nikt nie myślał poważnie, żeby skonstruować coś większego. Bano się, że dojdzie do pożaru atmosfery. Ale wtedy nic o tym nie wiedziałem.

– Kiedy się pan dowiedział? – spytał Reacher.

– Pod koniec lat pięćdziesiątych, kiedy świat zupełnie oszalał. Dowiedzieliśmy się nie tylko tego. Okazało się na przykład, że mamy nie jeden, ale dwa tajne ośrodki badawcze. Nie tylko ten w Los Alamos. Był jeszcze drugi. Obowiązywała wtedy pewna teoria, święta zasada, którą kierował się Departament Obrony. Uważano, że rywalizacja jest matką wszelkiej doskonałości i że bez rywalizacji nie zdobędziemy przewagi nad wrogiem. Ci z Departamentu Obrony wykuli te słowa w kamieniu. I dali Los Alamos rywala: Livermore. Miasteczko pod Berkeley w Kalifornii. Od początku pracowali tam sami geniusze. Nie widząc sensu w konstruowaniu coraz większych bomb, poszli w drugą stronę i zaczęli konstruować coraz mniejsze. Nabierali coraz większej wprawy i w końcu zbudowali głowicę nuklearną W-54, tworząc przy okazji zupełnie nowy system osprzętowania.

– Dobrze wiedzieć – mruknął Reacher.

– A teraz wróćmy do mojego ówczesnego problemu. Żołnierz z czterdziestopięciokilowym ładunkiem wybuchowym na plecach na nic by mi się nie przydał. A tymczasem jako dowódca musiałem rozwiązać poważny problem taktyczny. Na mojej liście były najważniejsze cele wodno-lądowe. Drogi, mosty, wiadukty, elektrownie, cała infrastruktura. Czy żołnierz da radę przenieść na plecach ładunek o ciężarze stu kilogramów?

– Może, ale niedaleko.

– Czyli odpada. Wybuch o sile dwóch petard. A sto osiemdziesiąt kilogramów?

– Nie.

– A tonę? – pytał generał. – Czy żołnierz przeniesie na plecach tonę ładunku?

– Wykluczone.

– A dziesięć ton? A sto? Albo tysiąc? Albo tysiąc pięćset? Czy ktoś jest w stanie przenieść na plecach tysiąc pięćset ton trotylu?

Reacher milczał.

– Właśnie tyle nam zaproponowano – dodał generał.

– Ale kto?

– Geniusze z Livermore, z tego nowego ośrodka. Prawdę mówiąc, ich nowy system okazał się porażką. Zbudowali coś małego, lecz za dużego. Moc bomby atomowej zrzuconej na Hiroszimę upchnęli w cylindrze o średnicy dwudziestu siedmiu i pół i długości czterdziestu centymetrów. Cylinder ważył tylko dwadzieścia trzy kilogramy. Siła wybuchu? Piętnaście kiloton, tyle samo co Little Boy. Odpowiednik piętnastu tysięcy ton TNT. Ale Little Boy miał trzy metry długości i ważył pięć ton, dlatego cylinder z Livermore był triumfem miniaturyzacji. Niestety, niewielkim. Okazał się za duży, żeby można go było wystrzelić z działa czy moździerza. Nie mieliśmy odpowiedniej wyrzutni, solidnej i przenośnej. Dlatego ich produkt był tylko egzotyczną ciekawostką, niczym więcej. Rozwiązaniem jakiegoś tam problemu. Ale kto marnuje, ten nie ma. Panowie naukowcy wynaleźli coś pokrewnego. Nadali cylindrowi nową nazwę, SADM, od Special Atomic Demolition Munition*, i sprezentowali go nam, Osiemdziesiątej Drugiej Dywizji Powietrznodesantowej. Teraz moi chłopcy mogli zarzucić na plecy dwudziestotrzykilogramowy ładunek, wyskoczyć ze spadochronem i zniszczyć każdą drogę, most czy wiadukt.

– Bombą atomową?

– O mocy tej z Hiroszimy.

Wszyscy umilkli.

– Jak go nazywano, ten ładunek? – spytał w końcu Reacher.

– Niech pan zgadnie – odparł generał.

– Davy Crockett.

Helmsworth kiwnął głową.

– Tak. Nie wiem dlaczego. Ale nazwa się przyjęła. Nikt nie mówił: SADM. Wszyscy mówili: Davy Crockett. Każdy był w płóciennym pojemniku transportowym, czymś w rodzaju plecaka. Zakładało się go i gotowe. Ale nikt nie garnął się do tych zadań. Cylindry promieniowały. Tak przynajmniej

---

* Specjalne jądrowe środki rażenia.

mówiono. Kilku żołnierzy zachorowało, podobno na raka. Ale najbardziej przerażało ich to, co zobaczyli na kronice filmowej z Hiroszimy. Ta potężna eksplozja. Dźwigali na plecach bombę tej samej mocy. Mieli przytwierdzić ją do podpory mostu, nastawić zegar i wziąć nogi za pas. To zupełnie co innego, niż zrzucić bombę z wysokości trzynastu kilometrów.

– Na ile nastawiano zegar? – spytała Neagley.

– Maksymalnie na piętnaście minut. Mniej więcej. Zapalniki czasowe nie były zbyt dokładne.

– Przecież to chore. Promień śmiertelnego rażenia bomby w Hiroszimie wynosił prawie dwa kilometry. Kula ogniowa miała średnicę ponad trzech. Dla większości ludzi to dwanaście minut szybkiego biegu. Na stadionie, bo w terenie mieszanym nikt by się w tym czasie nie zmieścił, to niemożliwe. Zwłaszcza że gdyby musieli przebijać się do celu, musieliby również walczyć w drodze powrotnej. Walczyć i czekać, aż żywcem spłoną. To byłaby misja samobójcza.

Generał kiwnął głową.

– Wtedy kalkulowano inaczej. Za powstrzymanie dziesięciu tysięcy pojazdów i miliona żołnierzy wroga byliśmy gotowi zapłacić życiem dwóch kompanii naszych chłopców. Uważaliśmy, że to okazyjna cena.

– Dwóch kompanii? – powtórzył Reacher.

– Tak. Mieliśmy sto Crockettów.

– Każdy przypisany do konkretnego celu?

– Starannie wybranego.

– Cele były szeroko rozrzucone?

– Jak krosty na ciele chorego na ospę – odparł generał.

– Ale przecież w Fuldzie nie ma stu mostów. Ani elektrowni. Ani tylu dróg czy wiaduktów. To wąskie przejście. Dlatego nazwano je przesmykiem.

– Nadmiar był wkalkulowany. Mniej więcej połowa Crockettów miała czekać w gotowości na wyznaczonych pozycjach.

– Też celowo rozrzuconych – domyślił się Reacher. – I połączonych w całość.

– Tak, jak łańcuch.

– Stworzyliście barierę radiacyjną. Pole minowe. Z setką bomb mogło mieć szesnaście kilometrów długości i szesnaście szerokości. I dowolny kształt. Chcieliście zmusić Sowietów, żeby szli w lewo lub w prawo, tam gdzie czekaliście.

– Ta sprawa jest już zamknięta – powtórzył Helmsworth.

– Bo w miarę upływu czasu podpisano sto umów i traktatów. Musieliście się wycofać. Nie mogliście nawet przyznać, że to planowaliście.

– Tak, Crocketty zostały wycofane, ale nie tylko z powodów militarnych. Wszystkie ściągnięto z powrotem do Stanów. I niczym nie zastąpiono. Produkcja broni nuklearnej poniżej określonych rozmiarów została w końcu całkowicie zakazana.

– Arnold Mason jest chory – odezwała się Sinclair. – Jego żona twierdzi, że powiedział jej, że zajmie się nim wojsko. Że przyjedzie do niego ktoś od was.

– Na co choruje? – spytał generał.

– Ma guza mózgu.

– To było bardzo dawno temu. Większość przypadków zachorowań odnotowano dużo wcześniej.

– Ale odnotowano, tak?

– Bardzo nieliczne.

– Takie historie nie wzbudziłyby we mnie marzeń o wojsku – powiedział Reacher.

Helmsworth tego nie skomentował.

– Panie generale?

– Każdy poborowy kieruje się innymi motywami.

– Horace Wiley ma trzydzieści dwa lata i jest złodziejem. Nie sądzę, żeby opowieści o samobójczych misjach, chorobie popromiennej i widok broni wędrującej z powrotem do Stanów natchnął go chęcią służby dla kraju.

Generał wciąż milczał.

– Generale?

– Ta sprawa jest opatrzona klauzulą „tajne szczebla prezydenckiego".

– Tak jak wszystko, o czym tu mówimy – zauważyła Sinclair.

Helmsworth westchnął.

– Jest możliwe, że podczas inwentaryzacji popełniono błąd – przyznał.

35

– Według początkowej listy ładunkowej – ciągnął – z Livermore wyjechały trzy skrzynie, każda z dziesięcioma Crockettami. Dziesięć razy dziesięć równa się sto, i z tyloma ładunkami ćwiczyliśmy. Według późniejszych dokumentów, tyle samo skrzyń powróciło do kraju, każda z dziesięcioma Crockettami. Dziesięć razy dziesięć równa się sto. Wszystko się zgadza. Wszystko należycie dostarczone i zeskładowane na terenie Stanów Zjednoczonych. Wszystkie sztuki uważnie obejrzane, sprawdzone i przeliczone w obecności świadków. W naszym posiadaniu jest ich dokładnie sto.

– Więc gdzie jest błąd? – spytał Reacher.

– Mówiłem o listach ładunkowych – odparł Helmsworth. – Sto sztuk wyszło, sto sztuk wróciło. Na papierze wszystko się zgadzało. Ale lata później ktoś z Livermore znalazł niewysłaną fakturę na jedenastą skrzynię. Na dziesięć Crockettów więcej. Bez dokumentacji dostawczej. Ostateczna liczba wyprodukowanych ładunków była niejasna. Tak więc jest możliwe, że zamówienie na jedenastą skrzynię zostało zrealizowane.

– Ale nikt za nie nie zapłacił – zauważył Reacher. – Więc to mało prawdopodobne. Co oznaczałoby, że fakturę wystawiono omyłkowo. I pewnie dlatego jej nie wysłano.

– Tak, my też wysnuliśmy podobne wnioski – powiedział generał. – Początkowo. Niestety, producent skrzyń przedstawił dowody, które im zaprzeczały, dokumenty z niezwykłego źródła: z rejestru prac czeladnika stolarskiego. Rejestr potwierdzał, że jedenasta skrzynia została wykonana. Brygadzista poświadczył to własnoręcznym podpisem, tak jak w przypadku pozostałych dziesięciu. Skrzyni numer jedenaście nie było w fabryce. Nie było jej także w Livermore. Ani skrzyni, ani dziesięciu dodatkowych Crockettów. Więc gdzie, do diabła, przepadły? I czy w ogóle istniały? Połowa rozumowania miała naturę filozoficzną. Druga połowa praktyczną: lepiej dmuchać na zimne. Więc zaczęliśmy szukać. I niczego nie znaleźliśmy. Ani w kraju, ani za granicą. Może czeladnik się pomylił? Ale w takim razie musiał pomylić się i brygadzista. I tak w kółko.

– Aż?

– Komisja się podzieliła. Większość doszła do wniosku, że trzeba założyć, że zamówienia na jedenastą skrzynię w ogóle nie zrealizowano, a fakturę wystawiono bezzasadnie, być może próbując oszustwa.

– Groźnie to brzmi – stwierdził Reacher. – Chcieli zamieść problem pod dywan.

– Możliwe.

– Jakiego zdania była mniejszość?

– Że Livermore nie zamówiłoby jedenastej skrzyni, gdyby nie miało gotowych Crockettów. Skrzynie były prototypami nowego standardowego systemu. Zostały zmodyfikowane do przewożenia tego typu ładunków, ale z zewnątrz wyglądały identycznie jak inne. Niewykluczone, że popełniono błąd w dokumentacji dostawczej. Jedenasta skrzynia wyjechała z ośrodka, ale trafiła nie do tego odbiorcy. Albo trafiła do właściwego odbiorcy ze złym opisem zawartości. Kody inwentaryzacyjne były bardzo skomplikowane. Wystarczyło pomylić jedną cyfrę, i skutki były opłakane.

– „Albo", „mogła", „niewykluczone"... strasznie tego dużo – podsumował Reacher. – Trzy błędy z rzędu. Błędna dokumentacja dostawcza, błędny kod inwentaryzacyjny i niewysłana faktura.

– To były lata pięćdziesiąte – przypomniał mu Helmsworth. – Świat zwariował. Co roku wydawaliśmy miliardy ówczesnych dolarów na miliony ton sprzętu. Olbrzymia była już sama liczba zamówionych prototypów. Jak długo jest pan w wojsku, majorze?

– Od dwunastu lat.

– Słyszał pan, żeby coś poszło nie tak?

Reacher zerknął na swoje spodnie. Część munduru polowego Korpusu Piechoty Morskiej Stanów Zjednoczonych uszyta w tysiąc dziewięćset sześćdziesiątym drugim, w tysiąc dziewięćset sześćdziesiątym piątym wysłana nie tam, gdzie trzeba, i odkryta trzydzieści lat później.

– Mówimy o broni nuklearnej, panie generale – odparł.

– Przypadkowe wystrzelenie, odpalenie, zdetonowanie, kradzież i zagubienie: w całej naszej historii mieliśmy w sumie trzydzieści dwa incydenty tego typu. Dwadzieścia sześć wyjaśniliśmy i zamknęliśmy. Sześciu zagubionych ładunków nie znaleźliśmy i nie odzyskaliśmy. Wciąż brakuje ich na stanie. To są sprawdzone liczby. Stuprocentowo pewne. Dlatego zaginięcie kolejnych dziesięciu ładunków nie jest niemożliwe. Zwłaszcza że te były takie, jakie były, małe i produkowane masowo. Nie należały do broni wyrafinowanej. Traktowano je jak sprzęt codziennego użytku.

– Dokładnie szukaliście? – zapytał Reacher.

– Wszędzie. Dosłownie na całym świecie. I nie znaleźliśmy. Większość wygrała. Numer jedenasty w ogóle nie istniał. Faktura była próbą oszustwa, ale oszust stchórzył i jej nie wysłał.

– A jak było pana zdaniem?

– Przygotowywaliśmy się do wojny lądowej z Armią Czerwoną – odparł Helmsworth. – Mieliśmy w Niemczech setki magazynów. Największy był większy niż niejedno niemieckie miasto. W najmniejszym zmieściłby się stadion piłkarski. Uważałem, że większość członków komisji zatkała sobie uszy i zaczęła głośno śpiewać.

– Czy Arnold Mason mógłby brać udział w tych poszukiwaniach?

– Niemal na pewno. Proszę nie zapominać, że wszczęto je po wielu latach i że ci żołnierze doskonale wiedzieli, czego szukają.

– A więc to takie historyjki opowiadał wujek młodemu Wileyowi. Zaginiona skrzynia. Zaginione bomby, każda o mocy tej z Hiroszimy. Ukryty skarb...

– Ale dlaczego Wiley miałby cokolwiek znaleźć, skoro nikt inny nie znalazł? – spytała Sinclair.

– Każdy ma talent do czegoś innego – odrzekł Reacher. – Może zauważył coś, co innym umknęło. Może miał do tego smykałkę. Albo wujek dał mu jakąś wskazówkę.

– Brzmi zupełnie nieprawdopodobnie – skonstatowała Sinclair.

– Owszem.

– Nie, proszę pani – zaoponował generał. – Wtedy wszystko było możliwe. Trwała zimna wojna, ludzi ogarnął obłęd. Ktoś wszył kotu w szyję mikrofon, nadajnik i cienką antenę wzdłuż kręgosłupa. Chcieli go wytresować, żeby wszedł na teren rosyjskiej ambasady i podsłuchał rozmowy dyplomatów. Pierwszego dnia służby kot wpadł pod samochód. Jak pani widzi, nie było rzeczy niemożliwych i prędzej czy później coś szło nie tak.

– Ale czy to ma jakieś znaczenie? – odezwała się Neagley. – Bo kto znał kody uzbrajające? Czy w ogóle je wydano? Nawet jeśli tak, musiano je rozdzielić między dwóch żołnierzy, to była podstawowa zasada. Dziesięć ładunków, dwudziestu żołnierzy. Konkretnie których?

Helmsworth nie odpowiedział.

– Panie generale? – ponaglił go znowu Reacher.

– Synu, będzie jeszcze gorzej.

– Nie wierzę.

– Na pewno oglądaliście filmy dokumentalne z lądowania aliantów w Normandii. Artyleria przeciwlotnicza, błędnie odczytane mapy, wredna pogoda, bagna i rzeki, natychmiastowe przejście do ataku lądowego. Prawdopodobieństwo tego, że dwóch żołnierzy wyląduje dokładnie w tym samym miejscu, było zerowe. I zostalibyśmy ze stoma sztukami bezużytecznego złomu. A mieliśmy być skuteczni. Dlatego uznano, że zabezpieczenie, o którym pani mówi, będzie taktyczną przeszkodą.

– Kto tak uznał? – spytał Reacher.

– Dowództwo operacji taktycznych.

– Czyli między innymi pan.

– Tak. Na mój rozkaz kwatermistrz kazał zbrojmistrzowi zapisać cały kod na obudowie ładunku. Żółtą kredą. Dzięki temu, jeśli niosący go żołnierz zginął, jego kolega mógł przejąć ładunek i dokończyć misję. To była zimna wojna, drodzy państwo. Dzisiaj wiemy, że do niczego takiego nie doszło. Ale wtedy miało się wrażenie, że może dojść.

– Ale jedenasta skrzynia nie dotarła na pole walki – zauważyła Sinclair.

– W takich przypadkach wkładano kod do przegródki na jej tylnej ściance. To właśnie tę część wykonał czeladnik. W jedenastu egzemplarzach.

Wszyscy umilkli i długo się nie odzywali.

– Dobrze – powiedziała w końcu Sinclair. – Za chwilę będę musiała zadzwonić do prezydenta i zawiadomić go, że zgubiliśmy dziesięć bomb atomowych wraz z kodami uzbrajającymi, z których każda ma siłę tej z Hiroszimy, co znaczy, że wkrótce z powierzchni ziemi może zniknąć dziesięć miast. Czy ktoś z państwa może podać mi choć jeden powód, dla którego nie powinnam tego robić?

Nikt jej nie odpowiedział.

• • •

Naczelnik Griezman wjechał windą do biura Dremmlera. Winda była bardzo powolna. Pewnie oryginalna, sprzed remontu i przebudowy. Ale w końcu dojechał na miejsce. Chwilę później siedział już na niewygodnym, o wiele za małym krześle naprzeciwko biurka gospodarza, który najpierw wezwał sekretarkę – wyglądała na Latynoskę – i poprosił o kawę, a potem spytał go, w czym może pomóc.

– Chodzi o Wolfganga Schluppa – odparł Griezman.

– A wie pan, wczoraj z nim rozmawiałem – powiedział Dremmler. – Zupełnym przypadkiem.

– Właśnie dlatego przyszedłem.

– Ale nie powiedział nic ciekawego, a już na pewno nic, co mogłoby rzucić światło na to, co się stało.

– O czym rozmawialiście?

– Wymieniliśmy uprzejmości, nic więcej. Raz spotkaliśmy się na biznesowej kolacji, w sumie znaliśmy się tylko z widzenia, przelotnie. Pozdrowiłem go, i tyle. Z uprzejmości.

– Chciał mu pan sprzedać buty? – spytał Griezman.

– Nie, nie, ależ skąd. Zagadnąłem go z czystej uprzejmości. Uprzejmość jest jak smar, a kto nie smaruje, ten daleko nie zajedzie.

– Często pan chodzi do tego baru?

– Nie, niezbyt.

– Dlaczego poszedł pan akurat wczoraj?

– Aby widzieć i być widzianym. Bywam w różnych lokalach, na zmianę. To część naszej pracy.

– Naszej? – nie zrozumiał Griezman.

– Przedsiębiorców, przywódców grup społecznych, ludzi interesu i wszelkiej maści kombinatorów.

– Zauważył pan, kto stał tuż za panem?

Dremmler zmarszczył czoło. Pamiętał, że przepchnął się przez tłum i usiadł obok Shluppa, plecami do sali. Kto za nim stał? Nie mógł sobie przypomnieć.

– Stał za panem ktoś, kto ma kłopoty z urzędem skarbowym – powiedział Griezman. – Podsłuchał waszą rozmowę. Ze wszystkimi szczegółami.

Dremmler milczał. Miał dobrą pamięć. Był rozsądny. Bystry i twórczy. Ktoś na jego stanowisku musiał taki być. Przewinął taśmę w głowie i odtworzył ich rozmowę od samego początku, od chwili, gdy spytał „Jak tam interesy?", a Schlupp burknął: „Czego pan potrzebuje?". Szybko przesłuchał całość, wychwytując najistotniejsze słowa i frazy, takie jak „informacja", „sprawa", „nowe Niemcy", „ważne", „prawo jazdy", pytania o nowe nazwisko Amerykanina i obietnicę łapówki. Słowo „sprawa" powtarzało się aż cztery razy.

Czyli dupa.

– Zdziwiłby się pan, gdyby pan wiedział, w ilu miejscach mam swoich ludzi – powiedział. – Trudno by było rządzić bez nich miastem. Poza tym żaden nie złamał prawa. Łącznie ze mną.

– Jeszcze nie – podkreślił z naciskiem naczelnik.

– Czyli nie złamał, na jedno wychodzi.

– Kiedy zaczniecie, będziemy gotowi.

– Prześladowania tylko nas wzmocnią.

– Prześladowanie to nie to samo co ściganie.

– Niech pan pomyśli o sobie, Herr Griezman. Ma pan do czynienia z potężną siłą, która wkrótce będzie jeszcze potężniejsza. Może już czas wymówić posłuszeństwo swoim panom i stanąć po naszej stronie? Mamy zbieżne interesy, więc proszę się nie obawiać. Na pewno nie straci pan pracy. Nawet w nowych Niemczech będą drobni przestępcy.

– Czy Schlupp zadzwonił do pana przed śmiercią i podał nowe nazwisko tego Amerykanina?

– Nie – odparł Dremmler.

Griezman mu wierzył. Dokładnie takiej odpowiedzi się spodziewał.

• • •

Sinclair zadzwoniła do Białego Domu z pokoju przydzielonego im przez konsulat. Generał Helmsworth wyszedł. Przyszedł Bishop. Waterman powtórzył swoją smutną przepowiednię, że jest za późno, że sama odpowiedź zajmie Niemcom pół dnia, a briefing cały dzień. Może nawet więcej, bo zaczynaliby od zera. Poza tym obowiązywała już podobno natowska klauzula o wzajemnej pomocy, co jeszcze bardziej komplikowało sprawę. Sinclair przewidywała, że dojdzie do dużego opóźnienia. Reacher zadzwonił do Griezmana, lecz go nie zastał. Sekretarka obiecała dopilnować, żeby naczelnik oddzwonił natychmiast po powrocie. Sądząc po głosie, była miłą kobietą.

– Wiley jest na samowolce w Hamburgu, tu gdzie ty – powiedziała Sinclair. – Podobno wystarczy pójść do okienka po kasę.

– Muszę znać jego nowe nazwisko – odrzekł Reacher.

– Powodzenia życzę.

– Moglibyśmy je odgadnąć, a przynajmniej spróbować.

– Odgadnąć na podstawie czego?

– Wiemy, że klienci mogli wybrać dowolne, jakie tylko chcieli. Wiemy, że w wypożyczalni samochodów Wiley występował jako Ernst i Gebhardt. Dlaczego wybrał akurat te dwa? A jeśli były drugim i trzecim, to jak brzmi pierwsze?

– Czysta spekulacja – stwierdziła Sinclair.

– W żandarmerii nazywamy to strzałem na oślep.

– To lepsze niż zdrowaśka czy gorsze?

– Zdrowaśka to przy tym małe piwo. Tu liczy się instynkt. Jakbyś wzięła zamach, zamknęła oczy i próbowała trafić kijem w piłkę.

– Dobrze, więc jak się teraz nazywa?

– Jeszcze nie wiem. Mam to na czubku języka, ale nie na ustach. Będę musiał zajrzeć do książki albo zadzwonić.

– Do kogo?

– Do kogoś, kto wychował się w Teksasie.

Zaterkotał telefon.

Griezman.

– Jak mogę wam pomóc? – spytał.

– Jeszcze nie wiem.

– Więc po co pan dzwonił?

– Miałem nadzieję, że będę już wiedział – odparł Reacher.

– Zaryzykuj – szepnęła Sinclair.

Przypomniało mu się, jak podniósł rękę i musnął jej czoło, jak wsunął palce we włosy i delikatnie je przeczesał. Pamiętał, jak gęste i miękkie unosiły się falami i opadały, jak odgarnął je do tyłu, część zakładając za ucho, część zostawiając.

Wyglądały dobrze.

Wtedy zaryzykował.

– Chciałbym, żeby przejrzał pan spis mieszkańców osiedla Wileya.

– Jakiego nazwiska mam szukać? – spytał Griezman.

– Kempner.

– Jest bardzo popularne...

– Samotni, nieżonaci, bez przeszłości na papierze. Interesują mnie tylko tacy.

– To zajmie kilka godzin. Bardzo się spieszycie?

– Idziemy trochę szybciej, niżbyśmy chcieli.

– Więc oby pan dobrze trafił. To może być pańskie ostatnie życzenie. Drugi raz może pan nie złapać złotej rybki.

– Niech pan spróbuje.

– Kempner?

– Proszę jak najszybciej oddzwonić.

Reacher odłożył słuchawkę.

– Dlaczego akurat Kempner? – zapytała Sinclair.

– A dlaczego Ernst i Gebhardt? Wiley wychował się w Sugar Land i pewnego dnia, wiele lat później, musiał wybrać trzy niemieckie nazwiska. Jakie przyszły mu do głowy? Teksas ma bogate niemieckie tradycje. Do dziś krąży tam wiele opowieści o sukcesach pierwszych osadników. Niemcy przyjechali tam bardzo dawno temu. Legenda głosi, że pierwszym był niejaki Ernst, założyciel kolonii. Wiley musiał o nim słyszeć. Potem, lata później, inny Niemiec uwarzył pikantny sos. Dzisiaj można go kupić w każdym sklepie wojskowym i cywilnym supermarkecie. Jest dostępny w całym Teksasie. Daję głowę, że Wiley przez całe życie polewał nim jedzenie. To sos Gebhardta.

– Przypadek – powiedziała Sinclair. – Jeden i drugi.

– A jeśli nie? Jeśli Ernst i Gebhardt są podświadomym skojarzeniem z dzieciństwa spędzonego w Teksasie, to kto będzie trzeci?

– Nie wiem. Nie mam pojęcia.

– Wiley jest dumny ze swojego miasta – ciągnął Reacher. – Tak zeznali jego koledzy, kiedy poszedł na samowolkę. Potwierdził to Coleman, jego kolega z załogi Chaparrala. Rodzinne miasto Wileya to przede wszystkim Imperial Sugar, firma założona w tysiąc dziewięćset szóstym, cukrownia, która przez dziesiątki lat utrzymywała prawie wszystkich mieszkańców Sugar Land.

– Skąd ty to wszystko wiesz?

– Był taki film – odrzekł Reacher. – I kiedyś czytałem o tym w autobusie, w „Houston Chronicle". Firmę otworzył Isaac H. Kempner i w gruncie rzeczy to on był założycielem miasta. To on je zbudował. Na pewno jest tam bardzo sławny. Może ma nawet swoją ulicę.

– Ryzykowne jak cholera.

– Sama mi kazałaś.

– Niemcy powinni zamknąć port – odezwał się White.

– I zamkną – odparła Sinclair. – Pewnie już o tym rozmawiają. Biały Dom da nam znać.

Spojrzała na zegar na ścianie.

Banki w Zurychu były już otwarte.

Telefon nie dzwonił.

36

Minęła godzina i wciąż milczał. Minęła druga i wciąż nic.

– Chcę wciągnąć do zespołu Orozco – zdecydował Reacher.

– Po co? – spytał Bishop.

– Potrzebujemy dodatkowej pary rąk. Zaczyna nam brakować czasu.

– Co może dla nas zrobić?

– To dobry śledczy. Jeśli złapiemy Wileya, zanim znajdziemy skrzynię, Orozco go przesłucha. Jest w tym dobry. Umie przemówić do rozsądku. Wiley wszystko wyśpiewa.

– Ten Orozco dużo wie?

– Trochę.

– Zadzwoń do niego – poleciła Sinclair.

Więc Reacher zadzwonił. Od razu, przy nich. Powiedział, że od dziesiątej zero zero czasu Zulu i jedenastej zero zero czasu Lima Orozco ma CP do RBN i po dalsze szczegóły ma zadzwonić na dół, dziesięć-szesnaście.

I rozłączył się.

Neagley uniosła brew.

– Zaraz wracam – rzucił.

Wyszedł, zbiegł schodami do holu i stanął przy ladzie w recepcji. Zadzwonił telefon. Strażnik odebrał. Zrobił głupią

347

minę i podał mu słuchawkę. Orozco. Oddzwaniał zgodnie z radiowym kodem dziesięć-szesnaście, a więc natychmiast. W sprawie CP do RBN, czasowego przydziału do Rady Bezpieczeństwa Narodowego. Pod inny numer ze względów bezpieczeństwa.

– Mamy kłopoty? – spytał.

– Jeszcze nie – odparł Reacher.

– Mówisz jak gość, który skoczył z wieżowca. Jak się pan czuje? Jak dotąd fajnie, jakbym leciał.

– Musimy tylko dorwać tego faceta.

– I dorwiemy?

– Hej, dla chcącego nic trudnego.

– Jak mogę wam pomóc?

– Powiedziałem im, że biorę cię na śledczego. Ale nie biorę. Ewakuujesz tego Irańczyka. Zupełnie o nim zapomnieli. Albo głupio ryzykują, wszystko jedno. Tamci go zabiją. Wyciągniesz go z dziupli, jak tylko zrobimy pierwszy ruch.

– A zrobicie? – spytał Orozco.

– Jestem optymistą.

– Skąd będę wiedział, który to? Nie odróżnię go od Saudyjczyków.

– Jestem pewien, że ktoś o twoim poziomie wrażliwości kulturowej nie będzie miał z tym kłopotów.

– A co mam zrobić z Saudyjczykami?

– Możesz zaliczyć ich do strat ubocznych.

– Ostro.

– Zginęło dziesięć bomb – powiedział Reacher.

– Więc o to chodzi?

– Dopiero co się dowiedzieliśmy.

– Jakich bomb?

– Atomowych. O mocy tej z Hiroszimy.

– Mówisz poważnie?

– Jak na pogrzebie.

– Dziesięć?

– W jednej skrzyni.

Orozco zamilkł. Milczał długo, bardzo długo. W końcu się odezwał:

– Musiałbym zabrać mojego sierżanta.

– Niczego innego nie oczekiwałem.

– Już jadę.

Reacher odłożył słuchawkę i wrócił na górę. Kiedy tylko wszedł do pokoju, zaterkotał telefon. Ale nie z Białego Domu. Ani z NATO. Dzwonił Griezman. Sinclair przełączyła go na głośnik.

– W osiedlu mieszka pięciu Kempnerów. Czterech odpada ze względu na wiek. Piąty pasuje. Za niecały miesiąc kończy mu się okres wynajmu. Nie pracuje. Źródła dochodów nieznane. Zameldowany jako Isaac Herbert Kempner.

– To on – powiedział Reacher. – Założyciel Imperial Sugar. Identyczne imiona. Mamy Wileya.

– Przyjadę po was za pięć minut. Ale proszę, tylko pan, doktor Sinclair i sierżant Neagley. Bez CIA. Berlin nic nie wie. Bardzo ryzykuję.

Sinclair odłożyła słuchawkę.

– Winszuję, majorze. Kolejny medal.

– Jeszcze nie – odparł Reacher. – Jeszcze nie.

• • •

Müller zamknął drzwi gabinetu i zadzwonił do Dremmlera.

– Griezman szuka jakiegoś Kempnera – zameldował. – W tym nowym osiedlu, gdzie podobno mieszka Wiley. Tam gdzie stał ten nieoznakowany radiowóz.

– Popularne nazwisko – zauważył Dremmler.

– Ja też poszperałem i znalazłem pięciu, w tym trzech starców i jednego studenta. Piąty ma trzydzieści pięć lat i prawo jazdy. Dzięki czemu mogłem go sprawdzić. Ma zupełnie czyste konto, bez jednego wpisu. Ani mandatu za przekroczenie prędkości, ani mandatu za parkowanie w niedozwolonym miejscu, ani ostrzeżenia, ani pouczenia, ani zgłoszenia o odszkodowanie z AC, ani zeznań świadków, dosłownie nic. Żadnego kontaktu z naszą biurokracją. To nienormalne, facet ma trzydzieści pięć lat, a jakby w ogóle nie istniał. Moim zdaniem Kempner to nowe nazwisko Wileya.

– Ma pan adres? – spytał Dremmler.

– Powinniśmy myśleć z wyprzedzeniem. Griezman tam pojedzie. Mieszkanie będzie niedostępne. Niech pan pomyśli jak policjant z drogówki. Wiley ma dużą ciężarówkę. Gdzie parkuje? Nie na ulicy, bo moi ludzie szukali jej i nie znaleźli. I nie w garażu, bo ciężarówka jest długa i wysoka. Skoro nie w garażu, to w jakiejś dużej szopie albo małym magazynie. W pobliżu miejsca zamieszkania, żeby była w zasięgu ręki. Ta ciężarówka tam teraz jest. Czeka na nas. To na niej nam zależy, nie na Wileyu.

– Czeka, ale konkretnie gdzie?

– Musi pan popytać znajomych – odparł Müller. – Czy ktoś wynajmował ostatnio starą szopę albo magazyn? Prawdopodobnie za gotówkę, na pewno ktoś obcy, kto spytany, po co mu magazyn, próbował wcisnąć im jakąś bzdurną historyjkę. Znajomy znajomego mojego znajomego. Przecież pańscy ludzie często o tym rozmawiają, prawda?

– Mianuję pana szefem całej policji – obiecał Dremmler.

• • •

Bishop zaprowadził ich do swojego gabinetu, gdzie stał starodawny sejf z zamkiem szyfrowym, wielki jak pralka w piwnicy. Pokręcił gałką, pociągnął za rączkę i otworzył drzwi. W środku był groch z kapustą i długie kartonowe pudełko, z którego wystawały rękojeści czterech pistoletów. Bishop wyjął trzy, jeden dla Sinclair, jeden dla Reachera i jeden dla Neagley. Colty government model .380. Siedmiostrzałowe dziewiątki, oksydowana stal i plastikowy uchwyt. Celne, choć z krótką lufą. Były nabite.

– Postarajcie się ich nie używać – powiedział. – A jeśli już będziecie musieli, to, na miłość boską, strzelajcie tylko do Wileya. Postrzelicie kogoś innego i rozpęta się koszmar, zjedzą nas formalności.

– Jak tylko przyjedzie Orozco, niech pan mu powie, gdzie jesteśmy – poprosił Reacher. – Niech czeka w pogotowiu.

– Dobra.

Sinclair schowała pistolet do torebki. On i Neagley swoje do kieszeni.

Byli gotowi.

• • •

Griezman zatrzymał się w tym samym miejscu co poprzedniego dnia i Sinclair usiadła obok niego. Reacher i Neagley z tyłu. Naczelnik ruszył i zaczęli przebijać się przez centrum ulicą, którą Reacher pamiętał z pierwszej wyprawy. W końcu dotarli do skrzyżowania. Wszędzie wysokie kamienice. Sklep z szampanem za skrętem w prawo, nowe osiedle za skrętem w lewo.

Skręcili w lewo, w kierunku ronda.

Objechali je i środkowym zjazdem odbili w ulicę prowadzącą do osiedla. Bloki wydawały się bardzo wysokie, choć najwyższy miał piętnaście pięter. Fasady, które w Ameryce wyłożono by szkłem czy lustrami, pomalowano na pastelowe kolory. Jakby architekt czerpał inspirację z dziecięcych klocków. Albo jakby bloki były inspiracją dla wytwórcy klocków. A może chodziło właśnie o dzieci? Może miały się tu dobrze czuć? Reacher nie rozumiał, jakim cudem. Sam jako mały chłopiec był bardzo poważny. Uważał, że niepohamowana wesołość doprowadzi go do szaleństwa.

Griezman zwolnił.

– Następny po lewej – rzucił.

Blok był identyczny jak pozostałe. Przypominał gigantyczne pudełko na buty, leżące na boku, pomalowane pastelami i upstrzone oknami, które miały grube, trwałe framugi i mogłyby być większe. Hol, wygryziony z parteru i pierwszego piętra, wyglądał jak okazały pasaż handlowy z arkadami. Miał pewnie dwa wejścia, z lewej i prawej, i kilka wind.

– Parkujemy i idziemy czy podjeżdżamy? – spytał naczelnik.

– Niech pan podjedzie – zdecydował Reacher. – Miejmy już to za sobą.

Griezman przyspieszył i stanął przed głównym wejściem. Na poboczach rosły młode drzewka. Dokładnie na wprost był następny blok, nieco dalej dwa kolejne. Biegła między nimi szeroka ścieżka do starszej części osiedla i stalowo-drewnianej kładki dla pieszych. Przeskakiwała nad wodą i znikała w oddali.

Otworzyli drzwi i wysiedli, wszyscy naraz. Sądząc po numerze mieszkania, do holu Wileya wchodziło się lewym wejściem. Tę połowę bloku obsługiwały dwie windy. Obie kabiny czekały na parterze; poranny bieg do pracy już się skończył. Wiley mieszkał na ósmym piętrze. Standardowa procedura operacyjna nakazywała, żeby część ludzi wysłać tam windami – wszystkimi jednocześnie – a część schodami. Uniemożliwić ściganemu ucieczkę. Reacher widział takie ucieczki. Na taśmie z monitoringu widział kiedyś, jak podejrzany wychodzi z mieszkania i wsiada do windy dosłownie pół sekundy przed tym, jak z drugiej wypadają policjanci. Fatalne zgranie w czasie. I nauczka. Uznał, że Griezman dostanie ataku serca, jeśli będzie musiał wspinać się na ósme piętro, dlatego zaproponował, żeby jedną windą pojechał on, a drugą Sinclair. Neagley wzięła na siebie schody. Reacher dołączył do Sinclair. Która wciąż miała pistolet w torebce. Zły pomysł. Takiej spluwy nie da się szybko wyjąć, poza tym colt government model .380 miał poważną wadę: ster-

352

cząca dźwignię zwalniania magazynka tuż przy spuście. Wystarczyło, że zahaczyła o coś w torebce i mogła rozładować broń. Kiepsko.

Zamknęły się drzwi. Winda ruszyła.

– I co myślisz? – zapytała Sinclair.

– Osobiście czy zawodowo?

– O Wileyu.

– Widziałem go na taśmie z winiarni. Jest szybki jak szczur w wychodku. Ma broń. Za chwilę zrobi interes stulecia. Ale to dobrze. Lubię wyzwania.

– Aresztujemy go, jak tylko otworzy drzwi. Nie zdąży nic zrobić.

– A jeśli nie otworzy? Jeśli zerknie przez judasz i zaczeka w sypialni?

Sinclair nie odpowiedziała.

Winda zatrzymała się.

Otworzyły się drzwi.

Griezman już na nich czekał, w pustym korytarzu. Co dziewięć metrów były drzwi. Numery mieszkań widniały na wąskich, pionowych listwach obok futryny, pod lampkami w kształcie świecznika. Listwy i drzwi były jasne i kolorowe. Numery wypisano pismem z dziecięcego elementarza. Wiley mieszkał pod 9b. Jego listwa była zielona, a drzwi żółte. Jak w domku dla lalek. Moje pierwsze mieszkanko.

Judasza nie było. Na wysokości głowy zamontowano coś w rodzaju szarego plastikowego oka wielkości jajka, wybałuszonego i przydymionego. Kamera. Prawdopodobnie z ekranem na wewnętrznej stronie ściany. Wielkie rybie oko. A pod nim guzik dzwonka. Żeby go nacisnąć, gość musiał stanąć dokładnie na wprost obiektywu. Sensowne.

Neagley poklepała się w pierś. Ja pierwsza. Sunąc plecami po ścianie, podeszła do drzwi i gdy rybie oko znalazło się w zasięgu jej ręki, zasłoniła je dłonią, wyjęła pistolet i lufą nacisnęła guzik.

37

Żadnej reakcji. Neagley nacisnęła guzik jeszcze raz. W mieszkaniu zabrzmiał cichy dzwonek. Łagodny i melodyjny, nienatarczywy.

Wciąż żadnej reakcji.

Nic.

Cisza.

Neagley odsunęła się.

– Musimy mieć nakaz – szepnął Griezman.

– Na pewno? – spytał Reacher.

– W Niemczech bez nakazu ani rusz.

– Ale on jest Amerykaninem. My też. Zróbmy to po amerykańsku.

– Wy też nie możecie bez nakazu. Widziałem na filmach. Macie konstytucję, macie poprawki...

– I karty kredytowe – dodał Reacher.

– Karty? – Naczelnik nie zrozumiał. – Po co? Żeby coś kupić? Kogoś spłacić?

– Dla pobudzenia pomysłowości i samodzielności. Naszej. Amerykańskiej.

Neagley poprosiła Sinclair o kartę i dostała rządowy Amex. Stanęła z boku, plecami do zawiasów, z jedną ręką na klamce, czubkami palców drugiej trzymając kartę. Naparła na drzwi ramieniem, nacisnęła klamkę, wsunęła kartę w szparę między futryną i okuciem zamka i wymacała rygiel. Zaczęła go delikatnie trącać, to mocniej napierając ramieniem, to przyciągając drzwi do siebie, na chybił trafił wypróbowując wszystkie kombinacje, aż zamek kliknął i drzwi ustąpiły. Wtedy, wiedząc, że Reacher celuje w środek masy ciała tego, kto będzie za nimi stał, szybko przykucnęła.

Lecz nie stał nikt.

Nikogo tam nie było, nigdzie.

Sprawdzili pokój po pokoju, najpierw szybkimi zerknięciami znad muszki pistoletu, to w lewo, to w prawo, potem powoli i cierpliwie.

Wciąż nikogo.

Zebrali się w kuchni. Na blacie leżała rozłożona mapa. Szczegółowa, w dużej skali. Centralny fragment jakiegoś kraju. Ocean po lewej, ocean po prawej. Idealny kwadrat, przetłuszczony od częstego dotykania. I Buenos Aires w prawym górnym rogu.

– Argentyna – rzucił Reacher. – On kupuje ranczo. Ze dwa i pół tysiąca kilometrów kwadratowych. Na dworcu wymienił pieniądze na peso. Jedzie do Ameryki Południowej.

Neagley pootwierała wszystkie szafki i szuflady, zajrzała nawet do zmywarki. Włożyła rękę do kosza na śmieci do recyklingu i wyjęła ciemną butelkę z cienką szyjką, pustą i opłukaną. Z matową złotą naklejką. Dom Pérignon. Sprawdziła drugi kosz. Skórki od chleba, skórki pomarańczy, fusy z kawy. Zakrwawiona koszula, obryzgane krwią spodnie i czerwony segregator ze sztywnej tektury obciągniętej winylem. Cztery zaciski i podziurkowane kartki zapisane szyfrem w pięciu oddzielnych kolumnach.

– Schluppa – powiedział Griezman. – Więcej dowodów mi nie potrzeba.

Z sypialni wróciła Sinclair.

– Spakował torbę. Ale nie wyjął jej z szafy. Jeszcze nie wyjechał.

* * *

W tym momencie Wiley był osiem pięter niżej, na parterze. Ale nie szedł do windy. Na wpół odwrócony stał na środku holu, patrząc na samochód parkujący przed wejściem. Znał się na samochodach. Kiedyś był paserem. Inni je kradli, on sprzedawał. Głównie do Meksyku. Czasem na Karaiby. Umiał oszacować ich wartość. Rynek był wrażliwy na ceny, jak każdy. Mercedes przed wejściem miał trzy, cztery lata. Robił wrażenie czystego i bardzo zadbanego, ale pod warstwą błyszczącego wosku kryły się wgniecenia i rysy. Musiał nabić sporo kilometrów, i to w mieście. Na klapie bagażnika miał antenę, jak taksówka czy limuzyna z wypożyczalni. Ale to nie była taksówka ani limuzyna. Brak podświetlanej tabliczki na dachu, brak licznika, więc nie taksówka. A jak na limuzynę wóz był za stary i nie wzięłaby go żadna ekskluzywna wypożyczalnia. A gdyby jako używany został sprzedany tańszej, byłby upstrzony naklejkami i numerami telefonów.

Poza tym fotel kierowcy odsunięto maksymalnie do tyłu. Kto chciałby się obściskiwać w takiej ciasnocie podczas nocnej przejażdżki?

Tak, to nieoznakowany wóz policyjny. Ale nie zwykły samochód zwykłego detektywa, tylko wóz szeryfa albo kapitana. Po co tu przyjechali? Na pewno nie po niego. On był niewidzialny. Na sto procent. Więc po kogo? W bloku było prawie dwieście lokali. W którymś musiał mieszkać jakiś oprych. Statystycznie rzecz biorąc, bez dwóch zdań. Nawet w nowych Niemczech.

Chciał zabrać torbę, chciał zabrać mapę. Mapę zamierzał oprawić w ramki i powiesić nad kamiennym kominkiem w swoim nowym ogromnym salonie o strzelistym katedralnym sklepieniu. Gdzie było jej miejsce. Miała dla niego wielką wartość sentymentalną. Czerpał z niej inspirację. Nie mógł jej tak po prostu zostawić. Rzeczy z torby, tak, mógłby zostawić, musiałby tylko znowu pójść do sklepu, trywialna sprawa. Choć z drugiej strony, musiałby także wymienić peso na marki, co byłoby trochę wkurzające. Ale mapy zostawić nie mógł. Poza wszystkim innym, była śladem. Widniało na niej narysowane ołówkiem ranczo wytarte palcem. Prostytutkę zabił z bardziej błahego powodu. Tak, musiał odzyskać mapę.

Ale potem. Nie teraz. Policjanci mogli być na jego piętrze. Prawdopodobieństwo jak jeden do piętnastu. Nie chciał składać zeznań jako świadek. Bo co mógłby powiedzieć? Nie znał sąsiadów. Uznano by, że to dziwne. Więc odwrócił się, wyszedł na ścieżkę prowadzącą w stronę portu, minął sąsiedni blok, przeszedł między dwoma ostatnimi, usiadł na ławce u stóp zachowanego dźwigu i trochę się przesunął, żeby mieć dobry widok na trasę, którą przed chwilą pokonał. Trzysta metrów. Mercedes był tylko malutkim punkcikiem. A skoro mercedes był punkcikiem, to patrząc z przeciwnej strony, on też. Więc siedział i czekał.

● ● ●

Dremmler wykonał kilka telefonów, a ci, do których zadzwonił, zadzwonili do innych w sztafecie typowej dla środowisk żyjących z ciemnych interesów, ludzi znających kogoś, kto mógł załatwić coś taniej, tych, którzy zawsze wiedzieli, kto jest aktualnie na topie, a kto zbankrutował. Potem telefony powróciły jak odległy sygnał z aktywnego sonaru łodzi podwodnej, zgodnie wskazując kogoś, kto nigdy by się do tego nie przyznał. Dlaczego? Ponieważ gość poniósł osobistą porażkę. Kupił część starych doków w południowej części St. Georg, chcąc odsprzedać je pod budowę bloków mieszkalnych. Jednak ojcowie miasta postawili nie na rozwój St. Georg, tylko St. Pauli i został z rzędami rozpadających się magazynów, za które zapłacił jak za złoto. Dlatego się wstydził.

Ale Dremmler był przywódcą, a ponieważ – jak wszyscy przywódcy – miał charyzmę, zadzwonił do gościa i wypytał o szczegóły. Ten zdradził mu je po pięciu minutach ściemniania i zwlekania, głównie dlatego, że przyjął zapłatę gotówką. Co skrzętnie ukrywał, bo miał na karku tabun wierzycieli, a potrzebował pieniędzy. Dlatego nie zadawał żadnych pytań, gdy Wiley zjawił się u niego przed siedmioma miesiącami. Był w czerwonej czapce baseballowej, prawie nie podnosił głowy i miał kupę kasy w pozwijanych w rulon banknotach. Niecierpliwił się, jakby coś go gnało. Zapłacił dużo ponad rynkową stawkę. W ogóle się nie zastanawiał. Rozmawiali w cztery oczy.

Gość powiedział Dremmlerowi, gdzie jest ten magazyn. Dremmler znał to miejsce. Pamiętał kryty metalowy most. I pomyślał: naprawdę sądziłeś, że ktoś zbuduje tam osiedle? Nic dziwnego, że splajtowałeś.

– Bardzo dziękuję za pomoc – powiedział. – Kiedy nadejdzie pora, pańskie usługi nie zostaną zapomniane.

• • •

Zastanawiali się, czy nie zaczekać na niego w mieszkaniu, ale Sinclair uznała, że od zeznań generała Helmswortha zmieniły się reguły gry i że teraz priorytetem jest ciężarówka, a nie sam Wiley. Wiley stał się celem drugorzędnym. Dlatego Griezman zadzwonił z jego telefonu i ściągnął radiowóz sprzed ratusza, gdzie panika zdążyła już trochę opaść. Detektyw i kierowca w jednej osobie powiedział, że za pięć minut może być przed blokiem. Potem doprowadzili mieszkanie do ładu, aby zostawić je w takim samym stanie, w jakim je zastali, po czym wyszli tak, jak weszli, z tych samych powodów co przedtem, Neagley schodami, Sinclair i Reacher jedną windą, Griezman drugą.

Przystanęli przed blokiem. Po lewej stronie była ścieżka do portu, a w oddali stary dźwig, wyremontowany, odmalowany na czarno-złociście i pochylony jak pradawny drapieżnik. U jego stóp stała ławka i chyba ktoś na niej siedział. Za daleko, żeby wyraźnie zobaczyć. Ot, ciemny punkcik. Za dźwigiem biegła kładka do następnego pirsu, na którym były dwie kolejne, jak rozwidlające się gałęzie drzewa.

– Co tam jest? – spytał Reacher.

– Zaraz za mostem park miejski – odparł Griezman. – A dalej tereny niezagospodarowane.

Reacher rozejrzał się. Północ, południe, wschód i zachód. Potem popatrzył prosto przed siebie, za dźwig, na ładnie utrzymany park w kształcie wachlarza i opuszczone działki tuż za nim, rozlokowane w takim samym obrysie. Jeśli dobrze pamiętał, poprzedniego wieczoru widział je z drugiej strony, z boku. Za krytym metalowym mostem. Gdzie zawrócił. Tak, pamiętał światło księżyca w czarnej wodzie.

Opuszczone parcele.

Stare budynki.

Miejsca, gdzie można ukryć ciężarówkę.

– Przejdziemy się? – rzucił.

Szli ramię w ramię, w tempie Griezmana, który nie należał do szybkich piechurów. Minęli sąsiedni blok. Czarny punkcik wstał z ławki i niespiesznie odszedł. Koniec fajrantu. Trzeba wracać do roboty. Szli dalej, między dwoma ostatnimi blokami, w kierunku starego dźwigu. Biegnąca za nim kładka prowadziła do następnego pirsu, gdzie były dwa mostki – jeden odbijał w lewo, drugi w prawo – do dwóch kolejnych pirsów odrestaurowanych na dwa różne sposoby i ozdobionych różnymi rzeźbami, jak dwie sale w tym samym muzeum.

Tam liczba kładek znowu się podwajała, dwie w lewo, dwie w prawo, jak rozczapierzone palce. Zbudowane z masywnego granitu pirsy były wysłużone, czarne i oślizgłe, kładki zaś nowe, lekkie i ażurowe. Z jednej dwie, z dwóch cztery, z czterech osiem, jak dziwaczna pajęcza sieć, prawie jak labirynt. Miasto wydało kupę kasy.

Ale za mało. Za ostatnimi rzeźbami było tylko zielsko, gruz, chylące się ku ziemi szopy i stare zardzewiałe żelazne kładki. Rozległa, posępna panorama.

Od cholery szukania.

Logiczne.

– Wiley nie chciałby ukrywać ciężarówki na drugim końcu miasta – powiedział Reacher. – Wolałby mieć ją pod ręką, gdzieś tutaj. Te kładki bardzo mu się przydają. W zasięgu ręki ma sto opuszczonych magazynów. Może nawet tysiąc. Założę się, że połowa z nich jest niczyja. Mógł się od razu wprowadzić. Zmienił zamki i już jest u siebie.

– Myślisz, że tam go znajdziemy? – zapytała Sinclair.

– Byłoby logiczne. Ma blisko. A kiedy nadejdzie pora, wystarczy krótka przejażdżka do portu.

Wrócili do samochodu. Nieoznakowany radiowóz już czekał. Griezman dobrze wybrał. Samochód wtapiał się w tło. Wsiedli, wyjechali z osiedla, objechali nowe rondo, na skrzyżowaniu z wysokimi kamienicami skręcili w prawo, w ulicę, którą Reacher już znał, minęli jakiś dok czy basen portowy i znowu skręcili w prawo, w wąską, brukowaną uliczkę prowadzącą do krytego mostu, który Reacher widział w blasku księżyca.

Za mostem rozciągały się ruiny zaginionej cywilizacji. Dziewiętnastowieczne nabrzeże. Były tam brukowane ulice, którymi konie ciągnęły kiedyś wozy o kołach z żelaznymi obręczami, były wszelkiego rodzaju szopy i magazyny, jedne zupełnie już zapadnięte, inne prawie. Wybrzuszone ściany, rosnące w rynnach drzewka i wszędzie, dosłownie wszędzie uliczki. Jak miasto w mieście. Od cholery szukania.

– Może sprawdzić rejestry wynajmu? – zaproponował Griezman. – Na nazwisko Kempner.

– Pewnie wynajął na lewo – odparł Reacher. – Za gotówkę. Albo zajął jakiś na dziko.

– Sprawdzę. Na wszelki wypadek. Może były meldunki o czymś nietypowym. Na chybił trafił nie da rady. Za dużo ich tu.

Griezman skręcił w alejkę między warsztatem powroźnika i zakładem szycia żagli, zawrócił i przejechali przez kryty most.

– Trzeba tu postawić samochód – powiedział Reacher. – Koniecznie. To jedyna droga wjazdowa i wyjazdowa. Do portu inaczej nie dojedzie.

– Burmistrz nie zwolnił moich ludzi.

– Jednego pan wyrwał.

– Ale dwóch nie dam rady.

Reacher nie odpowiedział.

– Mógłbym poprosić tych z drogówki – dodał Griezman. – Na parkingu ich nie potrzebują. Naczelnik Müller chętnie odda nam przysługę.

– Tylko niech poprosi po niemiecku – powiedział Reacher. – Nędzny ten jego angielski.

• • •

W tym momencie Wiley był już ponad trzy kilometry dalej. Najpierw szybki spacer w przeciwnym kierunku, potem krótka przejażdżka autobusem. Ogarnęło go bardzo dziwne uczucie. Może nie strach, ale przejmujące doznanie czegoś osobliwego. Widział, jak z bloku wyszły cztery malutkie punkciki. Zatrzymały się przy samochodzie, ale zaraz potem ruszyły w jego stronę. Powolnym, złowieszczym krokiem.

Minęły sąsiedni blok i poszły dalej. Po chwili zaczął odróżniać szczegóły. Dwóch mężczyzn i dwie kobiety. Patrzyli na niego. Jakby wiedzieli. Albo kobiety były drobne i niskie, albo mężczyźni rośli i potężnie zbudowani. Jeden miał na sobie coś szarego, drugi brązowego. Z daleka wyglądało to jak ziarnista plamka koloru, malutka, lecz obszerna i kanciasta. Coś jak kurtka Levi'sa. Taka jak jego. Niedawno widział identyczną w parku, z autobusu. U faceta, który siedział na ławce z tymi dwoma matołami z baru.

Niemożliwe.

Przecież był niewidzialny.

Prawda?

Wstał i odszedł. Powoli, jakby wszystko mu wisiało. Szedł tak, dopóki nie zniknęli mu z oczu. Wtedy przyspieszył.

Teraz przeciął ulicę i wszedł do podrzędnej tureckiej kawiarni, żeby zadzwonić do Zurychu. Miał od groma monet. Strata czasu, bo było jeszcze za wcześnie, lecz nagle się zdenerwował. Przez tego w kurtce. Facet gapił się na niego, jakby wiedział.

Wybrał numer, podał hasło i spytał:

– Czy wpłynął jakiś przelew?

Zaklekotała klawiatura.

Chwila ciszy i...

– Nie, proszę pana.

38

Müller zadzwonił do Dremmlera z pracy.

– Wydział Griezmana prosi mnie o przysługę – zameldował. – Jego ludzie wciąż siedzą na tym parkingu, w hotelu. Chcą, żeby moi obserwowali most, za którym jest ten magazyn. Oni już wiedzą.

– Nie – odparł Dremmler. – Wiedzą tylko, że jest tam ciężarówka. Ale gdyby znali dokładne namiary, już by ją mieli. Na razie mogą tylko obserwować most, bo to wąskie gardło.

– Ile wam to jeszcze zajmie? – spytał Müller.

– Nie wiem. Przydałoby się pół godziny.

– Nie mogę zacząć z takim opóźnieniem. Pół godziny to wieczność. Griezman może sprawdzić. Zawaliłem już z Hanowerem, więc...

– Ile czasu może pan nam dać? – przerwał mu Dremmler.

– Ani minuty, mam ich wysłać natychmiast.

– Ma pan tam kogoś, na kim można polegać?

– Polegać w jakim sensie?

– Kogoś, kto jest jednym z nas. Kto zechciałby przesiewać meldunki. Dla dobra sprawy.

– Może i mam – odparł Müller.

– Niech pan mu powie, że mianuję go zastępcą szefa policji.

• • •

Reacher poznał sekretarkę Griezmana przed jego gabinetem. I rzeczywiście, okazała się miłą kobietą. Naczelnik zagadał do niej po niemiecku z szybkością karabinu maszynowego, wypadła z biura i po chwili wróciła z kilkoma urzędnikami w garniturach, z których każdy niósł pliki map, planów i starych schematów mierniczych. Griezman wybrał najlepsze i najstosowniejsze do ich potrzeb i rozłożył je na stole konferencyjnym. Jedna mapa przedstawiała rozmieszczenie nowych kładek dla pieszych. Druga, cieniutka i delikatna, pochodziła z archiwum i pokazywała, jak wyglądał port za dawnych czasów. Trzeci arkusz był planem przyszłego upiększenia terenu, według którego dalszy rozwój prac miał przebiegać od środka na zewnątrz, na obszarze w kształcie kawałka pizzy. Kiedyś na pewno go zrealizują. Ale nieprędko. Jak dotąd skończyli ledwie pięć centymetrów samego czubka, a reszta była nietknięta od pięćdziesięciu lat, od czasu, kiedy wygłodniałe Niemki w łachmanach dźwigały na plecach cegły, próbując wyremontować choć kilka budynków.

Na obrzeżach parku zbudowano osiem nowych kładek dla pieszych, pewnie z myślą, że ludzie z którejś skorzystają, rozejrzą się i kiedyś wrócą. Ale były tam również trasy okrężne, przez żelazne mosty, pomosty, zygzakowate obejścia i objazdy. Nie należały do parku. Ale można było dostać się nimi do miasta duchów.

Osiem kładek. Osiem prowadzących przed siebie tras, każda rozgałęziona, z kładką odbijającą w prawo i lewo. Prawie dwadzieścia możliwości. Prawie dwadzieścia punktów końcowych. Do każdego można było dotrzeć po pięciu minutach spaceru między szopami, garażami i magazynami. Kompleks wielkości miasta.

• • •

Wiley zaczekał na ten sam autobus, tyle że jadący w przeciwnym kierunku, i wysiadł tam, gdzie wsiadł. Przeszedł przez kładkę, ale skręcił w inną ścieżkę, która zaprowadziła go do rogu sąsiedniego bloku, skąd z ukrycia mógł obserwować swój.

Podejrzany mercedes zniknął.

Ale teraz stał tam inny, trochę bliżej niego. Nowiutki. Model z najwyższej półki. Limuzyna. Czarna jak węgiel i na błysk wypolerowana. Za kierownicą siedział szofer w rękawiczkach i czapce z daszkiem. Wóz z ekskluzywnej wypożyczalni. Wiley znał się na samochodach. Z jakiegoś banku? Może chcieli, żeby menedżer niższego szczebla posmakował światowego życia. Żeby wzmóc w nim głód sukcesu. Utrzymać go w ryzach. Albo mąż i żona, rocznica ślubu. Jadą do Paryża. Limuzyna tu, limuzyna tam. Może gość ją zdradzał. I próbuje ratować małżeństwo.

Wiley wyszedł zza rogu i ruszył w stronę wejścia do swojego bloku. Obie windy czekały na parterze. Środek dnia. Nic się nie dzieje. Wjechał na ósme piętro i wyjął klucz.

• • •

Szofer włączył radio i zameldował:

– Wiley wrócił. Powtarzam, Wiley wrócił do domu.

– Nie rozłączaj się – odparł dyspozytor. – Muszę zadzwonić do Griezmana.

Chwila ciszy, szum, trzaski, wreszcie się odezwał.

– Masz zostać na miejscu, Griezman już jedzie. Z Amerykanami, w sumie cztery osoby. Służbowym wozem.

– Przyjąłem. – Szofer odwiesił mikrofon i chociaż silnik nie pracował i limuzyna stała w miejscu, przyjął zawodową pozę, podniesiona głowa, nasunięta na czoło czapka i ręce na kierownicy w pozycji za dziesięć druga.

• • •

Wiley otworzył żółte drzwi i wszedł do mieszkania. Od razu potruchtał do sypialni, po torbę. Potem do kuchni. Złożył mapę według oryginalnych załamań, wygładził ją i schował do bocznej kieszeni torby. Wraz z biletem lotniczym. Potem podniósł słuchawkę telefonu i zadzwonił do Zurychu. Podał hasło i spytał:

– Czy przyszedł jakiś przekaz?

Zaklekotała klawiatura.

Chwila ciszy i...

– Nie, proszę pana, jeszcze nie.

Odłożył słuchawkę.

I znieruchomiał. Potem rozejrzał się. Znowu to dziwne uczucie. Jakby ktoś naruszył zastałe powietrze. Jakby coś się stało.

Ale co?

A kogo to obchodzi? Nie zamierzał tu wracać. Wyszedł z mieszkania i stanął przed windą. Otworzyły się drzwi. Od razu, natychmiast. Kabina wciąż czekała. Trzeba oszczędzać prąd. Ach, ci Niemcy.

Nacisnął guzik, drzwi się zamknęły i zjechał na dół, do holu. Wszedł na ścieżkę i skręcił w stronę portu. W stronę starego dźwigu i kładek.

• • •

Szofer mercedesa chwycił mikrofon.

– Wiley wyszedł. Powtarzam, Wiley wyszedł. Był w domu niecałe pięć minut, teraz gdzieś idzie, z torbą.

– Griezman i Amerykanie są już w drodze – powtórzył dyspozytor. – Możesz za nim pojechać?

– Nie. Jest już na kładce, a mój wóz ma dwa metry szerokości.

– A piechotą?

– Jestem częściowym inwalidą, mam kłopoty z kręgosłupem. Służba tylko za kierownicą.

– Widzisz chociaż, gdzie on idzie?

– W stronę dźwigu.

– Daleko jest?

– Jakieś dwieście metrów.

– Griezmana jeszcze nie ma?

– Nie.

• • •

Griezman utknął w korku, bo na skrzyżowaniu z wysokimi kamienicami doszło do stłuczki. Wjechał więc na chodnik i zaczął przebijać się chodnikiem. Obok niego siedziała Sinclair, Reacher i Neagley z tyłu. Wszyscy byli nie tyle wkurzeni, co zniecierpliwieni. W końcu udało im się skręcić. Objechali nowe rondo, stanęli za limuzyną, wysiedli i podeszli do szofera.

– Kiedy? – rzucił Griezman.

– Dziesięć minut temu.

– Kamień w wodę.

– Ma torbę – powiedziała Sinclair. – Już nie wróci.

Reacher popatrzył w stronę dźwigu. Osiem prowadzących przed siebie tras, każda rozgałęziona, z kładką odbijającą w prawo i lewo. Prawie dwadzieścia możliwości. Prawie dwadzieścia punktów końcowych. Szopy, garaże i magazyny. Kompleks wielkości miasta.

– Nie nasza wina – rzucił. – Myśleliśmy, że wróci do domu coś przegryźć. Mieliśmy prawo dać mu pół godziny na lunch.

– Wesolutki jesteś – mruknęła Sinclair.

– Facet wlazł na sztuczną wyspę, którą łączy z lądem tylko jedna droga. Sytuacja jest pod kontrolą. Teraz tylko musimy go wytropić. Najprawdopodobniej znajdziemy go przy ciężarówce. Upieczemy dwie pieczenie przy jednym ogniu. Ciągle wygrywamy.

– To jest wygrywanie?

– Zależy, co będzie dalej.

– To olbrzymi teren – przypomniała mu Sinclair. – Można się tam dostać na dwadzieścia sposobów.

– Nie, na dwadzieścia sposobów można się stamtąd wydostać – sprostował. – Droga wjazdowa jest tylko jedna. A ponieważ obszar jest rzeczywiście duży, musiał rozpoznać go, jeżdżąc samochodem. Zgłaszając się na ochotnika do służby na składowisku wycofanych maszyn, za każdym razem dostawał czterodniową przepustkę, co dawało mu mnóstwo czasu na rekonesans, ale pamiętajmy, że jechał aż z Frankfurtu. Musiał mieć wóz. Wynajęty albo pożyczony. Albo skradziony. Pomyślcie o tym z tego punktu widzenia: pewnego dnia będzie musiał ukryć ciężarówkę. Jedzie tym mostem. Czego szuka?

– Nie wiem – odparła Sinclair.

– Na pewno nie pierwszej rzeczy, jaką zobaczy. Robi interes życia. Gorączkowo myśli, ale słucha też podświadomości. Szuka miejsca dyskretnego i odizolowanego. Ciemnego kąta. Bo przede wszystkim nie chce rzucać się w oczy. Dlatego od razu odpadają budynki najbliższe i najdalsze, największe i najmniejsze.

– Chciałby się zaszyć gdzieś pośrodku.

– A to już coś. Właśnie zawęziliśmy obszar poszukiwań.

– Szukałby czegoś solidnego – dodała Neagley. – Wynajętego bezpośrednio od właściciela. Nie robiłby tego na dziko. Gra o dużą stawkę, to zbyt ryzykowne. Wszystko może się zdarzyć. Dobiłby targu twarzą w twarz. Zapłaciłby gotówką.

Udałby ćwoka i celowo pozwoliłby się naciągnąć. Bo wtedy byłby kurą znoszącą złote jajka. Właściciel dałby mu święty spokój z nadzieją, że kiedy skończy się okres wynajmu, gość go przedłuży. Dlatego szukamy czegoś z mocnymi drzwiami i tabliczką informacyjną.

– No i zawęziliśmy obszar jeszcze bardziej.

– Wciąż nie ma decyzji Białego Domu – powiedziała Sinclair.

– Dlaczego? – spytał Reacher.

– Może zawiłość tej sprawy przerasta ludzkie rozumowanie. Albo jeszcze nie zawiadomili nikogo, co się stało. To zbyt wstydliwe. Pewnie mają nadzieję, że zdążymy się z tym uporać.

– Więc w końcu dlaczego?

– Powinnam wiedzieć. Ale nie wiem.

– Moim zdaniem wciąż mają nadzieję. I chcą, żebyśmy dalej robili swoje.

– Radzisz, żebyśmy natychmiast wkroczyli do akcji?

– Postawmy samochód na moście – odparł Reacher. – Zróbmy przynajmniej tyle. Potem zobaczymy.

39

W starym porcie wciąż były budki telefoniczne, i wciąż działały, jak to w Niemczech. Wiley wybrał numer banku, wrzucił do automatu kolejną garść monet, podał hasło i spytał, czy na jego konto wpłynęły jakieś pieniądze.

Zaklekotała klawiatura.

Chwila ciszy i...

– Tak, proszę pana. Przyszedł przelew.

Wiley milczał.

– Czy chciałby pan wiedzieć, na jaką kwotę?

Wiley odparł, że chce.

– Na sto milionów dolarów amerykańskich, zero centów.

– W takim razie pora uruchomić plan.

– Rozumiem. Projekt Argentyna. Czy mamy natychmiast dokonać przelewu?

– Tak – odrzekł Wiley.

Zacisnął powieki.

Jego ranczo.

Widoczne z kosmosu.

Mały Horace Wiley.

Otworzył oczy, odwiesił słuchawkę i ruszył w drogę powrotną.

• • •

Przeszklonymi, lecz anonimowymi drzwiami wysłanniczka wyszła z banku, przystanęła na rogu ulicy i zatrzymała taksówkę. Wsiadła i dobrze wyćwiczonym niemieckim powiedziała:

– Na lotnisko poproszę. Odloty międzynarodowe, Lufthansa do Hamburga.

Taksówkarz złamał licznik i włączył się do ruchu.

* * *

Dremmler dostał od Müllera numer rejestracyjny ciężarówki, dzięki czemu jego przyjaciel z salonu samochodowego Mercedesa mógł – poprzez numer identyfikacyjny – wytropić kod bezpieczeństwa i przekazać go znajomemu ze sklepu z częściami zamiennymi, który dorobił kluczyk. Dremmler przekazał go trzeciemu znajomemu, członkowi skrzykniętej na tę okazję grupy specjalnej. Tworzyło ją dwóch rosłych mężczyzn, kompetentnych i pomysłowych. Kiedyś służyli w wojsku. Teraz jeden był mechanikiem, specjalistą od motocykli. Drugi ochroniarzem odwiedzających miasto Rosjan.

– Policjant na moście to mój człowiek – powiedział Dremmler. – Dla niego jesteście niewidzialni. Będzie jak ślepiec. Ale nie przeginajcie. Macie szybko wejść i wyjść. Wiecie, gdzie to jest i gdzie to zwieźć. Jakieś pytania?

– Co to właściwie jest? – zainteresował się ten z kluczykiem.

– Coś, co da nam wielką władzę – odparł Dremmler enigmatycznie, choć, jak sądził, zgodnie z prawdą.

* * *

Czarno-biały radiowóz z drogówki stał przed wjazdem na kryty metalowy most. Policjant otworzył okno i zameldował, że nic tędy nie jechało, ani w jedną stronę, ani w drugą. Ani jedna ciężarówka, ani jeden samochód, ani jeden rower, dosłownie nic. Ludzi też nie było. Reacher poprosił, żeby Griezman kazał mu stanąć w poprzek ulicy, kiedy zobaczy nadjeżdżającą ciężarówkę. Prawdopodobnie białą i prawdopodobnie z oryginalnym numerem rejestracyjnym, ale tylko prawdopodobnie. Wiley mógł ją przemalować albo jakoś zmodyfikować. Lepiej dmuchać na zimne. Każdą krytą ciężarówkę trzeba najpierw zatrzymać, a dopiero potem przesłuchać kierowcę.

Griezman spytał dlaczego.

Domyślając się, że naczelnik zinterpretuje to jako okazję do zdobycia sławy i uznania, Reacher wytłumaczył mu, że lepiej będzie skończyć robotę, zanim zainterweniuje NATO. Kto wie, może pewnego dnia Herr Griezman wystartuje w wyborach na burmistrza.

Niemiec powiedział szoferowi, co ma robić.

– Rozejrzyjmy się trochę – zaproponował Reacher.

Dudniąc kołami po bruku, dojechali do końca uliczki, z monotonnym brzęczeniem i dzwonieniem przejechali przez kryty żelazny most, potem znowu był bruk i wybór dwóch tras, którymi mogli zbadać teren od skraju po najdalsze krańce. Jedna prowadziła wzdłuż nabrzeża, druga, dość szeroka przelotówka, w głąb kompleksu zabudowań.

– Którędy? – spytał Griezman.

– Przelotówką – zdecydował Reacher.

Tu i ówdzie widniały ślady życia. Ktoś spawał sportowy samochód w garażu przy otwartych drzwiach. Ktoś inny otworzył tu sklep z artykułami elektronicznymi. Ale ogólnie rzecz biorąc, okolica nie cieszyła się popularnością. Od mostu do najdalszych rubieży było trzy kilometry, a wypatrzyli tam najwyżej dziesięć sklepów i zakładów.

– Sprawdzimy środek? – spytał Griezman.

Reacher kiwnął głową.

– Myślę, że tak zrobił Wiley.

Naczelnik zawrócił, przebił się przez strefę załadunkową i znaleźli się na nabrzeżu. Część środkowa kompleksu miała nie więcej niż kilometr długości. I kilometr szerokości. Jak dzielnica biznesowa w mieście średniej wielkości.

A Wiley gdzieś tam był.

– Gdzie pan chce zacząć? – spytał Niemiec.

– Pomyślmy tak jak on – odrzekł Reacher. – Musi ukryć ciężarówkę. Co widzi? Gdzie jedzie?

Naczelnik skręcił między dwa magazyny, w wąską uliczkę przechodzącą w rozległe podwórze, po prawej i lewej stronie zabudowane kanciapami o wąskich drewnianych drzwiach.

– Nie tutaj – rzucił Reacher. – Z jakiegoś powodu potrzebował ciężarówki, więc musiał mieć garaż. Przypadkowo czy celowo wynajął podwójny, na dwa samochody. Dlatego nie będą to tylko solidne drzwi z tabliczką informacyjną. To będą drzwi podwójne, też solidne i też z tabliczką.

A takich było dużo. Niektóre tabliczki zdążyły już wyblaknąć ze starości i nie wzbudzały zaufania, inne błyszczały nowością. Ale żeby sprawdzić, które numery telefonów były aktualne, a które nie, musieliby wrócić do konsulatu i zadzwonić do wszystkich właścicieli, co nie wchodziło w rachubę. Reacher rozglądał się, wyobrażając sobie mapę na stole konferencyjnym u Griezmana, tę z archiwum, cieniutką i delikatną, pełną zaznaczonych tuszem szczegółów.

– Wiley wychował się w Teksasie – powiedział. – Jak mu się jeździ w Europie?

– Kiepsko – odparła Sinclair. – Ciasne zakręty, ulice wąskie i zakorkowane.

– Trzeba dodać to do listy. Musi manewrować dużym wozem. Nie chce czuć się przyblokowany, jak w pułapce. Wynajął coś na szerszej uliczce.

A tych było sporo. Powtarzały się, jakby architekt celowo je tak rozplanował. Niektóre boczne też były szerokie. Dla cięższych pojazdów i większych ładunków. Griezman zatrzymał się.

– To zajmie całe wieki.

– Mamy czas – odrzekł Reacher. – Pod warunkiem że nasz strażnik na moście nie zaśnie.

– Nie zaśnie.

– Możemy dopisać do listy coś jeszcze. Wiley musiał zmienić zamki. Albo dodał parę nowych. Ma czego pilnować.

Więc Griezman znowu ruszył, powoli przemierzając uliczkę za uliczką, a oni wyciągali szyje, wypatrując magazynu z solidnymi podwójnymi drzwiami, numerem telefonu, nowymi zamkami i miejscem do zawracania.

• • •

Wysłanniczka znowu stała w kolejce do odprawy paszportowej na hamburskim lotnisku. Działały te same cztery stanowiska, dwa tylko dla obywateli Unii Europejskiej i dwa dla posiadaczy paszportów innych krajów. Ona miała pakistański, ten sam co przedtem. Ale tym razem była ubrana na czarno i miała rozpuszczone włosy. Widziała swoje odbicie w szybie. W budce siedział ten sam mężczyzna, powiedziano jej jednak, żeby się nie martwiła. Nie będzie jej pamiętał. Codziennie widywał milion twarzy.

Przesunęła się do przodu, z trzeciego miejsca na drugie.

• • •

Reacher zobaczył budkę telefoniczną na rogu.

– Muszę zadzwonić.

Griezman zatrzymał się i Reacher wysiadł. Wybrał numer konsulatu i spytał Vanderbilta, który odebrał, czy Orozco już dotarł. Vanderbilt odparł, że tak, i przekazał mu słuchawkę.

– Melduję się, szefie – powiedział Orozco.

– Zrób to teraz. Zablokowaliśmy drogę, więc nie dobiją targu. I prędzej czy później coś zwąchają.

– Znaleźliście go?

– Prawie.

– Jak ten gość, co spada z wieżowca? Jak się pan czuje?

Jak dotąd fajnie, jakbym leciał.

– Otóż to.

Reacher odwiesił słuchawkę i na chwilę zastygł bez ruchu. Słyszał cichutkie mruczenie stojącego za nim mercedesa. Słyszał cichutki szum oddalonego o dwa kilometry miasta i przytłumiony ryk syreny okrętu na rzece. Gdzieś bliżej pracował kompresor. Może ktoś coś malował. Od czasu do czasu słyszał również dochodzący zza magazynów warkot silnika, jakby coś tam przewożono. Tam i z powrotem, tam i z powrotem.

Miasto duchów wciąż żyło.

A Wiley tam był.

Reacher wrócił do samochodu i oznajmił:

– Dalej pójdziemy piechotą, sierżant Neagley i ja.

• • •

Wysłanniczka przeszła przez halę odbioru bagażu i znalazła się w sali, gdzie ludzie witali przylatujących pasażerów. Ominęła grupki obściskujących się przyjaciół, grupki czekających z balonikami i wyszła na podziemne przejście. Sala odlotów była bezpośrednio nad nią. Powiedziano jej, że mężczyźni, których ma wypatrywać, będą stali w lewym kącie zadaszonej części. Przy zagrodzie z trójkołowymi wózkami.

Zobaczyła ich z daleka, bo wyglądali dokładnie tak, jak ich opisano. Dwóch niskich, krzepkich brodaczy, śniadych i ciemnowłosych. Byli w rozpiętych do pasa kombinezonach i podkoszulkach. Na szyjach mieli ochraniacze słuchu, na łokciach ochraniacze łokci, na kolanach ochraniacze kolan, a na przedramionach przezroczyste opaski z identyfikatorem, mocno przyklejonym grubą elastyczną taśmą. Identyfikatory mówiły, że mężczyźni pracują na lotnisku i są tragarzami zatrudnionymi w firmie przewozowej, znanej z doskonałych stosunków z wydziałami przewozów towarowych linii lotniczych wielu krajów Bliskiego Wschodu.

– Mercedesy noszą imię córki austriackiego konsula – powiedziała.

– Jesteś kobietą – odezwał się mężczyzna stojący po lewej stronie.

– To poważna sprawa. Znacie lepsze przebranie?

– Wiesz, co robić?

– A wy?

– Masz nam powiedzieć.

– Więc lepiej mi zaufajcie. Pojedziemy taksówką do starego portu. Pewien mężczyzna wyda nam ciężarówkę. Wrócicie nią na lotnisko i załadujecie do samolotu. Zrozumieliście?

Mężczyźni kiwnęli głowami. Właśnie tego się spodziewali. Jako oficjalnie zatrudnieni tragarze mogli przejść lub przejechać przez każdą bramę. Jeden umiał czytać, drugi pisać. Wiedzieli, że nie każą im przeprowadzać operacji na mózgu.

• • •

Reacher i Neagley szli chodnikami po lewej i prawej stronie uliczki, sprawdzając drzwi i ostrożnie wyglądając zza rogów. Wiley musiał badać ten teren z samochodu. Pewnie przystawał na każdym rogu, węszył, wybierał, w lewo, w prawo czy prosto, tam gdzie najlepiej, najbezpieczniej, miejsca najbardziej ukryte i oddalone, a oni próbowali się w niego wczuć, robiąc to, co on, tylko w zwolnionym tempie.

I tak zaszli daleko w głąb środkowej części kompleksu. Szczęśliwym zbiegiem okoliczności na drzwiach wszystkich najbardziej pasujących magazynów był ten sam numer telefonu. Na nowych, zalaminowanych tabliczkach. Niedawno przybitych. Wileyowi by się spodobały. Dodałyby mu pewności siebie. Mówiły, że właściciel jest specjalistą od nieruchomości. Godnym zaufania profesjonalistą. No i tu Wiley zginąłby w tłumie. Nie rzucałby się w oczy.

– To już trzydzieste skrzyżowanie i wciąż ten sam numer – zauważyła Neagley. – Ktoś kupił kawał ziemi.

– Może chce tu wybudować apartamentowiec.

Szli dalej, przystając na każdym rogu, węsząc i wybierając, w lewo, w prawo czy prosto. W pewnym momencie Reacher zerknął w lewo. I zobaczył podwójne drzwi. Solidne. Ciemnozielone. Podniszczone, lecz nie przegniłe. Z numerem telefonu. Lewe skrzydło było lekko uchylone i trochę osiadło. Na ryglach i skoblu wisiały przekrzywione kłódki. Skrzydło prawe było otwarte na oścież. Mały magazyn. Na dworze jasno, w środku ciemno.

Reacher podszedł bliżej.

Usłyszał jakiś odgłos. Szybki, rzężący oddech, gulgotanie, bulgotanie, posapywanie i cichy skowyt. Jakby był tam ktoś z połamanymi żebrami i zalanym krwią gardłem. Reacher wyjął pistolet, przesunął skrzydełko bezpiecznika i oparł palec na spuście. Przywarł bokiem do ściany i zajrzał do środka przez szparę między zawiasami. Zobaczył coś czarnego i dużego.

Sunąc plecami po uchylonych drzwiach, podszedł jeszcze bliżej. Neagley czekała metr za nim. Zaraz miała zająć jego miejsce.

Wytężył słuch.

Rzężenie, gulgotanie i cichy skowyt.

Zajrzał za drzwi.

Zobaczył podwójny garaż. Prawa połowa była zajęta, lewa pusta. W prawej parkowała stara ciężarówka dostawcza, zakurzona i z oklapłymi oponami. Z napisem „Möbel" na burcie. I otwartymi tylnymi drzwiami. W środku stała pusta drewniana skrzynia. Metr osiemdziesiąt wysokości, metr osiemdziesiąt szerokości, prawie cztery metry długości. Wykonana ze starego, zbrązowiałego drewna, twardego jak stal.

W pustej połowie garażu leżał mężczyzna.

Na podłodze, w powiększającej się kałuży krwi.

Włosy, czoło, kości policzkowe, głęboko osadzone oczy.

Horace Wiley.

40

Miał złamany nos i rękę chyba też, sądząc po tym, jak ją trzymał. Zdrową mocno uciskał brzuch. Między palcami pulsował strumień jasnoczerwonej krwi. Wiley patrzył tępo w dal szeroko otwartymi, bezbrzeżnie smutnymi oczami. Było w nich więcej zdumienia i nieszczęścia, niż Reacher kiedykolwiek widział. Więcej skrajnego, przytłaczającego zawodu, bólu, poczucia zdrady i bezmiernego niedowierzania, że świat może kogoś zniszczyć w tak nieprawdopodobny sposób.

Reacher podszedł bliżej.

– Co się stało?

Wiley sapnął i zacharczał.

– Ukradli moją ciężarówkę – odparł cichym, urywanym głosem. – Dźgnęli mnie nożem. Złamali rękę.

– Kto?

– Jacyś Niemcy.

– Napadli cię?

– Czekałem i... przyszli. Dwóch. Dźgnęli mnie i... ukradli ciężarówkę.

– Na co czekałeś?

– Ktoś miał po nią przyjechać. Zgodnie z umową.

– Kiedy?

– Muszę do lekarza, inaczej umrę.

– To na pewno. Zdradę karze się śmiercią.

– Bardzo boli...

– I dobrze – mruknął Reacher.

Usłyszał warkot samochodu i obejrzał się. Przyjechali Griezman i Sinclair.

* * *

Sinclair uklękła przy Wileyu. Mówiła coś do niego, nad-stawiała ucha, obiecywała lekarza w zamian za współpracę. Przesłuchiwała. Neagley patrzyła na pustą skrzynię w meb-lowozie. Pochwyciła spojrzenie Reachera i wskazała kie-szonkę z cienkiej sklejki opatrzonej wycięciem na palce w kształcie półksiężyca. Część, którą w jedenastu egzemp-larzach zrobił czeladnik. Na tajne kody. Potem Reacher wrócił z Griezmanem do żelaznego mostu, żeby sprawdzić, czy policjant z drogówki kogoś złowił. Liczyli na to, że ciężarówkę, ale nie. Przysięgał, że nic mostem nie przejeż-dżało. Ani ciężarówka, ani samochód, dosłownie nic. Ludzi też nie było.

* * *

Wrócili do magazynu. Wysiedli i nic nie usłyszeli. Sinclair i Neagley stały w mroku milczące i nieruchome. Kałuża krwi na podłodze była większa. Ale już się nie rozlewała.

Wiley się wykrwawił.

Nie żył.

– Mostem nic nie przejeżdżało – powiedział Griezman.

Cisza.

I nagle warkot samochodu.

Reacher wyjrzał za drzwi. Taksówka. Z trzema pasażerami. Kobieta miała pochyloną głowę, wyjmowała pieniądze z to-rebki, płaciła za kurs. Mężczyźni już wysiadali, dwóch niskich, krzepkich brodaczy, śniadych i ciemnowłosych, w ubraniu roboczym, z ochraniaczami na łokciach i kolanach. Widząc Reachera, spojrzeli mu prosto w oczy i niepewnie skinęli głową. Jakby się go spodziewali. I pewnie się spodziewali. Kogoś jego płci. Wiedzieli, że mają odebrać ciężarówkę od mężczyzny. Odebrać i odjechać, zgodnie z umową.

Reacher włożył rękę do kieszeni, zacisnął palce na rękojeści pistoletu i wyszedł na słońce. Kobieta chowała portmonetkę do torebki, taksówka już odjeżdżała. Kobieta podniosła wzrok. Gdy go zobaczyła, na jej twarzy odmalował się wyraz skonsternowania. Nie jego się spodziewała. Miała dwadzieścia kilka lat, kruczoczarne włosy i oliwkową cerę. Była bardzo ładna. Turczynka albo Włoszka.

Wysłanniczka.

Mężczyźni cierpliwie czekali, flegmatycznie i ze stoickim spokojem, jak robotnicy, którzy mają do wykonania rutynową pracę. Robotnicy z lotniska, pomyślał Reacher. Pamiętał, jak Sinclair mówiła, że Wiley wybrał Hamburg, ponieważ to miasto portowe. Drugi największy port w Europie. Brama na świat. Może tamci brali to pod uwagę. Kiedyś. Bo plan się zmienił. Teraz zamierzali wjechać ciężarówką do brzucha samolotu transportowego. I polecieć na przykład do Adenu, też portu, chociaż innego rodzaju. Na wybrzeżu Jemenu. Gdzie czekałby frachtowiec, którym po tygodniach na morzu zawartość ciężarówki dotarłaby na miejsce przeznaczenia. Do Nowego Jorku albo Waszyngtonu, Londynu czy San Francisco. Wszystkie największe miasta świata mają w pobliżu porty. Neagley mówiła, że promień śmiertelnego rażenia bomby w Hiroszimie wynosił prawie dwa kilometry, a kula ogniowa miała średnicę ponad trzech. I tak dziesięć razy. Dziesięć milionów zabitych, kompletna ruina i zapaść. Mroki średniowiecza co najmniej przez sto lat.

– Dzień... dobry? – powiedziała niepewnie kobieta.

Ani Turczynka, ani Włoszka. Prawdopodobnie Pasztunka z północno-zachodniego pogranicza. Z plemienia starego jak świat. Sumienni kartografowie pracowicie kreślili mapy, pisząc „Indie", „Pakistan" czy „Afganistan", a Pasztuni uśmiechali się tylko układnie i dalej robili swoje, to samo od setek lat.

– Kim pan jest? – spytała.

Reacher wskazał uchylone drzwi.

– Pan Wiley jest tam.

Kobieta poszła przodem, mężczyźni za nią. Reacher obserwował ich twarze i zobaczył, jak dociera do nich prawda. Pusta połowa garażu. Trup na podłodze. Kałuża krzepnącej krwi. Trzy obce osoby na jej brzegu.

Coś jest nie tak.

Wyjął pistolet z kieszeni.

Tamci obejrzeli się.

– Jesteście aresztowani.

Zareagowali zgodnie z instynktem. W oczach mężczyzn dostrzegł kaskadę dobrze znanych wniosków, odwiecznych i pozbawionych nadziei. Byli tylko gastarbeiterami w obcym kraju. Nie mieli żadnej pozycji, żadnej władzy, żadnych znajomości, praw ani oczekiwań. Stali na najniższym szczeblu drabiny. Byli mięsem armatnim.

Nie mieli nic do stracenia.

Więc sięgnęli do kieszeni. Palce zaplątały się w fałdach materiału, dłonie najpierw uwięzły, potem zniknęły, by zaraz pojawić się ponownie. Reacher krzyknął „Nie!", po angielsku i po niemiecku, lecz to ich nie powstrzymało. Mieli dziwne, małe rewolwery, obrzyny. Blada stal, blade uchwyty z sosnowego drewna, dwuipółcentymetrowej długości lufy, jak kikuty. Waszyngton, Nowy Jork i Londyn na szczycie listy. Potem Tel Awiw, Amsterdam i Madryt. Jeszcze potem Los Angeles i San Francisco, może nawet most Golden Gate. Tak jak powiedział Helmsworth: „Dźwigali na plecach bombę tej samej mocy. Mieli przytwierdzić ją do podpory mostu, nastawić zegar i wziąć nogi za pas".

Strzelił, celując w środek masy ciała, szybkim, podwójnym „pach-pach", od lewej do prawej, a kiedy upadli, wystrzelił jeszcze dwa razy, mierząc w głowę, z tej samej odległości, na wszelki wypadek. Huk przebrzmiał i pozostał jedynie przeraźliwy syk w uszach. Napis „Möbel" na burcie ciężarówki był zbryzgany krwią.

Reacher wycelował w twarz wysłanniczki.

Ta podniosła ręce.

– Poddaję się.

Nikt się nie odezwał.

– Mam cenne informacje – dodała. – Znam numery kont. Dam wam ich pieniądze.

* * *

Sinclair objęła dowodzenie. Ostatecznie miała tu najwięcej do powiedzenia, przynajmniej według natowskiego status quo. Griezman, jako przedstawiciel miasta, przyjął to z pokorą, pewnie ze względu na *Realpolitik*, co było niemieckim odpowiednikiem frazy „trzeba wiedzieć, kiedy zejść ze sceny". Sinclair powiedziała mu, że skoro ciężarówka nie przejechała jeszcze przez most, powinien ściągnąć wszystkich ludzi z ratusza i otoczyć port szczelnym kordonem. Potem wysłała Neagley do budki telefonicznej, żeby sprowadzić do portu Bishopa, White'a i Vanderbilta. Waterman i Landry mieli zostać w konsulacie i przypilnować interesu.

W ciągu kilku minut na moście pojawiły się dwa samochody naczelnika. Policjantowi z drogówki podziękowano i odesłano go do domu. Zaraz potem przyjechały kolejne dwa samochody. Ominęły blokadę i zajęły pozycję przed najbliższymi zabudowaniami. Kwestia liczby, nic więcej. Ciężarówka to spory obiekt. Długa tyraliera idących ramię w ramię ludzi raczej jej nie przegapi.

Reacher spojrzał na Wileya, potem na Sinclair.

– Powiedział, jak znalazł skrzynię?

– Wujek Arnold zdradził mu coś, co naprowadziło go na ślad – odrzekła.

– Ale co?

– Mówił o tych bombach. Nawet Arnold uważał, że to szaleństwo, chociaż był komandosem i choć w gruncie rzeczy szkolono go tylko do jednego: do misji samobójczej. Miał walczyć na pierwszej linii frontu największej bitwy w historii świata, mimo to wydawało mu się, że bomby atomowe to przesada. Jeden człowiek i taka potęga? Opowiedział Wileyowi o tej zaginionej skrzyni. Wszyscy wierzyli, że to prawda. Za kulisami wybuchła panika. Nie udało się zamieść tego pod dywan, za duża sprawa. Wujek wykoncypował, że po licznych wędrówkach tam i z powrotem skrzynia prędzej czy później trafi do konkretnego magazynu. Dawał za to głowę. Ale nie trafiła. Podobno odebrał to jako lekcję pokory.

– Wiley też? – spytał Reacher.

– Nie, dla niego była to wskazówka, że popełniono błąd w oznakowaniu.

– Jak na to wpadł?

– Znowu wujek się kłania, opowieść na inny temat. Arnold przyjechał do Niemiec bardzo wcześnie. Kraj wciąż leżał w ruinie, ludzie głodowali. Wojsko zatrudniało miejscowych, głównie kobiety, bo w sumie zostały tylko one. Traktowano to jako pomoc społeczną, poza tym oszczędzano w ten sposób żołnierzy, żeby nie musieli stenografować ani pisać na maszynie. Wiley skojarzył to z inną opowieścią wujka. Za pieniądze Niemki zrobiłyby wszystko. Za pieniądze, batonik czekoladowy czy paczkę papierosów. Arnold postanowił kuć żelazo, póki gorące. Pewnego razu jakaś dziewczyna dała mu adres swojej siostry. Ona też była chętna. Ale Arnold za nic nie mógł tam trafić. Dziewczyna napisała jedenaście, a on myślał, że to siedemdziesiąt siedem. Chodzi o charakter pisma. Europejczycy dodają do jedynki skośny daszek, coś jakby ogonek, tyle że z przodu. I jedynka wygląda jak siódemka; siódemkę przekreślają pośrodku, żeby się odróżniała. Dlatego Wiley zaczął się zastanawiać, co by było, gdyby niemiecka urzędniczka sporządziła odręczną notatkę i dała ją do przepisania amerykańskiej maszynistce. Albo odwrotnie. I doszedł do wniosku, że ktoś mógł popełnić błąd.

– To takie proste? – nie dowierzał Reacher.

– Był przekonany, że wojsko też na to wpadło. Że sporządziło listy i tabele, zastępując jedynki siódemkami i siódemki jedynkami. Jednak opowieści wujka były najwyraźniej zupełnie odjechane, poza tym szalała biurokracja. W końcu zrobił jeszcze inne założenie: co by było, gdyby jakaś cyfra czy liczba przeszła przez trzy, a nie dwa etapy. Na przykład gdyby niemiecka urzędniczka sporządziła odręczną notatkę, amerykańska przepisała ją na maszynie i przekazała kolejnej, też niemieckiej, żeby ta streściła ją odręcznie na podstawie wersji maszynowej. Albo odwrotnie. Wiley rozrysował to na swój sposób, porobił własne listy i tabele. Uznał, że wojsko na to nie wpadnie, że przymknie oko na błędne funkcjonowanie swojego systemu. I miał rację. Skrzynia była tam cały czas. Znalazł ją za trzecim podejściem.

Reacher milczał. Skinął tylko głową i odszedł. Wysłanniczka podniosła rękę.

– Mogę pomóc – powiedziała.

– Nie chcę waszych pieniędzy.

– Nie, nie, nie o to chodzi. Ten gruby pan się myli. Ciężarówka przejechała przez most. My wjeżdżaliśmy, a ona wyjeżdżała.

41

Neagley postawiła torbę Wileya na klapie bagażnika i rozpięła ją. Reacher zawołał Griezmana i poprosił, żeby ją przeszukał.

– Dlaczego ja? – spytał naczelnik.

– Byłbym wdzięczny za pańską opinię.

Niemiec zrobił to tak, jak Reacher się spodziewał. Jak doświadczony weteran na egzaminie, wprawnie, lecz ostrożnie. Jakby wiedział, że to pułapka, że coś tam jest. Chcieli sprawdzić, jak szybko to znajdzie? O jaką grał stawkę? Nie wiedział.

Godnymi uwagi okazały się tylko trzy przedmioty. Pierwszy – nowy paszport Wileya na nazwisko Isaac Herbert Kempner, dokument całkowicie autentyczny – był prawdziwym arcydziełem. Drugim była mapa, którą widzieli w jego kuchni, teraz starannie złożona i ważna dlatego, że choć mało użyteczna pod względem kartograficznym, stanowiła dla Wileya wielką wartość sentymentalną i mogła zaświadczyć o stanie jego umysłu.

Trzecim przedmiotem był kluczyk do mercedesa.

Prawdopodobnie nie do limuzyny. Był trochę za duży. Za bardzo obłożony plastikiem. Zbyt pospolity. Należał do tych, które szybko obrastają brudem. I które widuje się w stacyjkach ciężarówek.

Griezman też tak uważał.

– Czy nowego mercedesa da się odpalić bez kluczyka? – spytał Reacher.

– Nie – odparł naczelnik.

– Więc musieli mieć duplikat.

– Tak – potwierdził Niemiec.

– A duplikat trudno jest zdobyć.

– Bardzo.

– Funkcjonowanie pana wydziału było imponujące. Od pierwszych minut. A pan sprawdził się wprost znakomicie. Zgodzi się pan ze mną?

– Skromność mi na to nie pozwala.

– Mówię szczerze.

– Wolałbym tego nie komentować.

– Była tylko jedna wpadka. Mieliście obserwować ruch na południe od Hanoweru i tego nie zrobiliście.

– To wina drogówki.

– Wystawili samochód na most.

– Do czego pan zmierza?

– Do tego, że ten ciąg zdarzeń można wyjaśnić na bardzo wiele sposobów.

– Proszę podać mi przykład.

– Doszło do bardzo dziwnego zbiegu okoliczności.

– Albo?

– W waszej policji jest przeciek. Z drogówki.

– Z drogówki do kogo?

– Do jakiejś mafijnej grupy. Ale nie włoskiej. Do grupy czy ugrupowania nostalgicznych Niemców. Mają swoich członków, swój kodeks, zasady i tak dalej. Cele i ambicje. Tak słyszeliśmy.

Griezman milczał.

– Przepraszam – dodał Reacher. – Nie zdradzamy naszych tajemnic, a wtykamy nos w wasze.

– Czy ma pan jakąś konkretną teorię?

– Są tylko dwie możliwości. Pierwsza, że ukradli ciężarówkę z garażu i ukryli ją w innym, parę kroków stąd. Dlaczego? Z jakiego powodu? Chcą wrócić tu nocą i ją wywieźć? Stosują podwójny blef? A może potrójny? Dziwne to i skomplikowane. Wolę drugą możliwość.

– Jaką?

– Policjant z drogówki kłamał.

– Odważne założenie.

– Tamci ukradli ciężarówkę i odjechali. Gliniarz przymknął oko. To się zdarza. Niech pan się nie przejmuje. Tak działa mafia. To portowe miasto. Trzeba się z tym liczyć.

Griezman milczał.

– To, co powiedziała ta kobieta, ma sens – dodał Reacher.

– Nie jest wiarygodnym świadkiem.

– Pełna zgoda.

– Co jest w tej ciężarówce? – spytał naczelnik.

– Czego by się pan najbardziej obawiał?

– Kilku rzeczy.

– To jest dużo gorsze. Proszę mi wierzyć. Dlatego musimy wszystko podawać w wątpliwość. Inaczej nie będziemy wiedzieli, gdzie szukać.

– Skorumpowany policjant... tak, to możliwe.

– Zna ich pan. Mówił pan, że trzeba zaczekać na właściwy moment. Że nie możecie ich aresztować za zbrodnię myśli. Że zbrodnia musi być prawdziwa.

Griezman zawahał się i powiedział:

– Dziś rano rozmawiałem z ich przywódcą. Tak się składa, że jest to ostatni człowiek, który widział fałszerza żywego. Wypytywał o nowe nazwisko Wileya. Miał kopię jego portretu pamięciowego. Nazywa się Dremmler. Sprowadza buty z Brazylii. Musiałem się do niego pofatygować. Nie mogłem zaprosić go do siebie. Zdziwiłbym się, w jakich miejscach ma swoich ludzi, tak twierdzi. I że mam do czynienia z potężną siłą, która wkrótce będzie jeszcze potężniejsza.

– W takim razie musimy złożyć mu wizytę – zdecydował Reacher.

• • •

Griezman zawiózł go na tętniącą życiem ulicę cztery przecznice od baru z polakierowaną drewnianą fasadą. Najwyraźniej w tej dzielnicy reklamy świetlne były dozwolone. Dremmler urzędował w częściowo zrekonstruowanej w latach pięćdziesiątych trzypiętrowej kamienicy z długim na cały budynek neonem biegnącym między ostatnim piętrem i rynną. Czerwonym, pełnym skomplikowanych zawijasów, jakby chodziło o światowej sławy firmę. Jak w starych reklamach coca-coli. Reklamował „Schuhe Dremmler", czyli buty od Dremmlera.

Winda jechała jak na pogrzebie. Dremmlera nie było. Jego sekretarka powiedziała, że odebrał jakiś telefon i wyszedł. Nie miała pojęcia dokąd. Nie miała także pojęcia, kiedy wróci.

• • •

Wrócili do konsulatu. Griezmana zaproszono do środka. Pozostali dotarli tam przed nimi. Ciało Wileya jechało do kostnicy amerykańskiego szpitala wojskowego w Landstuhl, chłodnią do przewożenia mięsa, którą zorganizował Orozco. Wysłanniczka siedziała pod kluczem w piwnicy, czekając na eskortę z Departamentu Sprawiedliwości, na kajdanki i samolot do Stanów. Irańczyk odpoczywał w fotelu przy oknie. Ewakuowali go Orozco i jego sierżant. Poszło szybko i gładko, bez strat ubocznych. Na szczęście to Irańczyk otworzył im drzwi. Potem wystarczyło go tylko uprowadzić. Proste. Miał niepewną minę. Jego dawne życie właśnie się skończyło. I zaczynało nowe, w miejscu, którego nigdy nie widział. Orozco powiedział, że nikt się nie wkurzył. Bishop miał go ewakuować i tak. Obiecał napisać stosowny raport. Ale podziękował Orozco za to, że zaoszczędzili CIA trochę czasu. White się cieszył. Zawsze dbał o pracujących w terenie agentów. Vanderbilt był pochmurny. Placówka CIA w Hamburgu nagle oślepła.

Potem do akcji wkroczyła Sinclair. Rozmawiała już z Ratcliffe'em i prezydentem. Otwarto wszystkie kanały. NATO i Unia Europejska czekały w pełnej gotowości bojowej – na zadanie, którego jeszcze nie sprecyzowano. Następnym krokiem było wypełnienie luk. Stany Zjednoczone miały wziąć głęboki oddech i przyznać, że zgubiły ślad skrzyni pełnej bomb atomowych sprzed czterdziestu lat. Niemcy mieli wziąć głęboki oddech i przyznać, że w ich kraju działa neonazistowskie ugrupowanie silne na tyle, by te bomby wykraść. Czego ani Stany, ani Niemcy nie chciały zrobić. Nie oczekiwano, żeby którakolwiek z tych deklaracji wzbudziła szybko rozlewającą się falę podziwu. Ostateczna decyzja miała zapaść już wkrótce.

– Chcą, żebyśmy to załatwili – podsumowała Sinclair. – Zanim wkrótce przejdzie w teraz.

– Powiedzieli to tymi słowami? – spytał Reacher.

– Mocno zasugerowali.

– Chciałbym wiedzieć na pewno.

– Na niektóre pytania lepiej jest odpowiadać potem. Doświadczenie bije na głowę wszelkie domysły.

– Ile mamy czasu?

– Nie będą czekali w nieskończoność.

Za oknem zapadał zmrok. Północna szerokość geograficzna, wczesny wieczór.

– Te buty Dremmlera to duży interes? – spytał Reacher.

– Chwali się, że sprzedaje milion par tygodniowo – odparł Griezman. – Pięćdziesiąt milionów rocznie. To pewnie kit, ale myślę, że tak, ma duże obroty.

– A więc biuro, które widzieliśmy, to tylko biuro. Zamówienia, faktury i tak dalej. Towar przyjeżdża gdzie indziej.

– Do portu – potwierdził naczelnik. – Dremmler jest właścicielem części nabrzeża.

– I zdziwiłbym się, w jakich miejscach ma swoich ludzi.

– Znowu odmawiamy zdrowaśkę? – spytała Sinclair.

– Nie, pani doktor – odrzekł Reacher. – Strzelamy w ciemno.

– W tego od butów?

– Zacznijmy od teoretycznego przykładu. Załóżmy, że Dremmler jest wielkim mistrzem jakiegoś tam zakonu. I wszędzie ma swoich ludzi. W policji też. Dzięki czemu mógł śledzić każdy nasz krok. O interesie Wileya dowiedział się już na samym początku i postanowił przechwycić towar. Dla większej chwały zakonu, którego jest wielkim mistrzem. Jego ludzie informowali go na bieżąco o postępach w śledztwie i udało się. Zdobył ciężarówkę. Jednak działał w obłąkanym pośpiechu. Zawsze brakowało mu czasu. Zawsze musiał nas gonić. Nie mógł niczego zaplanować. I teraz nie wie, co zrobić ze skradzionym towarem. Nie wie nawet, co to jest. Bo ta informacja nie wyciekła. Dlatego myślę, że ukrył ciężarówkę gdzieś w pobliżu. Tymczasem. Musi odetchnąć. Musi się zastanowić.

– Prawdopodobne – rzuciła Sinclair i szybko dodała: – Tak jak sto innych możliwości.

– Nie sto – poprawił ją Reacher. – Najwyżej dziesięć. Ale ta najbardziej pasuje do tego, co wiemy. Dremmler pytał fałszerza o nowe nazwisko Wileya. To nie może być przypadek. I jest właścicielem nabrzeża. Milion par butów tygodniowo. To mnóstwo ciężarówek. Jednej więcej nikt by nie zauważył.

– Mamy tylko jeden strzał – powiedziała Sinclair.

Pamiętał, jak robił to drugą ręką, tak samo, ledwo muskając jej czoło, głęboko wsuwając palce i delikatnie przeczesując nimi włosy. Pamiętał, że tym razem zostawił dłoń tam, gdzie dotarła, na karku. Pamiętał, że kark był smukły i ciepły.

Wtedy zaryzykował.

– Twoja decyzja – powiedział.

– Nie masz własnego zdania?

– I tak go dorwę. Na wszelki wypadek. Bo jeśli to on, mówimy o facecie, który nie może poradzić sobie ze swoim ego po tym, jak jego młodzieżówka dostała od nas wciry. Od tego czasu ciągle kogoś na mnie nasyła. Przekazałem mu wiadomość, że jeśli ma do mnie jakieś anse, niech wyjdzie na ulicę sam. Pójdziemy na spacer. Wymienimy poglądy. Może nadeszła już pora?

42

Zaczekali, aż zapadnie ciemność i minie godzina szczytu. I ucichną dyplomatyczne dyskusje. Bishop oznajmił, że chce tam być i pojedzie z White'em oraz Vanderbiltem swoim samochodem. Sinclair – że się do nich przyłączy. Griezman uważał, że powinien obserwować akcję jako przedstawiciel miasta. I chętnie zaprosi do mercedesa Watermana i Landry'ego. Nie ma to jak FBI. Byłby zaszczycony.

Reacher i Neagley mieli jechać samochodem Orozco, z jego sierżantem za kierownicą. Sierżant nazywał się Hooper. Był wyższy od Neagley, lecz nie należał do wielkoludów. On i Orozco mieli beretty. Reacher colta. Tylko z trzema nabojami w magazynku.

Konwój prowadził Griezman. Znał okolicę i wybrał ładną trasę. W pobliżu portu miasto się ożywiało. Tu było zapracowane, szybkie, sprawne, jaskrawe i ruchliwe. Wszędzie ciągnęły się rzędy ustawionych blokami kontenerów, kilometry dźwigów, czekających w kolejce ciężarówek i stojących tuż obok siebie wielkich metalowych hangarów z nazwami, z których jedne Reacher znał, a innych nie. Jechali dalej i, kilometr za kilometrem, wciąż widzieli to samo.

W końcu zobaczyli gigantyczną halę, opasłą i nowocześnie

bulwiastą, ze staromodnym jaskrawoczerwonym neonem na staromodnej żelaznej ramie. Świecił hen, wysoko na dachu, pełen skomplikowanych zawijasów, jak w starych reklamach coca-coli. Reklamował „Schuhe Dremmler", czyli buty od Dremmlera.

Griezman zdjął nogę z gazu i powoli przejechali przed halą. Gdzie było jasno jak na stadionie. Po jednej stronie biegło nabrzeże. Tam pewnie wyładowywano ze statków buty, które następnie rozpakowywano, przepakowywano czy inwentaryzowano, a potem przewożono na drugą stronę hali, na rampę, gdzie czekały ciężarówki rozwożące je do sklepów czy hurtowni. Milion par tygodniowo. Co znaczyło, że skład pracował także nocą. Może nie pełną parą, ale pracował. Teraz uwijała się tam połowa załogi. Na oko. Może trochę więcej niż połowa.

– Na pewno tam jest? – spytał Orozco.

– Strzelamy w ciemno – odparł Reacher. – Którego z tych trzech słów nie rozumiesz?

– Zaczekamy?

– Mogą pracować całą noc.

– Tam jest co najmniej pięćdziesięciu chłopa.

– I wszyscy są zajęci. Staniemy sto metrów dalej. Nikt nie zwróci na nas uwagi. Ciężarówki może ktoś pilnować. Ale jest nas czworo. Damy radę.

– Pod warunkiem że tam jest.

Zatrzymali się dwa magazyny dalej i wysiedli na wilgotne wieczorne powietrze.

– Czy te ładunki da się jakoś rozpoznać? – spytała Sinclair.

– Nigdy ich nie widziałem – odrzekł Reacher. – Ale z tego, co mówił Helmsworth, są to metalowe cylindry o wadze dwudziestu trzech kilogramów, zapakowane do czegoś w rodzaju płóciennego plecaka. Więc mogą wyglądać jak... Nie wiem.

– Są na nich jakieś napisy?

– Na pewno jest zakodowany numer seryjny i data produkcji. Ale nie jak na tyle samochodu. Napisu „bomba atomowa" raczej tam nie będzie.

– Dlatego jeszcze nie spanikowali – zauważyła Sinclair.

– Chyba że znaleźli książkę kodów. Wtedy mogliby się domyślić.

– Przecież kod to rodzaj szyfru.

– Pamiętasz, co powiedział generał? Lądowanie aliantów w Normandii. Z książką łatwo sobie poradzą.

– To jest hala pełna butów, chyba spudłowałeś. Czysty surrealizm.

– Tak jak to, że żołnierz miał przytwierdzić bombę atomową do podpory mostu, nastawić zegar i wziąć nogi za pas – powiedział Reacher.

– To było wtedy.

– Oni nie wiedzą, co mają. Myśleli, że zgarną transport karabinów maszynowych. Albo granatów. I teraz drapią się w głowę.

– To tylko jedna z możliwości. A my mamy zaledwie jedną szansę, żeby to sprawdzić.

– Więc miejmy nadzieję, że zrobiliśmy dobre założenie.

– A zrobiliśmy?

– Spytajmy pana Griezmana.

Naczelnik wzruszył ramionami. Uważał, że Dremmler jest odważnym wichrzycielem i podżegaczem z ambicjami. Miłośnikiem historii ruchów ludowych walczących o wielką sprawę i wielkich przywódców, którzy doszedłszy do wielkiej władzy, w stosownej chwili przechodzili do rozstrzygającego ataku. Zdaniem Griezmana, mógł być bardzo niebezpieczny. Kiedyś, bo na razie tylko dużo gadał. Brakowało mu doświadczenia, dlatego było bardzo prawdopodobne, że pierwszy udany projekt go oszołomi. Nikt nie planuje na zapas, więc jest również prawdopodobne, że Dremmler zechce złapać oddech. W bezpiecznym miejscu. W gruncie rzeczy jest to więcej niż prawdopodobne. Niemal pewne. Bo w bezpiecznym miejscu nad wszystkim by panował. Natura ludzka.

– Jeśli to on – podkreśliła Sinclair.

– Jest tylko jeden sposób, żeby się o tym przekonać – powiedział Reacher.

• • •

Uznali, że nie ma sensu się ukrywać. Ulica była jasno oświetlona. Rampy rozładunkowe też. Podobnie jak wszystkie hale. I całe nabrzeże. Tylko woda była czarna. Zawrócili i pojechali z powrotem. Griezman zatrzymał się przy krawężniku, za nim Bishop. Sierżant Hooper ominął ich i pojechał dalej. Aż do czerwonego neonu, do głównej bramy.

Tam stanął.

Z bliska hala była gigantyczna. Zbudowano ją z jakiegoś błyszczącego ocynkowanego metalu. Nie miała żadnych okien, okienek czy iluminatorów. Dach, skomplikowany architektonicznie i wzmocniony odpornym na przeciążenia ożebrowaniem, był większy niż ściany, bulwiasty i spuchnięty jak bochen wiejskiego chleba. Albo jak natapirowana fryzura. Tak że ściany robiły wrażenie niskich. W tej od drogi było z pięćdziesiąt bram wjazdowych z podnoszonymi drzwiami, jak w podmiejskim garażu, lecz z dużo większymi, pomalowanymi na podstawowe kolory i zaopatrzonymi w okrągłe plastikowe okienka. Z hali wylewało się światło. Około trzydziestu bram było otwartych, w zdyscyplinowanym rzędzie od lewej do prawej, biegnącym przez ponad połowę ściany. Pierwszą dwudziestką ciągle wjeżdżały i wyjeżdżały ciężarówki. Następna dziesiątka była otwarta, lecz nic się tam nie działo. Ostatnie dwadzieścia bram na głucho zamknięto. Nocna zmiana. Pewnie tylko pilne zamówienia.

Podjechali bliżej.

Wnętrze hali było wielkie jak stadion piłkarski. Pracujące taśmociągi, monstrualne sterty pudełek, krążące wszędzie wózki widłowe i wszechobecny hałas – wszyscy robotnicy pracowali w dużych, żółtych ochraniaczach słuchu.

Co mogło im pomóc.

– To jest broń, której mieli używać komandosi – powiedział Reacher. – W bezpośrednim starciu z wrogiem też, tak zakładano. Dlatego plecaki musiały zostać zabezpieczone przed zbłąkanymi kulami. Więc trafione, prawdopodobnie nie wybuchną. Niemal na pewno, ale wolałbym tego nie sprawdzać.

– Jeśli tam są – mruknął Orozco.

– Więc chodźmy zobaczyć.

• • •

Hooper wjechał ostatnią uśpioną bramą i skręcił w prawo, oddalając się od najruchliwszej części hali i zbliżając do spokojniejszej, gdzie był ogrodzony taśmą kanał samochodowy. Minął rząd zamkniętych drzwi, zahamował, zatrzymał się i wysiadła Neagley. Pojechał dalej, a kiedy znowu przyhamował, wysiadł Orozco. Sierżant podjechał jeszcze kawałek, zahamował po raz trzeci i wysiadł Reacher.

Wysiadł i odprowadził wzrokiem odjeżdżającego opla. Pierwszą rzeczą, jaka go uderzyła, był hałas, wycie, piszczenie i jazgotanie taśmociągów, turkotanie i popiskiwanie wózków widłowych. Drugą był zapach. Miliona par nowych butów. Jak wspomnienie z dzieciństwa. Jak w sklepie obuwniczym przy głównej ulicy, tylko tysiąc razy silniejszy.

Wśród stojących za Reacherem ciężarówek nie było tej z wypożyczalni. Przed nim nic się nie poruszało. Nic nie parkowało. Ani jeden pojazd. Z miejsca, w którym stał, sięgał wzrokiem aż do nabrzeża. Daleko, bo nic nie przesłaniało widoku. Tam też paliły się światła. I tam też było pusto.

Dosłownie wszędzie piętrzyły się sterty pudełek. Najmniejsza była wyższa niż Kansas. Największa wyglądała jak gigantyczna wystrzępiona grań, jak widziane z oddali Góry Skaliste. Ciągnęła się od lewej do prawej, niemal do końca ściany. Ale tylko niemal. Bo było za nią przejście, na oko malutkie w porównaniu z otaczającym go ogromem, lecz z bliska mogło się okazać użyteczne. Szerokie na tyle, by pomieścić ciężarówkę.

Reacher spojrzał za siebie. Pracowało tam około pięćdziesięciu robotników. W odblaskowych kombinezonach, kaskach, ochraniaczach słuchu, plastikowych ochraniaczach na łokciach i kolanach wyglądali jak futboliści albo tragarze na lotnisku. Większość się nie obijała. Paru stało i przyglądało mu się niepewnie. Pomachał do nich ręką. Odmachali mu i wrócili do pracy. Stara zasada. Zachowuj się tak, jakbyś był u siebie. Jakbyś właśnie kupił pół firmy. Chłopcy, oto wasz nowy szef.

Reacher odwrócił się. Hooper stał pięćdziesiąt metrów dalej. Czekał. Do Reachera podszedł Orozco. Potem Neagley. Z powodu hałasu musieli głośno mówić.

– Albo ukryli ją za tymi stertami, albo jej tu nie ma – zawyrokował Orozco.

– Co ty powiesz, Sherlocku!

– Ale jeśli ukryli, musieli błyskawicznie ułożyć od cholery butów.

– Myślę, że ta największa sterta jest tutaj na stałe – odezwała się Neagley. – Muszą mieć tam biuro, bo nigdzie go nie widać. Odgrodzili się. Cisza, spokój i własny parking.

Podeszli bliżej. Od zapachu kręciło w nosie. Jak w domu towarowym. Ściana pudełek sięgała przedostatniej bramy, całkowicie wyłączając ją z ruchu. Co znaczyło, że ostatnią wjeżdżało do hali szefostwo. Jak w wojsku.

Podeszli do czterdziestej siódmej, żeby sprawdzić, jak

działa. Dobra wiadomość była taka, że dawała się ręcznie sterować. Miała dwa przyciski: jeden ją podnosił, drugi opuszczał. Obydwa plastikowe, obydwa kolorowe, obydwa wielkości spodka. Jak czyjeś pierwsze magiczne grzybki. Natomiast zła wiadomość była taka, że zamontowano je na panelu po lewej stronie drzwi. Po drugiej stronie przejścia, na rogu przestrzeni odgrodzonej przez stertę.

– Może parkować przodem do bramy – myślał na głos Orozco. – Jak wóz strażacki. Parę sekund i jej nie będzie. Jeśli ruszy, strzelajcie w opony.

– Jeśli ruszy, strzelajcie do kierowcy – powiedział Reacher. – Plecaki mają sześćdziesiąt centymetrów wysokości, można spokojnie celować w głowę.

– Jeśli w ogóle tam są.

Reacherowi przypomniało się, jak Sinclair położyła mu rękę na piersi. Myślał, że w geście ostrzeżenia, zakazu. Ale nie. To była ocena, a potem wniosek. Nie gest zaufania, zawierzenia czy zainteresowania, tylko czysty hazard. Uznała, że warto zaryzykować.

– Tak – powiedział. – Jeśli tam są.

43

Były. Wyjrzał zza rogu ściany pudełek – tylko jednym okiem – i zobaczył ciężarówkę, już nie białą, bo upstrzoną graffiti z rozdętymi jak balony literami W, H, S i L. Parkowała przodem do bramy, z otwartą ładownią. W środku stały płócienne plecaki z paskami, okrągłe i wyłożone czymś w środku, w barwach ochronnych, wciąż intensywnych i ciemnych. Nigdy nie widziały światła.

Po lewej stronie ciągnął się rząd okien wychodzących na duże, lecz puste pomieszczenie. Po prawej ściana pudełek. Po obu stronach ciężarówki był prawie metr miejsca. Luźno. Z bliska miało się wrażenie, że parking jest całkiem spory.

I ani żywego ducha. Nikt niczego nie pilnował.

Reacher cofnął się i zerknął w lewo. Patrzyło na nich dwóch kolejnych robotników. Wrócił do Orozco i Neagley. Podszedł do nich Hooper i Reacher przekazał im wiadomości. Wymienili spojrzenia, tylko oczami. Orozco zrobił krok do tyłu.

– Biuro składa się pewnie z dwóch pomieszczeń – powiedział. – A oni są pewnie w tym dalszym.

– Chyba że poszli na pizzę i kufel piwa – rzucił Reacher. – Po co pilnować kupy metalowych puszek? Nie wiedzą, co mają.

– Priorytetem jest ciężarówka. Nie personel.

– Pełna zgoda.

– Więc ją podprowadźmy. Teraz. Jak samochód z ulicy, kiedy właściciel siedzi w domu i ogląda mecz. Mamy kluczyk.

Reacher kiwnął głową. Kiedyś był na wojskowym kursie walki wręcz. Ich najtwardszy instruktor mawiał, że najlepsze walki to takie, których nie ma. Brak ryzyka przegranej, brak ryzyka obrażeń. Zawsze, jeśli istnieje choćby cień szansy. A w tym przypadku dochodził jeszcze wymiar polityczny. Gdyby ciężarówka zniknęła, kto mógłby powiedzieć, że w ogóle istniała? Zawsze można wszystko zdementować. Skrzynia? Jaka skrzynia?

Najgłośniejszą częścią akcji byłoby otwieranie drzwi. Napędzał je silnik elektryczny, poprzez łańcuchy. Podnosiłyby się długo i powoli. Musiałyby podnieść się całkowicie. Trzydzieści sekund jak nic. Pół minuty terkotania, szczękania i zgrzytania. Charakterystyczny dźwięk. Jak ogłoszenie w gazecie. Od razu by się zbiegli.

Lepiej ją wycofać. Pojechać w drugą stronę. Ostrożnie wycofać na środek hali – jak najdalej – zawrócić i zwiać najbliższą otwartą bramą. Tą, którą wjechał Hooper.

Teraz gapiło się na nich już czterech robotników.

– Dobra – zdecydował. – Do roboty. Kto chce prowadzić?

– Ja – zgłosiła się Neagley.

– Jeśli usłyszą silnik, podejdą z twojej strony. Będziesz musiała się schować. Tylko uważaj na drugie okno, żebyś nie oberwała w głowę. Będę ubezpieczał cię spod ściany. Kiedy wycofasz, wskoczę do szoferki i pojedziemy przed siebie. Wtedy Hooper z Orozco wskoczą do skrzyni.

– Wycofam tak szybko, że nie nadążysz. To miała być broń komandosów, może się trochę poobijać. Usiądziesz obok mnie. Tylko celuj tak, żeby oszczędzić mi głowę. To nie takie trudne.

Reacher zerknął w głąb hali. Czterech wciąż ich obserwowało.
– Szybko, ale nie po wariacku – powiedział. – To musi wyglądać na rutynową rzecz. Ciężarówka wjechała i wyjeżdża. Wyjrzał zza rogu ostatni raz. Jednym okiem i drugim. Za oknami – nikogo. Przy ciężarówce – nikogo. Ani żywego ducha. Teraz obserwowało ich już sześciu. Podeszli krok bliżej luźną szpicą. Najbliższy stał sześćdziesiąt metrów od nich. Dzieliła ich bezpieczna odległość i ściana hałasu, mimo to gość wciąż patrzył.

Reacher dał Neagley kluczyk.
– Idź.
Orozco i Hooper wycofali się do opla. Wsiedli i odjechali nieco dalej, tam gdzie nie rzucając się w oczy, mieli dobry widok na ukryte biuro i gdzie udzielając ewentualnego wsparcia Neagley, nie zablokowaliby jej drogi. Zostawili jej trochę miejsca z boku. Miała ostro zakręcić kierownicą, ciasno zawrócić tuż przed nimi i odjechać, a oni powinni podążyć za nią po tej samej linii.

Neagley rozejrzała się, wzięła głęboki oddech i weszła za stertę pudełek. Reacher krok za nią. Skręciła do ściany i podeszła do drzwi pasażera. On przystanął przy tylnych, obserwując biuro, ona nacisnęła klamkę i drzwi odskoczyły. Otworzyła je na oścież, wsiadła i przeszła na fotel kierowcy. Reacher wyciągnął rękę i chwycił skórzany pasek przy drzwiach. *To miała być broń komandosów, może się trochę poobijać.* Może. Ale nie chciał, żeby podczas gwałtownych manewrów pojemniki wypadły z ciężarówki i podskakując jak piłki, potoczyły się na róg hamburskiej ulicy.

Pociągnął za pasek i drzwi zaczęły opadać, cicho i powoli, terkocząc na nylonowych łożyskach. Trzydzieści centymetrów. Czterdzieści pięć centymetrów. Sześćdziesiąt.

Wtem zamarł.

Niech to szlag!

Pochwycił spojrzenie Neagley w lusterku i przejechał ręką po szyi.

Przerwać misję.

Natychmiast.

Neagley przeszła na fotel pasażera. Wysiadła. Ruszyła wzdłuż ściany pudełek. Wrócili do hali, on przodem, ona za nim.

Orozco i Hooper też wysiedli.

Obserwowali ich robotnicy. Teraz było ich więcej. Wciąż szpicą w ich stronę. Pięćdziesiąt metrów. Noga za nogą, podchodzili coraz bliżej.

– Co się stało? – spytała Neagley.

– Powinno być dziesięć – odparł Reacher. – Jest dziewięć.

• • •

Hoopera poznał dopiero tutaj, dlatego był pewien, że to nie on to powie. Ani on, ani Orozco. Za dużo staroświeckiego taktu. Powie Neagley. Zbierze do kupy kilka alternatywnych teorii, poczynając od statków wracających do Brazylii albo ciężarówek jadących do Berlina. I doda kilka zakończeń, albo szczęśliwych, albo takich ze strefami rażenia, kulami ognia i milionami ofiar. Ale wcześniej zada to pytanie:

– Na pewno dobrze policzyłeś?

Uśmiechnął się.

– Zastosujmy zasadę co dwie głowy, to nie jedna – odparł. – Podstawowy bezpiecznik nuklearny. Niech idzie Hooper. Prawie mnie nie zna. Jest bezstronnym obserwatorem.

Więc Hooper poszedł. Wyjrzał ostrożnie zza rogu – tylko jednym okiem – po czym ruszył w stronę ciężarówki. Reacher zajął jego miejsce i zobaczył go przy tylnych drzwiach. Hooper był za niski. Do wysokości ładowni dodać wysokość Crockettów i widział tylko ich pierwszy rząd.

W przeszklonym biurze pojawił się nagle jakiś mężczyzna. W głębi, w prawym kącie. Dokładnie na skos od Reachera.

Co znaczyło, że nie widział Hoopera. Jeszcze nie. Stał pod złym kątem. Przeszkadzała mu ciężarówka.

Wszedł między biurka. Czegoś szukał. Chodził od jednego do drugiego, otwierał szuflady, grzebał grubym paluchem w papierach i szedł dalej. Wysoki facet, który wyglądał na kompetentnego.

Hooper cofnął się i stanął na palcach.

Mężczyzna przesunął się o długość biurka.

Teraz kąt był dobry.

– Hooper, do środka! – zawołał Reacher.

Miał nadzieję, że na tyle głośno, aby jeden go usłyszał, a drugi nie. Hooper zamarł, podparł się rękami, wskoczył na skrzynię, niezdarnie przestąpił nad rzędem plecaków i zniknął w ciemnej ładowni.

Mężczyzna zerknął w okno.

Podszedł bliżej.

Spojrzał na ciężarówkę. Wyciągnął szyję.

Przez chwilę stał i patrzył.

Potem odwrócił się, odszedł i zniknął za drzwiami w niewidocznej części biura.

Reacher czekał.

Mężczyzna nie wracał. Minęła minuta. Minęła druga. Gdyby coś usłyszał, na pewno by wrócił. Natura ludzka. Chwyciłby broń i skrzyknął kumpli.

Więc nie usłyszał.

– Hooper! Czysto!

Nic. Żadnej reakcji.

Wycie, piszczenie i jazgotanie.

Reacher zawołał jeszcze raz, głośniej.

– Hooper, wyłaź!

Sierżant wystawił głowę z ciężarówki. Zeskoczył na ziemię, wyprostował się sprężyście i wrócił.

– Dziewięć – powiedział. – I nie ma książki kodów.

44

Mężczyzn było teraz z dwudziestu. Stali czterdzieści metrów dalej, wciąż malutcy w przepastnej hali. Wciąż niegroźni. Uznali, że to Reacher i jego towarzysze zagrażają im, i trochę zaskoczeni, solidarnie zwarli szyki w obronie zajętych w biurze szefów. Zawsze lojalni. Możliwe, że niektórzy byli żołnierzami, bojownikami o wielką sprawę. Może tak załatwiało się u Dremmlera posadę brygadzisty.

– Dobrze mówisz po niemiecku? – spytał Reacher.

– Nieźle – odrzekł Hooper. – Dlatego tu pracuję.

– Idź i powiedz im, żeby wracali do pracy.

– Mam użyć jakichś konkretnych słów?

– Powiedz, że jesteśmy amerykańskimi żandarmami, którzy działając w imieniu brazylijskiej policji, prowadzą rutynową kontrolę, i jeśli będziemy zmuszeni zameldować, że wrogo nas przyjęto, dokładnie ich prześwietlimy.

– Uwierzą?

– Zależy, jak bardzo będziesz przekonujący.

Z odległości czterdziestu metrów patrzyli, jak Hooper przemawia do mężczyzny na czubku szpicy. Mówił długimi, złożonymi zdaniami i tamci tego nie kupowali.

– Może pójdę mu pomóc? – zaoferował się Orozco.

– Tylko nie kop ich w kolana – ostrzegł go Reacher.

– Czemu?

– Mają ochraniacze.

Hooper mówił i mówił. I mówił. Robotnicy przestali przesuwać się do przodu i ucichli. Wciąż nie do końca przekonani. Sierżant wrócił.

– Zrobiłem, co mogłem.

– Wezwą policję? – spytał Reacher.

– Nie ich rola. Są tylko zdezorientowani. I zaniepokojeni. To rodzinny interes.

– Więc lepiej się pospieszmy.

– Od czego zaczniemy?

– Od danych. Czyli od biura. I gościa w środku.

– Zasady walki?

– Potem coś wymyślimy.

• • •

Darowali sobie wyglądanie i sprawdzanie. Za dużo świadków. Wydałoby się podejrzane. Po prostu obeszli ścianę pudełek i szybkim, zdecydowanym krokiem ruszyli prosto do biura, jakby potrzebowali czyjegoś podpisu, jakiegoś dokumentu czy odpowiedzi na jakieś pytanie. Kiedy tylko znaleźli się za rogiem, wyjęli broń. Wejście było w kącie za ciężarówką, tuż przy panelu z przyciskami do otwierania i zamykania bramy. Prowadziło do pierwszego pomieszczenia z identycznymi drzwiami, też w kącie, którymi dokądś się wchodziło. Pewnie do pokoju na zapleczu, gdzie zniknął ten wysoki i kompetentny. Na niezbadane terytorium.

Weszli szybko, żeby przez otwarte drzwi przedostało się jak najmniej hałasu z hali. Rozstawili się gotowi do ataku, Neagley, Reacher i Orozco przodem do drugiego wejścia, Hooper tyłem do nich. Miał ich ubezpieczać. Co dawało miłe poczucie bezpieczeństwa. Nie ma nic gorszego, niż nie wiedzieć, co czai się za plecami. Robotnicy mogli znów się zaniepokoić. Wezwać posiłki, kumpli z nocnej zmiany. Mogli pojawić się nagle eksperci, niemieccy weterani wojenni, poproszeni tu tylko po to, by odpowiedzieć na jedno proste pytanie: Co to, do diabła, jest?

Dremmler nie wiedział, co ma.

Podeszli do drzwi. Wąskie gardło. Idealne na parę granatów hukowych – po to je wynaleziono – ale oni ich nie mieli. Drzwi były lekko uchylone. Reacher zajrzał do środka. I nic nie zobaczył. Ot, fragment pustego pokoju. Zbliżył ucho do szpary. Pytania i odpowiedzi, pytania i odpowiedzi. Męskie głosy. Sfrustrowane, lecz spokojne. Zaintrygowane, lecz cierpliwe. Trzech, pomyślał. A może więcej? Może reszta milczy? Głosy dochodziły z lewej strony, z dziwnym podźwiękiem. Jak z zamkniętego przeszklonego pomieszczenia. Którego nie widział.

Cofnął się i zerknął na okna. Nikogo. Na razie. Zrobił ręką kilka znaków: minimum trzech w lewym rogu. Lewy róg: zmierzyli odległość. Niewygodnie. Dwa kroki za dużo na pełne zaskoczenie. Hooper będzie pilnował drzwi. Neagley, Reacher i Orozco wejdą, rozstawią się i podzielą celami z trzech różnych kątów. Jeśli ktoś zrobi coś głupiego, zabić wszystkich oprócz tego jednego.

Zajęli operacyjną pozycję wyjściową, Neagley przy drzwiach, za nią Reacher, za Reacherem Orozco, a na końcu Hooper, odwrócony do nich plecami. Neagley wpadła do środka i stanęła na trzeciej bazie. Reacher na drugiej, Orozco na pierwszej. Na miejscu bazy ostatniej była szklana budka, biuro w biurze. Przy biurku stało dwóch mężczyzn. Jednym był ten wysoki i kompetentny. Drugi wyglądał podobnie.

Na krześle przy biurku siedział dziesiąty Davy Crockett. Jak klient. Albo podejrzany na posterunku. W rozwiązanym, zsuniętym plecaku. Cylinder był matowo zielony, z naniesionymi szablonem białymi napisami. Na wierzchu miał tablicę sterującą z sześcioma małymi, spiczastymi pokrętłami i trzema małymi przełącznikami.

Przy biurku siedział trzeci mężczyzna, pewnie Dremmler. W każdym razie wyglądał na szefa. Na przywódcę. Imponujący gość. Siwiejące jasne włosy, szarzejąca rumiana twarz i szary garnitur z zamkniętymi klapami. Stary niemiecki styl. Trzymał łokcie na biurku i miał palce złączone w wieżyczkę. Czytał książkę kodów. Ale przestał i teraz patrzył na Reachera. A raczej na pistolet wycelowany prosto w jego twarz.

– *Hände hoch* – rzucił Reacher.

Jak na starym czarno-białym filmie.

Ręce do góry.

Dremmler nie zareagował. Jak na twardzieli przystało, stojący przy nim mężczyźni zagrali na czas i tylko trochę je unieśli. Spięci i niepewni mieli sztywno wyprostowane palce: zawieszenie ognia tak, kapitulacja nie.

Reacher podszedł bliżej.

– Mówi pan po angielsku?

– Tak – odrzekł Dremmler.

– Jest pan aresztowany.

– Kto wydał nakaz?

– Armia Stanów Zjednoczonych.

Niemiec zerknął na zmięty plecak na krześle.

– Majstrowaliście przy tym? – spytał Reacher.

– Nie zdążyliśmy. Nie wiemy, co to jest.

– Nic godnego uwagi.

– Kręciliśmy trochę gałkami. Żeby zobaczyć, co będzie.

– Dotykaliście przełączników?

– Pstryknęliśmy nimi parę razy.

– A teraz czytacie podręcznik obsługi. I próbujecie rozwiązać zagadkę.

– Co to właściwie jest?

– Wyjdźcie stąd – rozkazał Reacher. – Po kolei.

Najpierw wyszedł ten wysoki i kompetentny. Na palcach, spięty i gotowy, wciąż grając na czas. Potem ten drugi, tak samo.

Reacher spojrzał na Dremmlera.

– Pan nie.

Dremmler został. Siedział przy biurku, wciąż z palcami złączonymi w wieżyczkę.

Reacher odwrócił się do tamtych dwóch.

– Jesteście zatrzymani przez żandarmerię wojskową Armii Stanów Zjednoczonych. Zgodnie z prawem ostrzegam was, że jeśli zaczniecie podskakiwać, spuścimy wam łomot.

Mężczyźni ani drgnęli.

– Orozco, zaprowadźcie ich z Hooperem do Griezmana. Neagley, popilnuj ciężarówki. Nowy czas ewakuacji: za piętnaście minut.

– Bo?

– Bo bawili się przełącznikami.

– To za mało, nic nie zrobili.

– Mam nadzieję. Ale wolę sprawdzić. Herr Dremmler mi pomoże. Ma podręcznik obsługi.

45

Reacher usiadł na wolnym krześle obok tego z plecakiem. Dremmler, on i Davy Crockett – jak gospodarz i goście. Trójstronna rozmowa. Trzy punkty widzenia. Ale w przeszklonej budce panowało milczenie. Przez wiele minut. Reacher studiował książkę kodów, próbując się w niej połapać. Sześciocyfrowy kod wprowadzano, kręcąc gałkami. Jeden żołnierz wprowadzał pierwsze trzy cyfry i pstrykał przełącznikiem, a wtedy drugi wprowadzał trzy kolejne i pstrykał tym obok. Środkowy musiał być wyłączony. Dlaczego? Książka tego nie wyjaśniała.

Ale zawierała listę kodów. Dziesięć kodów przypisanych dziesięciu numerom seryjnym. Brakowało tylko zbrojmistrza z żółtą kredą.

– Co to jest? – spytał Dremmler.

– A czego się pan spodziewał?

– Nie rozumiem.

– Pewnie czegoś, co pomogłoby głośniej wybrzmieć waszej sprawie.

– Proszę wyjść. Nasza rozmowa dobiegła końca.

– Czyżby?

– Nie macie tu władzy. Doszło do zwykłego nieporozumienia. Nie wiem nawet, co to jest.

– Bomba – odparł Reacher. – Którą pan ukradł. Wypytawszy o nowe nazwisko Horace'a Wileya.

– Griezman nie zdoła postawić mi zarzutów.

– Bo zdziwiłby się, w jakich miejscach ma pan swoich ludzi?

– Tak, są ich setki, tysiące.

– A pan jest ich przywódcą?

– Mam ten zaszczyt.

– Dokąd ich pan prowadzi?

– Chcą odzyskać swój kraj. A ja tego dopilnuję. Co więcej, dopilnuję, żeby odzyskali taki, na jaki zasługują. Silny i odrodzony. O jasnych celach i czystych ideałach. Zmierzający w tym samym kierunku. Bez niepotrzebnego balastu. Bez zewnętrznej interwencji. Nie będziemy tego tolerować. Niemcy są dla Niemców.

Reacher długo milczał.

W końcu spytał:

– Dobrze zna pan historię swojego kraju?

– Tę prawdziwą czy tę zakłamaną?

– Tę o strachu, nieszczęściu i osiemdziesięciu milionach ofiar. Uczyliśmy się o tym na zajęciach. A wieczorami, kiedy gadaliśmy o bzdurach, ktoś wyskakiwał z pomysłem, żeby zbudować wehikuł czasu, cofnąć się o kilkadziesiąt lat i skasować faceta, zanim zaczął cokolwiek knuć. Zrobiłby pan to?

– A pan?

– Ja byłem za – odparł Reacher. – Tylko że to głupie pytanie. Po pierwsze, wehikuł czasu nie istnieje. Po drugie, patrząc wstecz, ma się sokoli wzrok. Prawdziwym wyzwaniem byłaby odpowiedź na pytanie odwrotne. Zaczynając od tu i teraz. I patrząc przed siebie. Dalekowzrocznie. Jak w wehikule czasu, tylko odwrotnie. Czy istnieje ktoś, kogo należałoby zabić już dzisiaj, żeby jutro nikt nie musiał marzyć o wehikule czasu? Jeśli tak, zrobiłby pan to czy nie? Jasne, mógłby się pan pomylić. Ale załóżmy, że ma pan rację. Życie osiemdziesięciu milionów ludzi za życie jednego człowieka. Jego wewnętrzny zegar mówił, że piętnaście minut już minęło. Bomba nie wybuchła, ładunek spokojnie spał. Bezsensowne kręcenie gałkami i pstrykanie przełącznikami nie poskutkowało. Logiczne. Więcej szkód może narobić złe lądowanie podczas skoku ze spadochronem.

– To trudne pytanie moralne – ciągnął. – Niektórzy mówili: nie, przecież nie złamał prawa. Jeszcze nie. Ale prawa nie złamał żaden z nich. Więc skoro zabiłby go pan, cofając się w czasie, dlaczego nie miałby pan zrobić tego już teraz? Niektórych martwił brak całkowitej pewności. Bo co, jeśli jest pan pewny tylko na dziewięćdziesiąt procent? Drudzy mówili: lepiej dmuchać na zimne. Co, logicznie rzecz biorąc, znaczyło pewność co najmniej pięćdziesięcioprocentową. Ale to nieprawda. Wystarczy pewność jednoprocentowa. Szansa jak jeden do stu, że uda się ustrzec osiemdziesiąt milionów ludzi przed strachem i nieszczęściem? Ma pan na to jakiś pogląd, Herr Dremmler?

Dremmler milczał.

– Byliśmy studentami – kontynuował Reacher. – West Point to uczelnia. I o takich sprawach tam rozmawialiśmy. Czy na poważnie? To bez znaczenia. Bo nie mogliśmy sprawdzić, czybyśmy to zrobili. Albo tego nie zrobili. Ale życie jest perfidne. I teraz muszę powiedzieć sobie: sprawdzam. Pieprzyłem wtedy czy nie?

Strzelił mu w serce i kiedy Dremmler znieruchomiał, z tej samej odległości poprawił w głowę, na wszelki wypadek. Potem schował pistolet do kieszeni, włożył kody do plecaka, zarzucił Crocketta na ramię i wyszedł. Minąwszy ciężarówkę, przystanął przed drzwiami, nacisnął zielony grzybek, a kiedy zaczęły się otwierać, otworzył drugie, żeby Davy mógł dołączyć do rodzeństwa. Zamknął je i mocno docisnął dźwignię.

Potem usiadł na miejscu pasażera.

– Wszystko w porządku? – spytała Neagley.

– Oczywiście – odparł.

– Na pewno?

– A ty kto? Moja mama?

Drzwi podniosły się na pełną wysokość.

– Jedź – rzucił.

• • •

Rada Bezpieczeństwa Narodowego natychmiast uruchomiła protokół alarmowy, zgodnie z którym wszystkich uczestników akcji rozproszono, żeby nie można ich było zidentyfikować i wezwać do sądu. W ciągu szesnastu godzin Reacher znalazł się w Japonii. Słyszał, że do rozładunku ciężarówki wezwano specjalną firmę. Przyjechali starodawnym pojazdem z czasów, kiedy bomby atomowe odpadały od samolotów i lądowały na polach. Słyszał również, że zaraz po imprezie u Dremmlera White i Vanderbilt polecieli z wysłanniczką do Zurychu, gdzie dokładnie oczyścili jedno konto i zasilili drugie. I tak CIA wzbogaciła się o sześćset milionów dolarów. Irańczykowi sprezentowano mieszkanie w Century City. Tydzień później dostał pracę w wytwórni filmów. Saudyjczyków odwołano do Jemenu i ślad po nich zaginął. Wileya pochowano w nie-oznakowanym grobie na poboczu niemieckiej autostrady, bez krzyża czy kamienia.

• • •

Z Sinclair widział się ostatni raz dwa miesiące później, gdy wezwano go do Waszyngtonu. Po kolejny medal. Przysłała mu liścik i zaprosiła go na kolację. W wieczór przed ceremonią. Do siebie. Do domu na przedmieściach Alexandrii. Poszedł w spodniach od munduru polowego Korpusu Piechoty Morskiej i czarnym podkoszulku, który kupił w Hamburgu; i spodnie, i podkoszulek dał w Japonii do pralni, gdzie starannie je złożono. Bez kurtki, bo było ciepło. Ostrzyżony, ogolony i świeżo po prysznicu. Czekała na niego w czarnej sukience.

Ale nie z perłami, tylko brylantami. Zjedli przy stole długim jak porządna łódź. Migotały świece, skrzyły się brylanty. Powiedziała, że ma dobre wiadomości i złe. Szefowie wysłanniczki tego oberwali. Groziła im zapaść finansowa. Sześćset milionów to nie byle co. Hamburg zniknął z mapy punktów przerzutowych, bo bez tamtych dwóch nie mogli sobie poradzić. Wysłanniczka poszła na pełną współpracę. Podała im informacje dotyczące struktury organizacji, dzięki czemu CIA mogła wypełnić kilka luk. Zła wiadomość była taka, że Wiley nie zostawił testamentu, dlatego wciąż był właścicielem rancza w Argentynie. Nie mogli tego odkręcić. Poza tym wciąż nie wiedzieli wielu rzeczy. I wciąż biegali w kółko, jakby się paliło i waliło.

Po kolacji Sinclair i Reacher podjęli wymuszoną próbę zmywania naczyń, którą przerwali, utknąwszy w kuchennych drzwiach. Znowu poczuł zapach jej perfum i znowu był zdenerwowany.

– Zrób to jak wtedy – powiedziała.

Podniósł rękę i ledwie musnąwszy jej czoło, wsunął palce we włosy i delikatnie je przeczesał. Gęste i miękkie, unosiły się falami i opadały, lecz odgarnął je do tyłu, część zakładając za ucho, część zostawiając.

Wyglądały dobrze.

Zabrał rękę.

– Teraz z drugiej strony.

Zrobił to drugą ręką, tak samo, ledwo muskając czoło, głęboko wsuwając palce i delikatnie przeczesując nimi włosy. Tym razem zostawił dłoń tam, gdzie dotarła, na smukłym, ciepłym karku. Położyła mu rękę na piersi. Ale potem przesunęła ją na kark. Ona podniosła głowę, on się pochylił, pocałowali się i nagle było jak dawniej. Wymacał zamek błyskawiczny na jej plecach, malutką metalową łezkę. Przesunął ją między łopatkami aż za krzyż, poniżej talii.

– Chodźmy na górę – szepnęła.

W sypialni znowu dosiadła go jak kowbojka, z wypchniętymi do przodu biodrami, odchylonymi ramionami i zamkniętymi oczami. Brylanty kołysały się i podskakiwały. Ręce trzymała z tyłu, z dala od ciała. Zgięte nadgarstki, otwarte dłonie unoszące się tuż nad łóżkiem jak na niewidzialnej poduszce powietrznej – wyglądała tak, jakby próbowała utrzymać równowagę. Bo rzeczywiście próbowała, tak jak przedtem. Balansowała na pojedynczym punkcie podparcia, nabijając się na niego całym ciężarem ciała, kołysząc się do przodu, do tyłu i na boki, jakby chciała doścignąć doznanie doskonałe, jakby je znajdowała, traciła, ponownie znajdowała i trzymała się go aż do zapierającego dech w piersi końca.

• • •

Do Belvoir przyjechał wczesnym rankiem. Ta sama sala, te same pozłacane meble, ten sam pęk flag. Przewodniczył czterogwiazdkowy Szef Sztabu, co było miłym akcentem. Miał wręczyć pięć odznaczeń. Cztery pierwsze, Medale Pochwalne – Hooperowi, Neagley, Orozco i Reacherowi. Cacuszka. Może nie tak ładne jak Legia Zasługi, ale nie najgorsze. Sześciokąty z brązu z wygrawerowanym orłem. Na tasiemce w prążki, zielonej jak liść mięty. Odpowiednik Brązowej Gwiazdy, tyle że nie za zasługi w czasie wojny.

Bierz błyskotkę i morda w kubeł.

Piątym odznaczeniem, Srebrną Gwiazdą, uhonorowano generała Wilsona T. Helmswortha.

Potem było trochę kręcenia się po sali, trochę gadania o niczym i ściskania rąk. Reacher ruszył do drzwi. Nikt go nie zatrzymał. Wyszedł na korytarz. Pusto, ani jednego sierżanta. Resztę dnia miał tylko dla siebie.

Polecamy książkę z Jackiem Reacherem

ZMUŚ MNIE

**Jedna z najbardziej niezwykłych powieści
w serii z Jackiem Reacherem!
Zaskoczy nawet jego fanów!**

Właściwie jedzie do Chicago, ale wcale nie musi tam dotrzeć. Więc dlaczego nie miałby wysiąść w mieścinie na pustkowiu w Oklahomie? Choćby po to, by się dowiedzieć, skąd ta dziwna nazwa – Matczyny Spoczynek.

Ale za sprawą pewnej kobiety Reacher następnego dnia nie wsiada do pociągu.

Michelle Chang, była agentka FBI, obecnie prywatny detektyw, szuka wspólnika, który przyjechał do Oklahomy i zniknął, a ona nie ma pojęcia, co właściwie tu załatwiał. Boi się jednak, że przytrafiło mu się coś bardzo, bardzo złego.

Zachowanie miejscowych tylko potwierdza obawy Chang.

I umacnia Reachera w decyzji, by jej pomóc. Nawet jeśli będzie musiał w tym celu przemierzyć całą Amerykę i szukać tam, gdzie nigdy dotąd się nie zapuszczał – w internetowej Głębokiej Sieci. Nawet jeśli będzie musiał zostawić za sobą kilka uszkodzonych ciał. Niektórych tak na amen.